O Senhor é a minha força e o meu escudo;
nele o meu coração confia, e dele recebo ajuda.
Meu coração exulta de alegria,
e com o meu cântico lhe darei graças.

Salmo 28:7

TERRORISMO
Conhecimento e Combate

Joanisval Brito Gonçalves
Marcus Vinícius Reis

TERRORISMO
Conhecimento e Combate

Niterói, RJ
2017

 © 2017, Editora Impetus Ltda.

Editora Impetus Ltda
Rua Alexandre Moura, 51 – Gragoatá – Niterói – RJ
CEP: 24210-200 – Telefax: (21) 2621-7007

Conselho Editorial
Ana Paula Caldeira • Benjamin Cesar de Azevedo Costa
Ed Luiz Ferrari • Eugênio Rosa de Araújo
Fábio Zambitte Ibrahim • Fernanda Pontes Pimentel
Izequias Estevam dos Santos • Marcelo Leonardo Tavares
Renato Monteiro de Aquino • Rogério Greco
Vitor Marcelo Aranha Afonso Rodrigues • William Douglas

Editoração Eletrônica: Editora Impetus Ltda.
Capa: Rafael Brum
Revisão de Português: Carmem Becker
Impressão e encadernação: Editora e Gráfica Vozes Ltda.

G635t
    Gonçalves, Joanisval Brito
        Terrorismo : conhecimento e combate / Joanisval Brito Gonçalves, Marcus Vinícius Reis. – Niterói, RJ : Impetus, 2017.
        232 p. ; 16x23 cm.

        ISBN: 978-85-7626-940-3

        1. Terrorismo. 2. Terrorismo – Prevenção. I. Reis, Marcus Vinícius II. Título.

        CDD- 303.625

O autor é seu professor; respeite-o: não faça cópia ilegal.

TODOS OS DIREITOS RESERVADOS – É proibida a reprodução, salvo pequenos trechos, mencionando-se a fonte. A violação dos direitos autorais (Lei nº 9.610/98) é crime (art. 184 do Código Penal). Depósito legal na Biblioteca Nacional, conforme Decreto nº 1.825, de 20/12/1907.

A **Editora Impetus** informa que se responsabiliza pelos defeitos gráficos da obra. Quaisquer vícios do produto concernentes aos conceitos doutrinários, às concepções ideológicas, às referências, à originalidade e à atualização da obra são de total responsabilidade do autor/atualizador.

www.impetus.com.br

DEDICATÓRIA

À família, razão de tudo.

Aos que combatem o terror pelo mundo, pois estão na primeira linha de defesa da civilização.

A todas as vítimas da barbárie terrorista, e à Dra. María Belén Pulgar Gutiérrez, autora da obra *Víctimas del Terrorismo 1968-2004*, que brilhantemente traduziu todo o sofrimento das famílias daqueles que sofreram com esses terríveis atos criminosos.

AGRADECIMENTOS

Uma das etapas mais desafiadoras ao se escrever um livro são os agradecimentos, não por ser difícil dizer muito obrigado, mas pelo risco de se deixar de citar alguém entre as inúmeras pessoas e instituições que contribuíram para a produção da obra. Afinal, indiscutível que o livro que o leitor tem em mãos é produto de anos de estudo e da experiência dos autores que, certamente, contaram com o auxílio de colegas e amigos, professores e alunos nos cursos que fizemos ou ministramos no Brasil e pelo mundo. Nesse sentido, agradecemos aos nossos Mestres e alunos por meio do Instituto Legislativo Brasileiro do Senado Federal, onde lecionamos em cursos de capacitação dos servidores dos Três Poderes, contribuindo, durante os anos que antecederam as Olimpíadas de 2016, para a formação profissional de funcionários do Legislativo, policiais, militares e oficiais de inteligência.

Agradecemos também a *William J. Perry Center for Hemispheric Defense Studies at National Defense University,* em nome de seu Diretor Dr. Mark Wilkins, por intermédio do qual prestamos nossa gratidão aos professores e funcionários pela qualidade dos treinamentos que tanto ajudaram na capacitação dos autores; ao *Centro de Estudios Estratégicos en Seguridad de la Escuela Superior de Guerra de Colombia*, na pessoa do Major-General Juan Carlos Salazar Salazar – nossa admiração pela qualidade dos seminários e treinamentos voltados a uma maior difusão do conhecimento acerca das grandes ameaças à segurança do continente americano. Aprendemos muito com nossos professores, alunos e colegas, e a eles, reiteramos, somos gratos.

Agradecemos também à Editora Impetus pelo interesse em publicar este livro. Nossa opção pela Impetus tem por base o profissionalismo com que ali exercem essa tão nobre atividade, e pela maneira atenciosa com que tratam os autores. Profissionalismo e cortesia são marcas da Impetus!

Gratidão ainda ao Dr. Denilson Feitoza e à Associação Internacional para Estudos de Segurança e Inteligência (INASIS) pelo incondicional apoio à publicação deste livro. Estamos seguros de que a obra será útil a nossos alunos nas disciplinas relacionadas a estudos de terrorismo oferecidas nos cursos da Associação e contribuirá para a formação de massa crítica para tratar do tema.

And words of gratitude to Dr. David Spencer, Associate Professor at the William J. Perry Center for Hemispheric Defense Studies, for his acceptance on writing the Foreword of this book. Dr. Spencer is a great reference on counterterrorism and on Latin American Studies and it is an honor having this lecture from him on the following pages.

Um último, mas não menos importante, agradecimento é a nossas famílias, que abriram mão de seu tempo conosco enquanto trabalhávamos na produção deste livro. Sabemos o quão importante foi essa atitude e somos gratos a nossos entes queridos por ela.

APRESENTAÇÃO DA SÉRIE "INTELIGÊNCIA, SEGURANÇA E DIREITO"

A atividade de inteligência é essencial ao desenvolvimento e à preservação do Estado Democrático de Direito brasileiro. Todos os países economicamente desenvolvidos, com democracias consolidadas, possuem serviços de inteligência responsáveis, legais e fortes.

A inteligência de Estado (ou inteligência "clássica") é voltada, principalmente, ao assessoramento do processo decisório. Por exemplo, nos termos legais, o Sistema Brasileiro de Inteligência (Sisbin) tem a finalidade de fornecer subsídios ao Presidente da República nos assuntos de interesse nacional (art. 1º da Lei nº 9.883/1999).

Todavia, sendo sobretudo método, a noção de inteligência de Estado passou a ser aplicada a órgãos públicos em geral, adequando-se a suas finalidades estatais específicas, notadamente no âmbito da segurança pública e da fiscalização.

De maneira irreversível, apesar das resistências culturais e institucionais, a inteligência de segurança pública e, de modo geral, novas inteligências (como a ministerial, a fiscal e a prisional) têm firmado sua "dupla natureza", como "inteligência estratégica" (processo decisório – natureza consultiva) e "inteligência tática" (produção de provas – natureza executiva), destinadas tanto à produção de provas para investigações e processos criminais, cíveis e fiscais (inteligência tática), especialmente em situações mais complexas como combate às organizações criminosas, programas de controle de crimes e defesa de interesses coletivos, quanto à produção de conhecimento destinado a processos decisórios estratégicos.

Entretanto, de um lado, a inteligência "consultiva" (ou seja, inteligência "clássica" ou inteligência de Estado, voltada a subsidiar o processo decisório do tomador de decisão no mais alto nível estratégico, precipuamente nas áreas de defesa externa, segurança interna e relações internacionais), e, de outro lado, a inteligência "executiva" (ou seja, voltada a subsidiar, com "provas", atividades de natureza executiva, em casos complexos e/ou difíceis, como na inteligência de segurança pública, inteligência ministerial, inteligência fiscal, inteligência penitenciária, inteligência de controle etc.) são significativamente distintas e demandam marcos regulatórios diferentes. Além disso, a atividade de inteligência não deve se confundir com investigações ou processos, sejam eles cíveis, criminais, fiscais ou administrativos, nem com gestão do conhecimento e gestão de informação.

A sociedade, a imprensa, os centros de ensino e pesquisa e o próprio Estado finalmente despertaram para a inteligência, com o que se renovaram e ampliaram os questionamentos sobre a eficiência e a legalidade das atividades de inteligência, bem como sobre sua "capacidade" de respeitar direitos humanos e direitos fundamentais.

Há uma verdadeira efervescência na área da inteligência, com realização de pesquisas acadêmicas, edição de estudos, surgimento de pós-graduações, publicação de longas reportagens críticas, declarações de importantes personalidades públicas (como as dos chefes dos Poderes da União), discussões legislativas no Congresso Nacional, imensa repercussão na mídia de ações estatais atribuídas à inteligência (como as da Polícia Federal e da Abin) etc.

Conforme anunciamos desde o lançamento da série, a prospectiva para a inteligência, nos próximos anos, indica cenários com significativas transformações:

a) diante do déficit legal sobre a inteligência, vários de seus aspectos deverão ser regulamentados por lei *stricto sensu*, como leis ordinárias ou, possivelmente, até emenda à Constituição;

b) novos "serviços de inteligência" continuarão a surgir, inclusive "sistemas" de inteligência constitucionalmente "autônomos" (como Ministérios Públicos, Poder Judiciário, Poder Legislativo e Municípios), demandando que a "Comunidade de Inteligência" se antecipe no planejamento de sua integração ou cooperação;

c) a inteligência procurará justificar-se e adequar-se como método proporcional, controlável, eficiente e federativo-cooperativo, bem como desenvolver-se como método pluriagencial, interdisciplinar e interparadigmático, adequado a fenômenos complexos e dialéticos;

d) a inteligência de segurança pública e novas inteligências firmarão sua "dupla natureza", como "inteligência estratégica" (processo decisório – natureza consultiva) e "inteligência tática" (produção de "provas" – natureza executiva);

e) a inteligência tenderá a atuar de forma cooperativa, seguindo a tendência mundial ao compartilhamento informacional;

f) a inteligência aumentará sua participação em investigações criminais e civis, seja auxiliando ou integrando órgãos investigativos;

g) a inteligência de segurança pública e outras inteligências orientadas para investigação, fiscalização, corregedoria, auditoria e controle procurarão desenvolver e consolidar seu devido processo legal;

h) a inteligência buscará padronização, inclusive com desenvolvimento de normas de qualidade e sistemas de certificação de qualidade;

i) a inteligência buscará educação (capacitação, treinamento e aperfeiçoamento, permanentes e continuados), segundo parâmetros internacionais, mas adequada à realidade nacional atual e futura.

Nesse sentido, foi criada a Associação Internacional para Estudos de Segurança e Inteligência (INASIS – *International Association for Security and Intelligence Studies*), com capítulos em vários países, cada um deles presidido pelos mais importantes pesquisadores de atividade de inteligência do país.

A INASIS congrega pesquisadores e profissionais da inteligência e segurança na mesma associação, a fim de produzir resultados muito proveitosos para ambos os lados.

A INASIS tem cinco focos: a) pesquisas e estudos; b) publicação; c) educação da inteligência; d) desenvolvimento; e) política (influência e presença). Veja a respeito em <http://www.inasis.org>.

Quanto à educação da inteligência, por exemplo, a equipe docente da Associação Internacional para Estudos de Segurança e Inteligência (INASIS) lançou a primeira Pós-Graduação brasileira de Especialização em Inteligência de Estado e Inteligência de Segurança Pública, que já está na nona turma, tendo, como alunos, membros dos Ministérios Públicos Estaduais, Federal, Militar e do Trabalho, delegados das Polícias Federal e Civis, agentes da Polícia Federal, policiais da Polícia Rodoviária Federal, policiais Legislativos federais e estaduais, oficiais e praças das Polícias Militares, oficiais das Forças Armadas, peritos, auditores-fiscais federais e estaduais, magistrados federais e estaduais, oficiais de inteligência da ABIN, analistas de Tribunais de Contas da União e estaduais, agentes penitenciários, integrantes de órgãos de inteligência, fiscalização, corregedoria, auditoria e controle etc. Dezenas de chefes de órgãos de inteligência têm sido alunos dessa Especialização em Inteligência.

Ademais, a INASIS tem cursos de capacitação nas mais variadas áreas, como cursos em operações de inteligência, segurança institucional, contrainteligência, produção do conhecimento de inteligência, entrevista como técnica de inteligência, entrevista e interrogatório como técnicas especiais de investigação, inteligência de fonte aberta, gestão/análise/uso da informação em investigações complexas, antiterrorismo, gestão e análise de riscos etc.

É a Associação, portanto, um espaço para quem deseja se expandir e alcançar novos horizontes na pesquisa, nos estudos, no intercâmbio, na gestão, nos debates, na política, nos negócios ou na profissão da segurança e inteligência.

De fato, a INASIS é um verdadeiro *think tank*. Desse modo, o Projeto de Lei nº 3.578/2015, sobre Operações de Inteligência, foi baseado no anteprojeto elaborado pela INASIS e proposto à então Presidente da Comissão Mista de Controle das Atividades de Inteligência (CCAI), do Congresso Nacional, em 5 de outubro de 2015. A Presidente da CCAI, Deputada Federal Jô Moraes, apresentou o referido projeto perante a Câmara dos Deputados, em 10 de novembro de 2015. É o primeiro projeto de lei sobre o assunto quanto à inteligência de Estado, no Brasil. O Brasil não tem qualquer lei federal a respeito.

A Editora Impetus, com o firme apoio da INASIS, em face desses cenários de relevantes transformações, mantém a série brasileira sobre inteligência, denominada "Inteligência, Segurança e Direito".

A série "Inteligência, Segurança e Direito" objetiva contribuir para o desenvolvimento e o aperfeiçoamento da inteligência e da segurança, por meio da publicação de estudos, pesquisas, ensaios, manuais, cursos, tratados, coletâneas de artigos e outras obras de qualidade, nacionais ou estrangeiros, produzidos por profissionais de inteligência e segurança, pesquisadores, professores, especialistas e estudiosos em geral. Ademais, a série também incorpora o novo campo de estudos e pesquisas do Direito sobre a inteligência e a segurança.

A série "Inteligência, Segurança e Direito" tem demonstrado sua vitalidade e relevância, com grande sucesso, desde que foi lançada há oito anos.

Dr. Denilson Feitoza

Presidente da Associação Internacional para Estudos de Segurança e Inteligência (INASIS). Pós-Doutorado em Inteligência, Segurança e Direito (CCISS/Canadá). Pós-Doutorado em Ciência da Informação (UFMG/Brasil). Doutor em Direito, Mestre em Direito e *Master of Arts in Open and Distance Education*. Coordenador da Série "Inteligência, Segurança e Direito". Coordenador da Pós-Graduação de Especialização em Inteligência de Estado e Inteligência de Segurança Pública. Ex-Secretário Adjunto de Estado de Defesa Social de Minas Gerais. Ex-Secretário-Geral do Grupo Nacional de Combate às Organizações Criminosas (GNCOC). Ex-Coordenador do Centro de Segurança e Inteligência Institucionais (CESIN), do Ministério Público de Minas Gerais. Ex-Coordenador do Grupo de Inteligência dos Ministérios Públicos (atual GSI/GNCOC). Procurador de Justiça. <http://www.inasis.org>.

OS AUTORES

JOANISVAL BRITO GONÇALVES

- Consultor Legislativo do Senado Federal para a área de Relações Exteriores e Defesa Nacional
- Consultor para a Comissão Mista de Controle das Atividades de Inteligência do Congresso Nacional (CCAI)
- Advogado
- Doutor em Relações Internacionais (UnB)
- Mestre em História das Relações Internacionais (UnB)
- Especialista em Inteligência de Estado (Esint/Abin), em Integração Econômica e Direito Internacional Fiscal (Esaf/FGV/Universidade de Münster), em Direito Militar (Unisul/Exército Brasileiro/CESDIM) e em História Militar (Unisul)
- Bacharel em Relações Internacionais (UnB) e em Direito (UniCeub)
- Professor em cursos de graduação e pós-graduação nas áreas de Inteligência, Segurança Nacional e Defesa, Direito Internacional, Direito Internacional Humanitário e Estudos Estratégicos
- Pesquisador visitante do *Canadian Centre of Intelligence and Security Studies* (Centro Canadense de Estudos de Inteligência e Segurança), da *Norman Paterson School of International Affairs*, *Carleton University* (Ottawa/Canadá)
- Ex-analista de informações da Agência Brasileira de Inteligência (Abin)
- Membro de associações brasileiras e internacionais na área de inteligência
- Autor de diversas publicações sobre Atividade de Inteligência, Relações Internacionais e Direito no Brasil e no exterior, com destaque para os livros *Atividade de Inteligência e Legislação Correlata* (Niterói: Impetus, 4ª edição, 2016) *Políticos e Espiões: o controle da atividade de inteligência* (Niterói: Impetus, 2010), *Introdução às Relações Internacionais* (Brasília: Senado Federal, 2009) e *Tribunal de Nuremberg, 1945-1946: a Gênese de uma Nova Ordem no Direito Internacional* (Rio de Janeiro: Renovar, 2ª ed., 2004)
- Vice-Presidente da Associação Internacional para Estudos de Segurança e Inteligência (INASIS)
- Website: <http://www.joanisval.com>
- Contato: joanisval@gmail.com

MARCUS VINÍCIUS REIS

- Advogado, com mestrado em Economia (UnB/DF)
- Master em Direitos Fundamentais (Universidad Carlos III/Madrid – Espanha) e especialização em contraterrorismo/contrainsurgência, bem como em Combate ao Crime Transnacional pela National Defense University, CHDS, EUA
- Especialista em Organizações Criminosas pela Academia de Polícia Civil do DF. Também é Certificado em Estudos de Terrorismo pela University St. Andrews, Escócia
- Foi um dos pioneiros, junto com o professor Joanisval Gonçalves, no ensino do fenômeno do terrorismo no Brasil com o curso ministrado no Instituto Legislativo Brasileiro, do Senado Federal
- Foi professor da Secretaria Nacional de Segurança Pública (SENASP) e da Secretaria de Segurança Pública do DF (SSP DF), tendo ministrado a disciplina Terrorismo em ambas
- Atualmente é professor da Associação Internacional para Estudos de Inteligência e de Segurança (INASIS)
- Criador do curso Detecção da Mentira em Entrevistas e Interrogatórios
- Membro da Polícia Legislativa Federal
- Palestrante sobre temas de defesa e de segurança, tendo proferido palestras em diversos seminários e encontros nacionais e internacionais
- Email: marcusreis@me.com
- Website: <http://www.marcusreis.com.br>

PREFÁCIO*

Irregular Warfare, and within it terrorism, is probably the most persistent threat of the early 21st Century. Conventional wars are less and less likely because of the great asymmetry between the contenders. This is probably best illustrated by the invasion of Iraq in 2003. The asymmetry between the coalition and the Iraqi forces was so great that the campaign was essentially a walk-over. The Iraqis were humiliated, and the billions of dollars of conventional war equipment they had acquired became essentially very expensive junk due to its failure to even slow down allied forces. The essential problem was that the Iraqis presented the United States with the battle they had trained to win since during the Cold War, and the Americans did not disappoint, rolling over the Iraqi Army like they a hot knife plowing through butter. U.S. forces were nearly only limited by how fast they could drive, setting historical records on how far and how quickly conventional forces could tear across hostile terrain.

It was a glorious campaign for the coalition, but the celebration was short-lived because the enemies of the United States adapted quickly and learned that confronting conventional force with conventional force was not a winning strategy. They quickly adopted irregular warfare—to include terrorism - and began to, if not enjoy more success, at least make it much more difficult for the United States to defeat them.

While irregular war has always existed, it has been seen as a weapon of the weak, an auxiliary method of war. Today, while still the weapon of the weak, it is perhaps the first chosen form of warfare, with conventional warfare becoming a secondary option for even more powerful countries. This is due to the cost-benefit ratio offered to the weaker side by irregular war versus conventional war. The impact has been devastating. Going back to our example, where the conventional war in Iraq lasted only a month, the irregular war in Iraq lasted another eight years and cost hundreds of billions of dollars and thousands of lives before the United States declared "victory" and went home. Official data indicates that the 2003 invasion of Iraq cost the United States 92.3 billion dollars, 139 killed and 551 wounded. By contrast the next eight years of irregular war cost 945.7 billion dollars, 4,349 killed and 31,675 wounded. This means that the irregular war cost the United States 10 times the amount in treasure, 31 times the number killed and 57 times the number wounded tying up its forces for 96 times the length of time as the conventional war. No wonder its enemies have resorted to irregular war over conventional war to confront it! Anxious to stop the hemorrhage, the United States withdrew its troops by 2011.

---

* Preferimos manter o texto original, com o intuito de não perder nenhuma informação, no entanto, há uma tradução disponível no site da Editora.

In its withdrawal the United States learned another terrible lesson. Irregular wars are prolonged affairs not determined by electoral cycles, but rather by enemy will. There is no doubt that General Petraeus' Anaconda Strategy and the surge defeated Abu Musab al-Zarqawi and the first incarnation of Al Qaeda in Iraq, but the U.S. withdrew before the embers were stamped out, and compounded by the political mistakes made by the government of Iraq, a new group emerged from Al Qaeda in Iraq known as the Islamic State, a Sunni insurgent group, more savvy, more skilled, and yet more terrible than Al Qaeda in Iraq ever dreamed to be. Led by Abu Bakr al-Baghdadi, and taking advantage of the chaos in neighboring Syria due to the civil war there, it quickly seized weapons, territory and called for volunteers from around the globe to come and build the Islamic State. Around 30,000 from at least 86 countries responded. Characterized by its ruthlessness and unabashed use of naked terror, massacring--beheading and burning prisoners and posting the videos on the internet--Abu Bakr's group launched an offensive that seized Mosul and then drove south towards Baghdad, taking part of the infamous Sunni Triangle (Fallujah, Tikrit and Ramadi) before being stopped by Iraqi forces reinforced by Iran and the United States.

Had the United States remained in Iraq, it is unlikely that ISIS would have been able to grow and develop the way it did or gain territorial control. The U.S. had to go back to war in Iraq. The bitter lesson for the United States is that modern irregular war is a prolonged affair that requires long-term commitment--costing hundreds of billions of dollars and thousands of lives--beyond immediate political considerations. If we start with the attack on the World Trade Center in September 2001, the United States has been at war with irregular radical Islamic groups in some form or another for over 15 years. There is little doubt that the country will be forced to continue to combat this threat for another 15 years or more.

The United States was forced to go back to war in Iraq, mostly with its Air Force, advisers and technical specialists. By taking territory, the Islamic State presented the kind of target that the United States was good at attacking, so beginning in August 2014, the United States carried out a systematic bombing campaign of ISIS military and economic targets to degrade their capabilities. Simultaneously they strengthened the Iraqi military which slowly but systematically began to retake territory from ISIS. As of this writing, a slow and bitter battle was ongoing to recover Mosul, ISIS' de facto capital.

Will ISIS disappear once Iraq and Syria recover the territory they now control? Likely not. We have already received a preview. When the war on the ground began to turn against ISIS, it called on its foreign recruits to stop coming to their territory in Syria and Iraq and instead to begin carrying out terrorist attacks where they were. ISIS has directed or inspired terrorist attacks in 21 countries including: Afghanistan, Algeria, Australia, Bangladesh, Belgium, Bosnia, Canada, Denmark, Egypt, France, Germany, Indonesia, Kuwait, Lebanon, Libya,

Malaysia, Saudi Arabia, Turkey, Tunisia, United States and Yemen killing roughly 1,500 people.

While Islamic terrorist attacks have scarcely touched Latin America, the region is not untouched by Islamic terrorism. In 1990, an Islamic group attempted a coup in Trinidad and Tobago. In 1992 and 1994 Hezbollah bombed Jewish targets in Argentina. More important however, Hezbollah, Al Qaeda and the Islamic State are known to conduct economic operations in the region, particularly related to drug smuggling. For example, the Islamic State is known to control routes through Western Africa into Europe used to ship South American cocaine through Libya into France. It is no coincidence that most of the ISIS November 2015 attackers in Paris had a direct cocaine connection, in many cases selling drugs on the streets of France.

In ISIS' shift from controlling territory to carrying out transnational terrorism, we see two important aspects. First, we see their operational flexibility, moving back and forth between more conventional and more irregular warfare as the situation allows—but never accepting defeat. Second, ISIS has proved to be extremely flexible in terms of finances. Where it controlled territory, it taxed the legal economy like any normal government. It pumped oil and sold it on any market it could to generate revenue. However, it has not hesitated to tap the illicit economy for funds, such as their cocaine trafficking attests. However, they are not limited to drugs, but will do anything that produces revenue and weakens their enemies. They are involved in human smuggle for a fee, illegal mining and anything else that allows them to make money—legal or illegal. In ISIS there is a real convergence of criminal enterprise with terrorist activities.

It is clear that ISIS is already conducting economic activity in the Western Hemisphere as well as recruiting would-be terrorists via the internet. Hundreds are known to have joined and traveled to the Islamic State, many from the Caribbean. It is unknown how many have stayed in their countries of origin. This makes it extremely likely that sooner or later Latin American adherents will carry out attacks either in their home country or elsewhere.

While this essay has focused on Islamic Terrorism in general and ISIS in particular up to now, terrorism is not only isolated to Islamic groups. Latin America has a long tradition of irregular warfare of its own. Up to the 1990s, the region spawned many revolutionary groups, most of which employed terrorism as a tactic to one degree or another. The Colombian FARC were the most notorious group employing terrorism to a greater extent than any other regional group, but only because their war has lasted longer than anyone else. FARC has now signed a peace agreement with the government and will abandon terrorism in favor of more peaceful forms of struggle. However, in Colombia there is still the ELN, which has not yet negotiated an agreement, although that is their intent. In Peru, there are still remnants of the notorious terrorist group Sendero Luminoso, and in Paraguay a quixotic organization has developed over the last twenty years known as the Paraguayan People's Army or EPP. The remaining groups aren't very big or powerful, but despite their weakness, regional terrorism continues to survive.

Depending on whether one defines terrorism as a tactic, or a political cause, a discussion can be had about terrorism and transnational organized crime. While clearly not seeking to take political power, transnational organized criminal groups in Mexico, Colombia, Brazil and elsewhere, use terrorist tactics to take over markets, eliminate rival organizations and intimidate or kill government officials. While we should be reluctant to call these criminal groups "terrorists" in a political sense, but awareness of their terrorist methodology is vital to devising effective ways to combat them.

In summary: Terrorism as a form of irregular war is becoming the increasingly preferred method of warfare due to its relatively high yield and low cost. Once engaged, countries cannot choose when they disengage without risking serious consequences. They must see it through to the end. Terrorism has become very adaptive and resilient. Terrorism is becoming increasingly transnational and converging increasingly with organized crime. Terrorists obtain money and weapons through organized crime, and organized crime gains new markets, protection and advance their business from the chaos created by terrorism. Terrorist support operations are already occurring in Latin America, it is probably just a matter of time before renewed terrorist attacks, like those that occurred in Argentina, happen again.

For this reason, Marcus Reis and Joanisval Gonçalves' Manual for Understanding and Combating Terrorism arrives at a critical time. Brazil has yet to suffer serious terrorist attacks, and this manual may be key to making sure that it never does. Understanding the true nature of the threat is the first step toward defeating that threat. So many tragedies in history could have been prevented, if the powers that be had not underestimated the threat. So many times governments believe their own propaganda that all is well because of political convenience. However, these governments almost inevitably pay a high price when they finally admit to the true nature of the problem, usually after attacks happen.

Reis and Gonçalves have developed a very thorough work, starting with an important discussion on the definition of terrorism and the political debate over when and whether armed rebellion is justified. They then develop a very useful discussion of the evolution of terrorism from the mid-19th Century through the Islamic State that I have discussed briefly above. They go into legal aspects, strategic-operational and operational-tactical issues which they respectively call macro and micro-analysis. They discuss issues of counter-terrorism and finally they deal with contemporary issues of terrorism such as the Global Jihad, and Terrorism and Organized Crime among other issues.

Reis and Gonçalves comprehensive work covers all aspects of the phenomenon of terrorism: theoretical, political, legal, strategic, operational and tactical, in a very readable format heavily illustrated by real world examples that make it understandable to both the expert and the novice reader. They are to be congratulated.

David Spencer

David Spencer, PhD, is Associate Professor at the William J. Perry Center for Hemispheric Defense Studies. Before accepting his current position at the Perry Center, Dr. Spencer was Director of Combating Terrorism at Hicks & Associates. In this position he supported several USOUTHCOM projects. For the last 15 years he has worked in a variety of positions in Support of Plan Colombia. He spent five years in El Salvador as a consultant to the Ministry of Defense during the recent civil war. Dr. Spencer has worked for a number of think-tanks and consulting firms, such as Center for Naval Analyses (CNA) and Science Applications International Corporation (SAIC). Dr. Spencer was raised in Latin America, living in Chile, Costa Rica, Colombia, Venezuela, and Guatemala. Dr. Spencer served in the U.S. Army and National Guard as an Infantryman. He attained the rank of Sergeant and was mobilized for the First Gulf War in 1990-1991. In June 2011, he published the study Colombia's Road to Recovery: Security and Governance 1982-2010. He was awarded the Exceptional Public Service Medal in 2013. He is a military history and archaeology buff.

NOTA À PRIMEIRA EDIÇÃO

A melhor forma de lutar contra o terrorismo é a mais singela: educar a próxima geração.

Malala Yousafzai

Em 2009, o Instituto Legislativo Brasileiro (ILB), órgão de treinamento do Senado Federal do Brasil, promoveu um curso de capacitação para seus policiais legislativos no qual o Terrorismo era o tema central. Nessa época já era notório que o Brasil ainda não havia despertado para esse assunto, apesar de sua presença perene na agenda internacional, motivo pelo qual o Senado brasileiro identificou a necessidade de treinar sua força policial, a Polícia do Senado Federal, para melhor compreender e lidar com esse fenômeno criminoso.

Os autores da presente obra foram então destacados para ministrar a instrução aos policiais, elaborando o Curso Básico sobre Terrorismo e Inteligência. Com este primeiro curso, bastante celebrado pela força policial do Senado, houve repercussão muito positiva entre diversos órgãos de segurança pública, inteligência e de defesa nacional, motivo pelo qual a segunda turma foi aberta a entes públicos conveniados.

Durante o treinamento, os instrutores atestaram a carência de estudos sobre o terrorismo entre as forças policiais e de segurança e defesa no Brasil, bem como o grande desejo dos profissionais dessas áreas em ampliar seus conhecimentos e seguir no estudo do tema. Esse desejo, que também se mostrou uma necessidade, acontece, em especial, pela provável entrada do Brasil no chamado circuito de risco do terrorismo internacional, considerando a grande projeção externa do País nos últimos anos, e o advento de megaeventos esportivos, como a Copa do Mundo de Futebol, em 2014, e as Olimpíadas, em 2016.

Um dos grandes problemas para o estudo do terrorismo no Brasil é, sem dúvida, a carência de literatura sobre o tema. Grande parte das obras a respeito está escrita em língua inglesa, dificultando o acesso ao tema por profissionais de segurança e de defesa brasileiros.

Diante da carência de produção bibliográfica brasileira sobre terrorismo, com consequente dificuldade de compreensão do fenômeno em razão dessa escassez de literatura em português, os instrutores do Curso Básico sobre Terrorismo e Inteligência iniciaram o projeto de confecção do presente livro, no qual se pretende tratar, de forma didática e atual, dos elementos que compõem o estudo sobre o terrorismo.

Assim nasce esta obra, a qual, esperamos, permitirá uma compreensão introdutória do tema terrorismo. Desejamos que, com este manual, profissionais brasileiros das áreas de segurança, defesa e inteligência, bem como interessados no tema, disponham de mais um recurso para lidar com esse complexo fenômeno. Já é tempo de o Brasil entender que pode ser alvo do terrorismo, tanto interno quanto internacional. Oxalá os responsáveis pela segurança pública, pela defesa e pela segurança nacional em nosso país estejam atentos para o terrorismo, que possui características próprias e únicas.

Brasília, agosto de 2016.

*The world is not dangerous because of those who do harm
but because of those who look at it without doing anything.*
Albert Einstein

SUMÁRIO

PALAVRAS INICIAIS 1

CAPÍTULO 1 – O TERRORISMO 5
1.1. Definição 5
1.2. Elementos essenciais do conceito de terrorismo 12
1.3. A insurgência e o terror 16
1.4. Direito a desobedecer ao Estado? 19
1.5. Conclusões 20

CAPÍTULO 2 – BREVE HISTÓRIA DO TERRORISMO 23
2.1. Primórdios 23
2.2. As ondas do terrorismo 25
    2.2.1. A Primeira Onda 29
    2.2.2. A Segunda Onda 34
    2.2.3. A Terceira Onda 43
    2.2.4. A Quarta Onda 48
2.3. Conclusões: uma quinta onda? 60

CAPÍTULO 3 – TERRORISMO E DIREITO 63
3.1. Terrorismo e o Direito brasileiro 63
3.2. Normas internacionais sobre terrorismo 76
3.3. Instrumentos multilaterais 77
3.4. Resoluções no âmbito da ONU 90
3.5. Legislação estrangeira sobre terrorismo 92
3.6. Terrorismo e guerra justa 97
3.7. Ações internacionais contra o financiamento do terrorismo 100
3.8. Conclusões 104

CAPÍTULO 4 – MACROANÁLISE DO TERRORISMO 107
4.1. As causas do terror 107
4.2. Motivação política e terrorismo 111
4.3. Análise econômica do terrorismo 113
4.4. Objetivos e estratégias 118
4.5. Conclusões 120

CAPÍTULO 5 – MICROANÁLISE DO TERRORISMO 123
5.1. Estrutura e organização 123
5.2. A célula terrorista 124
5.3. A estrutura piramidal ou hierárquica 125
5.4. A estrutura descentralizada ou em rede (*network*) 128
5.5. Seleção de alvos 130
5.6. Táticas terroristas 134
5.7. A utilização de armas de destruição em massa 138
5.8. Ciclo de um ataque terrorista 139
5.9. Conclusões 142

CAPÍTULO 6 – PREVENÇÃO E RESPOSTA AO TERRORISMO 143
6.1. Terrorismo e escala da violência 144
6.2. O modelo da guerra 147
6.3. O modelo da Justiça Criminal 148
6.4. O modelo misto 150
6.5. Democracia e combate ao terror 151
6.6. A fase pré-incidente de um plano de resposta ao terrorismo ... 154
6.7. Plano de prevenção – etapa 1: produção de conhecimento de inteligência 158
6.8. Plano de prevenção – etapa 2: medidas de antiterrorismo 168
    6.8.1. Legislação apropriada 168
    6.8.2. Acompanhamento de possíveis ameaças 169
    6.8.3. Proteção a alvos potenciais 170
    6.8.4. Análise de risco 170
6.9. Plano de prevenção – etapa 3: organização da segurança (elaboração do plano pré-incidente) 173
6.10. Conclusões 181

CAPÍTULO 7 – CONSIDERAÇÕES FINAIS: PERSPECTIVAS 183
7.1. A *Jihad* global 183
7.2. Superterrorismo e terrorismo catastrófico 186
7.3. Lobos solitários e terrorismo 187
7.4. A terceirização do terror 188
7.5. Terrorismo e crime organizado 189
7.6. Qual o futuro com o terrorismo? 191

REFERÊNCIAS 193

PALAVRAS INICIAIS

Nós somos o que fazemos. O que não se faz não existe. Portanto, só existimos nos dias em que fazemos. Nos dias em que não fazemos, apenas duramos.

Padre Antônio Vieira

O terrorismo tem experimentado grande crescimento nos últimos 20 anos, especialmente aquele relacionado a fatores étnicos, religiosos e ideológicos. Não são poucos os países que têm passado por mudanças substanciais em suas sociedades, desde meados do século XX, com o terrorismo usado como ferramenta de pressão política à disposição de grupos que tentam alterar a relação de forças na organização social de um Estado.

Curdos, chechenos, colombianos, sudaneses, norte-americanos, espanhóis, libaneses, palestinos, israelenses, russos, brasileiros, entre outros, são grupos sociais que viveram e vivem sob a ameaça do terrorismo em decorrência de nacionalismos, condução de política externa, conflitos religiosos, conflitos separatistas, crises sociais, crises econômicas. As consequências do surgimento do terrorismo em qualquer sociedade são péssimas, como o enfraquecimento e até mesmo a destruição da segurança interna, a possibilidade de guerra, a significativa violação de direitos humanos e a deterioração das relações internacionais. O terrorismo, portanto, deve ser combatido pelos Estados individualmente e pela comunidade mundial em conjunto.

País nenhum está livre do terrorismo. O Brasil não é exceção, muito pelo contrário. Além de base e palco de ações terroristas, o País mostra-se como alvo em potencial do terror. Afinal, as possibilidades são múltiplas nesta terra multiétnica de 200 milhões de seres humanos, 16 mil quilômetros de fronteiras e 8 mil de costa, e vizinha de 10 países, cada qual com suas peculiaridades. Some-se a isso as oportunidades relacionadas a grandes eventos, a politização de setores do crime organizado, a projeção internacional no setor político-econômico, e a negação e inação por parte do Estado, tudo contribuindo para despertar a atenção de organizações terroristas para as facilidades em se obter propaganda para suas demandas com um País que não se prepara e não tem a intenção de se preparar para combater essa forma de violência.

O terrorismo tem sido responsável por milhares de mortes pelo mundo contemporâneo, além de ser o causador de um pânico coletivo que prejudica a simplicidade e a fluidez da vida social. O número de pessoas feridas ou mortas em decorrência de atentados terroristas é preocupante. Entre 1998 e 2003 foram aproximadamente 21.630 vítimas. Se somarmos aos mortos e feridos dos atentados de 11 de março de 2004, em Madri, de 7 de julho de 2005, em Londres, às vítimas de ataques, entre 2004 e 2016, no Paquistão, na Índia, na Turquia, no Iraque, Síria, Líbano, Israel e outros países do Oriente Médio, acrescidos daqueles recentes no continente europeu, com destaque para os perpetrados no território francês em 2015 e 2016, o número de vítimas passa de 50 mil. Esse número aumentou significativamente na segunda década do século XXI, com a guerra civil na Síria, conflitos no Afeganistão, na Líbia e no Iraque, e com o fortalecimento de organizações como o Estado Islâmico, o *Boko Haram* e, ainda, *Al Qaeda* e suas subsidiárias.

É fundamental destacar os efeitos do terrorismo sobre a coletividade, pois não se está a tratar aqui de vítimas de acidentes de carro ou de doenças. Cada imagem de um ato terrorista tem o escopo de trazer pânico a um grande número de pessoas, em um efeito multiplicador assustador. Exemplo disso foram os atentados de 11 de setembro de 2001, que promoveram a sensação de insegurança em praticamente todo o mundo ocidental.

Assim é que o terrorismo, mais além das vidas que retira diretamente, é responsável por mudanças de hábitos que prejudicam a vida em sociedade, impondo visões equivocadas entre diversos povos, medo, desconfiança, e graves problemas econômicos domésticos e internacionais. O custo para o combate desse fenômeno criminoso vai, portanto, muito além dos cálculos frios de vidas perdidas e de bens danificados. Deve incluir a elevação do preço do seguro de áreas e instalações, doenças psicológicas, faltas ao trabalho, medo, histeria, sem falar em duas guerras derivadas diretamente dos atos de terror.

A prevenção contra o terrorismo não é tarefa fácil, pois, como se sabe no meio que lida com o tema, enquanto as forças do Estado não podem errar nunca no trato com essa ameaça, o terrorista só precisa acertar uma vez. Ademais, o sistema repressivo de muitos países, montado para combater o terrorismo, tem-se mostrado ineficaz por si só, e ainda são dados os primeiros passos no que concerne à resiliência por ocasião de ataques terroristas.

O objetivo deste livro é apresentar uma perspectiva brasileira sob o fenômeno do terrorismo. Registre-se que ainda há muito pouco publicado em português sobre o tema, mesmo porque os especialistas lusófonos no assunto são em número muito reduzido. Nesse sentido, este livro busca preencher uma lacuna na produção bibliográfica brasileira sobre terrorismo, propondo-se a ser como um Manual introdutório para conhecimento e combate desse flagelo de nossa época. Volta-se, importante registrar, ao conhecimento do fenômeno e à prevenção contra o terrorismo. A resposta propriamente dita será tratada em obra futura.

No primeiro capítulo é apresentada a definição de terrorismo e discutido seu conceito. Também se trata nessa parte inicial de questões como a insurgência e o terror e do direito de desobedecer ao Estado, quando o cidadão se vê diante de uma crise de graves proporções.

O segundo capítulo é dedicado a um breve histórico do terrorismo contemporâneo. Nele são apresentadas as quatro ondas do terror desde a Revolução Francesa, bem como um pouco sobre os principais grupos responsáveis pelas diversas faces de ódio e violência que assustaram o mundo nos últimos 200 anos, dos anarquistas e revolucionários do século XIX aos fundamentalistas religiosos deste início de milênio.

"Terrorismo e Direito" é o tema do terceiro capítulo. Nele são apresentados os aspectos jurídicos e legais do terrorismo no ordenamento jurídico doméstico de distintos países, bem como os instrumentos internacionais de prevenção e resposta ao terrorismo. Atenção especial é destinada à legislação brasileira e, de maneira inédita, à novíssima lei brasileira antiterror, a Lei nº 13.260, de 16 de março de 2016, a qual é dissecada e analisada inclusive nos seus vetos.

O quarto capítulo é dedicado ao que os autores chamam de "Macroanálise do Terrorismo", onde são consideradas as causas do fenômeno, bem como a motivação, objetivos e estratégias das organizações terroristas. Também é feita a análise econômica do terrorismo, explicando-se o que justifica economicamente um atentado.

Já a "Microanálise do Terrorismo" é o objeto do Capítulo 5 do presente livro. Aí se disseca a organização terrorista: como ela se organiza e se estrutura, como seleciona seus alvos, quais as táticas empregadas e a possível utilização de armas de destruição em massa. Há, ainda, uma seção do quinto capítulo que trata do ciclo de um ataque terrorista.

Conhecido o fenômeno do terrorismo, o sexto capítulo é voltado para os mecanismos de resposta por parte do Estado e da sociedade às ações terroristas. Um foco necessário é dado ao chamado "modelo da justiça criminal", cabível nos regimes democráticos. É então ensinado como estruturar a parte preventiva de Plano de Resposta, de modo a auxiliar os profissionais das áreas de segurança e inteligência a se organizarem para lidar com esse grave problema.

O último capítulo destina-se às considerações e conclusões dos autores sobre as perspectivas para o Brasil e para o mundo diante do fenômeno do terrorismo. São reflexões que têm por objetivo muito mais estimular o debate sobre o tema (ainda bastante hermético entre os brasileiros), do que trazer respostas sobre o futuro e os destinos da humanidade ao lidar com esse flagelo da modernidade.

Observação que ainda deve ser feita diz respeito aos anexos. Para tornar a obra mais acessível em termos comerciais, optamos por disponibilizar os anexos em formato digital no sítio da Editora na internet: <http:/www.impetus.com.br>. Ali o leitor encontrará tanto a legislação brasileira sobre terrorismo quanto a compilação dos instrumentos internacionais e regionais dos quais o Brasil é signatário, acessíveis gratuitamente. Acreditamos que esses textos legais podem ser úteis ao pesquisador interessado no tema deste livro.

O mundo mudou muito. No século XXI, o terrorismo entrou de maneira definitiva no quotidiano de sociedades diversas como os criadores de cabra da Nigéria e os nova-iorquinos de Wall Street, o cidadão que enfrenta conflitos e ameaças constantes de violência pelas ruas de Bagdá e o belga que esteve toda sua vida na tranquilidade de Bruxelas. Tudo isso exige reflexão sobre o que é o terrorismo e sua compreensão. E, sinceramente, ainda não sabemos lidar com esse violento fenômeno neste admirável mundo novo.

Capítulo 1

O TERRORISMO

O terrorismo nasce do ódio, baseia-se no desprezo pela vida do homem e é um autêntico crime contra a humanidade.

João Paulo II

Durante mais de cem anos a sociedade internacional tem convivido com atentados, sequestros e outras ações de grupos ou pessoas que se autointitulam ou são identificados como "terroristas". Com suas diferentes facetas, o terrorismo moderno é um fenômeno que se evidencia nos mais distantes pontos do planeta e em meio a sociedades distintas. Apesar dessa abrangência, ainda não se tem uma definição comum de terrorismo. De fato, um dos aspectos mais complexos para quem começa a estudar a matéria diz respeito exatamente à sua definição. O presente capítulo tem por objetivo apresentar distintos conceitos de terrorismo e seus elementos essenciais.

1.1. DEFINIÇÃO

O que é terrorismo? Em que pesem a relevância e a amplitude do tema, sobretudo após os atentados de 11 de setembro de 2001, ainda são muitas e bastante diversificadas as definições de terrorismo. Em novembro de 1980, Brian Jenkins já assinalava que o termo tornara-se "palavra da moda usada de maneira promíscua" e com frequência para uma variedade de ações violentas que não seriam estritamente associadas ao terrorismo[1]. Aplicada geralmente de forma pejorativa, lembra Jenkins, alguns governos são pródigos em rotular como terrorismo todos os atos violentos promovidos por seus adversários políticos, enquanto extremistas antigovernamentais frequentemente se intitulam vítimas do terror estatal[2]. Daí o termo envolver, normalmente, um ponto de vista,

---

[1] JENKINS, Brian. *The study of terrorism:* definitional problems. Santa Monica, CA: The Rand Paper Series, December 1980.
[2] JENKINS (1980), op. cit., p. 1.

um julgamento moral, um rótulo para oponentes: "terrorismo é o que os caras maus fazem"[3]. Nesse sentido, Marcos Degaut observa que:

> [...] Chegar a uma definição do terrorismo é tarefa complexa. O termo possui carga tão pejorativa que é comumente usado como epíteto sem qualquer sentido condizente com seu real significado. A ausência de um tratamento mais preciso dessa palavra tem implicado seu uso abusivo, o qual serve para caracterizar qualquer tipo de ação violenta, de natureza criminosa ou não. Em uma conotação propagandística, é usado para caracterizar qualquer ação violenta, de caráter físico ou psicológico e de natureza "radical", "fanática" ou "extrema". Entretanto, a fim de não deixar o significado central do termo terrorismo se diluir em ideias excessivamente difusas, o que permite sua manipulação de acordo com objetivos e conveniências políticas, como frequentemente acontece, necessário se faz tentar formular uma conceituação e eventual definição do fenômeno, tendo o cuidado de restringir ao máximo sua possível área de abrangência[4].

Segundo o historiador Walter Laqueur, um conceito de aceitação universal para terrorismo seria muito difícil devido à grande variedade de circunstâncias em que ocorre esse tipo de violência e das numerosas e diversificadas razões daqueles que recorrem a essas práticas[5]. O próprio Laqueur tentaria posteriormente definir terrorismo como "a contribuição para o uso ilegítimo da força de modo a alcançar um objetivo político, quando pessoas inocentes são os alvos". Essa definição, entretanto, está longe de ser completa e de abranger as diferentes dimensões do fenômeno.

De fato, definir terrorismo é uma tarefa que pode encontrar obstáculos diante de percepções influenciadas por ideologia, religião, opinião política e até economia. O que para uns é um terrorista, para outros pode ser chamado de "combatente da liberdade" (sobretudo para aqueles que percebem o terrorismo como "a arma dos mais fracos"). Por essas razões, Martha Crenshaw, referência importante na área, escreveu que a ausência de definição consensual continua sendo uma praga para todos aqueles interessados no estudo do terrorismo[6]. Joshua Sinai, outro especialista no assunto, destaca que a definição de terrorismo é um dos aspectos mais ambíguos dos estudos de terrorismo, uma vez que "não há uma definição universalmente aceita que possa diferenciar ataques contra civis não combatentes ou alvos militares, tampouco que leve em conta as últimas tendências nas práticas terroristas ou em seus objetivos"[7]. E essa ambiguidade se aplica tanto no âmbito acadêmico quanto no que concerne a definições oficiais

---

[3] JENKINS (1980), op. cit., p. 1.
[4] DEGAUT, Marcos. *O desafio global do terrorismo:* política e segurança Internacional em tempos de instabilidade. Brasília, 2014. (Edição eletrônica)
[5] LAQUEUR, Walter. *Terrorism*. Boston: Little Brown, 1977, p. 5.
[6] CRENSHAW, Martha. The Psichology of Terrorism. In: *Political Psychology* 21:2 (2000), p. 406.
[7] SINAI, Joshua. How to define terrorism. In: *Perspectives on terrorism*, v. II, issue 4, February 2008, pp. 9-11.

de Estados ou de organizações internacionais. A título de exemplo, a própria Organização das Nações Unidas (ONU), apesar de já ter patrocinado diversas Convenções relacionadas ao tema, ainda não chegou a um consenso sobre o conceito de terrorismo[8].

Convém, entretanto, apresentarmos neste Manual algumas definições de terrorismo. De acordo com o *Dicionário Etimológico da Língua Portuguesa*, o terrorismo pode ser definido como "modo de coagir ou ameaçar outras pessoas, impondo-lhes a vontade pelo uso sistemático do terror"; e também "forma de ação política que combate o poder estabelecido mediante emprego da violência"[9]. Caldas Aulete o define simplesmente como "uso da violência com finalidades políticas"[10], enquanto o *Dicionário Aurélio da Língua Portuguesa*[11] trata como "modo de coagir, combater ou ameaçar pelo uso sistemático do terror", definições em que escapam as especificidades técnicas.

No que concerne a definições de especialistas, Donald Snow lembra que "terrorismo" vem da palavra latina *terrere*, que significa "amedrontar, assustar, causar pânico"[12]. Segundo Bruce Hoffman, terrorismo "é o uso ou ameaça do uso da violência, por grupos organizados e de forma planejada, contra a sociedade civil ou governos constituídos, com fins políticos"[13]. Já Rafael Calduch Cervera define o fenômeno como "estratégia de relação política baseada no uso da violência e da ameaça da violência por um grupo organizado, com o objetivo de induzir um sentimento de terror ou de insegurança extrema em uma coletividade humana não beligerante e facilitar assim o logro das reivindicações dos terroristas"[14]. Para Eugênio Diniz, o terrorismo constitui "uma etapa de uma sequência de ações que visa a produzir um fim político desejado, sendo melhor caracterizado, portanto, como parte de uma estratégia, algo que definimos como um estratagema."[15]

A ideia do uso da violência com o fim de pressionar governos ou organizações a agirem de acordo com os interesses dos terroristas é elemento importante do conceito. Nesse sentido, Tom Marks assinala que se trata de um "método de ação, e não uma lógica de ação. O fim do terror não é formar o

---

[8] Para as diversas convenções internacionais sobre terrorismo, vide: <http://treaties.un.org/Pages/DB.aspx?path=DB/studies/page2_en.xml> (acesso em 1ª mar. 2013).
[9] CUNHA, Antônio Geraldo da. *Dicionário etimológico da língua portuguesa*, 4ª ed. Rio de Janeiro: Lexikon, 2010.
[10] AULETE, Caldas. *Dicionário escolar da língua portuguesa*. Rio de Janeiro: Lexicon, 2012.
[11] FERREIRA, Aurélio Buarque de Hollanda. *Dicionário Aurélio da língua portuguesa*. Curitiba: Positivo, 2012.
[12] SNOW, Donald M. *September 11, 2001, the new face of war?* New York: Longman, 2002.
[13] HOFFMAN, Bruce. *Inside terrorism*. Columbia University Press, 1998, p. 43.
[14] CALDUCH, Rafael. Una revisión crítica del terrorismo a finales del siglo XX. In: REINARES, F. (ed.) *State and societal reactions to terrorism*. Oñati 1997, p. 12.
[15] DINIZ, Eugênio. Compreendendo o fenômeno do terrorismo. In: BRIGADÃO, C.; PROENÇA JR. D. *Paz e terrorismo*. São Paulo: Ed. Hucitec, 2004, pp. 197-222.

contra-Estado, como ocorre na insurgência, mas um método, estratagema para pressionar o governo."[16] Claro que, sob essa ótica, o terrorismo pode mesmo vir a ser um instrumento de política externa quando patrocinado, orientado ou conduzido por Estados para influenciar outros atores na sociedade internacional.

Definição interessante é a cunhada por Joshua Sinai[17]: Terrorismo é uma tática de combate que envolve violência premeditada e politicamente perpetrada por um grupo subnacional ou agentes clandestinos contra qualquer cidadão de um Estado, seja civil ou militar, para influenciar, coagir e, se possível, causar baixas massivas e destruição física de seus alvos". E completa diferenciando ações terroristas de ações de guerrilha: "Distintamente de forças guerrilheiras, os grupos terroristas são menos capazes de derrotar os governos adversários que de infligir destruição discriminada ou indiscriminada que, acreditam, possa coagir esses governos a mudarem a política".

No âmbito internacional, reitere-se que a ONU não chegou ainda à definição de terrorismo. Entretanto, a Resolução nº 49/60, da Assembleia Geral, adotada em 9 de dezembro de 1994, intitulada "Medidas para Eliminar o Terrorismo Internacional" contém uma cláusula que faz referência ao terrorismo ao assinalar que "atos criminosos, intencionados ou calculados para provocar um estado de terror no público em geral, em um grupo de pessoas ou em indivíduos em particular com propósitos políticos, não são justificáveis em nenhuma circunstância, quaisquer que sejam as considerações políticas, filosóficas, raciais, étnicas, religiosas ou de outra natureza que possam ser invocadas para justifica-los"[18]. Definição de terrorismo pela ONU, entretanto, é tida como pouco exequível, uma vez que há diversos interesses em conflito sobre o tema entre os 193 países membros da organização.

De toda maneira, a Resolução nº 1.566 (2004), do Conselho de Segurança da ONU faz referência a "atos criminosos, incluindo aqueles contra civis, cometidos com o objetivo de causar morte ou lesões corporais graves, bem como tomada de reféns, com o propósito particular de provocar um estado de terror no público em geral ou em um grupo de pessoas ou em indivíduos específicos, intimidar a população, ou compelir um governo ou organização internacional a fazer ou se abster de fazer alguma coisa"[19]. Assim, tanto na percepção da Assembleia Geral quanto na do Conselho de Segurança, está presente a ideia de "ações violentas

---

[16] MARKS, Tom. Insurgency in a time of terrorism. *Journal of Counterterrorism and Homeland Security International*. v. 11, nº 2, 2005.
[17] SINAI, op. cit., p. 11.
[18] UNITED NATIONS. General Assembly. *A/RES/49/60, 9 December 1994*. Disponível em: <http://www.un.org/documents/ga/res/49/a49r060.htm> (acesso em 20 dez. 2013).
[19] UNITED NATIONS. Security Council. *S/RES/1566 (2004), 8 October 2004*. Disponível em: <http://daccess-dds-ny.un.org/doc/UNDOC/GEN/N04/542/82/PDF/N0454282.pdf?OpenElement> (acesso em: 10 dez. 2013).

contra alvos indiscriminados, com o objetivo de intimidar uma população ou compelir autoridades a fazer ou deixar de fazer alguma coisa". Aliás, a alteração ou não exclusividade na escolha de alvos estatais, militares, policiais e políticos por parte das organizações terroristas, substituindo-os por alvos civis, desprotegidos e vulneráveis, parece ser uma das grandes características do terrorismo do século XXI.

Em 3 de junho de 2002, a Assembleia Geral da Organização dos Estados Americanos (OEA) aprovou a Resolução nº 1.840, que adota a Convenção Interamericana Contra o Terrorismo. Apesar de não se conceituar terrorismo na referida Convenção, a Resolução nº 1.840 destaca que o terrorismo "constitui um grave fenômeno delitivo que preocupa profundamente todos os Estados membros, atenta contra a democracia, obstaculiza o gozo dos direitos humanos e das liberdades fundamentais, ameaça a segurança dos Estados, desestabilizando e solapando as bases de toda a sociedade e afeta seriamente o desenvolvimento econômico e social dos Estados da região"[20].

Na União Europeia, cujos marcos legais são a *Convenção Europeia para Repressão do Terrorismo*[21], celebrada em Estrasburgo, em 27 de janeiro de 1977, e a *Convenção para Prevenção do Terrorismo*[22], assinada em Varsóvia, em 16 de maio de 2005, avanço importante foi uma decisão do Conselho da Europa, a Decisão-Quadro de 13 de junho 2002[23], por meio da qual se conseguiu chegar a acordo quanto a uma definição unânime de terrorismo. Naquele contexto, terrorismo engloba todas as infrações "suscetíveis de afetar gravemente um país ou uma organização internacional" com o propósito de "intimidar gravemente uma população", "constranger indevidamente os poderes públicos ou uma organização internacional a praticar ou a abster-se de praticar qualquer ato" ou "desestabilizar gravemente ou destruir as estruturas fundamentais políticas, constitucionais, econômicas ou sociais de um país ou de uma organização internacional"[24].

---

[20] ORGANIZAÇÃO DOS ESTADOS AMERICANOS. Assembleia Geral. *AG/RES. 1840 (XXXII-O/02)*, aprovada na primeira sessão plenária, realizada em 3 de junho de 2002. Disponível em: <http://www.cicte.oas.org/Rev/En/Documents/Conventions/AG%20RES%201840%202002%20portugues.pdf> (acesso em: 1ª dez. 2013).
[21] CONSELHO DA EUROPA. *Convenção Europeia para Repressão do Terrorismo*, celebrada em Estrasburgo, em 27 de janeiro de 1977. Disponível em: <http://conventions.coe.int/Treaty/en/Treaties/Html/090.htm> (acesso em: 10 jan. 2014).
[22] CONSELHO DA EUROPA. *Convenção Europeia para Prevenção do Terrorismo*, celebrada em Varsóvia, em 16 de maio de 2005. Disponível em: <http://conventions.coe.int/Treaty/EN/Treaties/Html/196.htm> (acesso em: 10 jan. 2014).
[23] CONSELHO DA EUROPA. *Decisão-Quadro 2002/475/JAI do Conselho, de 13 de junho de 2002, relativa à luta contra o terrorismo*. Disponível em: <http://eur-lex.europa.eu/LexUriServ/LexUriServ.do?uri=CELEX:32002F0475:PT:NOT> (acesso em: 10 jan. 2014).
[24] NOIVO, Diogo; SEABRA, Pedro. Combate ao terrorismo na união europeia: construção de uma abordagem comum. In: *Segurança & Defesa*, nº 14, jul.-set. 2010, pp. 36-47.

Definição interessante é a da Convenção Árabe para Supressão do Terrorismo, adotada pelo Liga Árabe, em 1998. Segundo esse tratado, terrorismo é definido como "todo ato ou ameaça de violência, qualquer que sejam seus motivos ou propósitos, conduzido para promover o avanço de uma agenda criminal individual ou coletiva, causando terror entre pessoas, medo de serem prejudicadas, ou pondo-lhes em perigo a vida, a liberdade ou a segurança, ou objetivando causar dano ao meio ambiente ou a instalações públicas ou privadas, ou à propriedade, para ocupá-la ou tomá-la, ou que tenha por objetivo comprometer um recurso natural"[25].

Entre definições oficiais, destacamos a percepção do Departamento de Estado dos Estados Unidos da América (DoS), que entende o terrorismo como "o uso ilegítimo da força contra pessoas ou propriedades para intimidar ou coagir governos ou sociedades, com fins políticos."[26] Na mesma linha segue o *Federal Bureau of Investigation* (FBI), considerando o terrorismo o "uso ilegítimo da força ou violência, física ou psicológica, contra pessoas ou propriedades para intimidar ou coagir governos, a população civil, ou qualquer segmento, com fins políticos ou sociais"[27]. Já o Departamento de Defesa (DoD) daquele país o conceitua como "o uso calculado da violência para incutir medo, tentar coagir ou intimidar governos ou sociedades, com objetivos geralmente políticos, religiosos ou ideológicos"[28].

Para fins deste Manual, assinalamos algumas outras percepções oficiais de terrorismo:

- "O uso de séria violência contra pessoas ou propriedades, ou da ameaça de uso da violência para intimidar ou coagir um governo, a opinião pública (ou parte dela), com propósitos políticos, religiosos ou ideológicos" (Reino Unido[29]).
- "Terrorismo é a violência ou ameaça de violência contra indivíduos ou organizações, e ainda a destruição (danificação) ou ameaça de destruição

---

[25] "*Any act or threat of violence, whatever its motives or purposes, that occurs for the advancement of an individual or collective criminal agenda, causing terror among people, causing fear by harming them, or placing their lives, liberty or security in danger, or aiming to cause damage to the environment or to public or private installations or property or to occupy or to seize them, or aiming to jeopardize a national resource.*" LEAGUE OF ARAB STATES. *The Arab Convention on the Suppression of Terrorism*, signed at Cairo, on 22 April 1998. Disponível em: <https://www.unodc.org/tldb/pdf/conv_arab_terrorism.en.pdf> (acesso em: 17 fev. 2014).
[26] *Vide* relatório *Patterns of Global Terrorism*, 2003, do Departamento de Estado dos Estados Unidos da América, p. XI, disponível em: <http://www.state.gov/documents/organization/31932.pdf> (acesso em: 14 abr. 2016).
[27] *Vide* página web do *Federal Bureau of Investigation* (FBI) com os conceitos de terrorismo internacional e terrorismo doméstico, em: <https://www.fbi.gov/about-us/investigate/terrorism/terrorism-definition> (acesso em: 14 abr. 2016).
[28] UNITED STATES DEPARTMENT OF DEFESE. *Dictionary of military and associated terms*, 2010, p. 247, disponível em: <http://www.dtic.mil/doctrine/new_pubs/jp1_02.pdf> (acesso em: 10 abr. 16).
[29] UNITED KINGDOM. *Terrorism Act 2000*. Disponível em: <http://www.legislation.gov.uk/ukpga/2000/11/pdfs/ukpga_20000011_en.pdf> (acesso em: 10 fev. 2014).

a propriedades e outros bens materiais, bem como a ameaça de causar perda de vidas, danos significativos a propriedades ou outras ações danosas, conduzidas com o objetivo de macular a segurança pública, intimidar a população, ou influenciar a adoção de medidas em favor dos terroristas por órgãos do Estado, para satisfazer a interesses materiais dos terroristas e/ou outros interesses; atentados contra a vida de autoridades ou agentes públicos perpetrados com o objetivo de pôr fim ao regime constituído ou qualquer outra atividade de vingança relacionada; ataques contra representantes de nações estrangeiras ou contra pessoal de organizações internacionais ou pessoas sob proteção dessas organizações, bem como contra instalações ou veículos de pessoas sob proteção internacional, quando tais ações tiverem por objetivo provocar a guerra ou prejudicar relações internacionais" (Rússia[30]).

- "Terrorismo é a luta permanentemente conduzida com objetivos políticos, os quais se busca alcançar com ataques contra a vida e a propriedade de outras pessoas, especialmente recorrendo-se a crimes graves [...] ou por meio de atos de violência que sirvam para perpetrar tais crimes" (República Federal da Alemanha[31]).
- "Um tipo de crime ainda mais agravado pelas intenções políticas a ele relacionadas". O terrorismo "tem por objetivo subverter a ordem constitucional ou alterar significativamente a ordem pública" (Espanha)[32].
- "Uma empreitada individual ou coletiva com o objetivo de desestabilizar gravemente a ordem pública pela intimidação ou o terror" (França[33]).

No Brasil, a definição legal de terrorismo é recente, pois não havia uma lei que o fizesse no País até o início de 2016. Foi com o art. 2º da Lei Antiterrorismo (Lei nº 13.260, de 16 de março de 2016) que se estabeleceu o conceito de terrorismo no ordenamento jurídico brasileiro:

> Art. 2º O terrorismo consiste na prática por um ou mais indivíduos dos atos previstos neste artigo, por razões de xenofobia, discriminação ou preconceito de raça, cor, etnia e religião, quando cometidos com a finalidade de provocar terror social ou generalizado, expondo a perigo pessoa, patrimônio, a paz pública ou a incolumidade pública.

---

[30] FEDERAÇÃO DA RÚSSIA. Lei 130 FZ de Luta contra o Terrorismo.
[31] DEUTSCHEN INSTITUT FÜR MENSCHENRECHTE. *Menschenrechte – Innere Sicherheit – Rechtsstaat. Konferenz des Deutschen Instituts für Menschenrechte Berlin*, 27. Juni 2005.
[32] ALVANOU, Maria. *Antiterrorism legislation issues in Spain: terrorism offences and "incommunicado" procedures*, RIEAS (Research Institute for European and American Studies), Greece, Disponível em: <http://rieas.gr/index.php?option=com_content&task=view&id=405&Itemid=41> (acesso em: 10 nov. 2013).
[33] REPUBLIQUE FRANÇAISE. *Code Pénal*, articles 421 et suivants. Para outras informações, *vide*, na página do Senado Francês, o texto *Projet de loi relatif à la lutte contre le terrorisme et portant dispositions diverses relatives à la sécurité et aux contrôles frontaliers*, que é parte do *Rapport nº 117*, disponível em: <https://www.senat.fr/rap/l05-117/l05-1171.pdf> (acesso em: 30 jul. 2015).

Os atos especificados no conceito são relacionados no § 1º desse art. 2º, quais sejam:

> Art. 2º [...]
> § 1º São atos de terrorismo:
> I – usar ou ameaçar usar, transportar, guardar, portar ou trazer consigo explosivos, gases tóxicos, venenos, conteúdos biológicos, químicos, nucleares ou outros meios capazes de causar danos ou promover destruição em massa;
> [...]
> IV – sabotar o funcionamento ou apoderar-se, com violência, grave ameaça a pessoa ou servindo-se de mecanismos cibernéticos, do controle total ou parcial, ainda que de modo temporário, de meio de comunicação ou de transporte, de portos, aeroportos, estações ferroviárias ou rodoviárias, hospitais, casas de saúde, escolas, estádios esportivos, instalações públicas ou locais onde funcionem serviços públicos essenciais, instalações de geração ou transmissão de energia, instalações militares, instalações de exploração, refino e processamento de petróleo e gás e instituições bancárias e sua rede de atendimento;
> V – atentar contra a vida ou a integridade física de pessoa[34].

A tipificação do delito de terrorismo no Brasil encontrou resistência, tanto devido a aspectos ideológicos quanto pela preocupação em se ter determinados grupos e movimentos sociais que pregam a mudança do regime democrático pela violência na categoria de organizações terroristas. Ademais, não são poucas as lideranças de destaque no Estado brasileiro deste início de século XXI que estiveram envolvidas em ações terroristas à época da luta armada (décadas de 1960 e 1970) contra o regime militar. Por isso na definição brasileira não encontramos, ainda, o principal termo que em nossa visão deveria constar de uma definição do terrorismo, que é a motivação política. Mas esse assunto será tratado em capítulo específico.

1.2. ELEMENTOS ESSENCIAIS DO CONCEITO DE TERRORISMO

O "terrorismo não é um crime de paixão", destaca Jürgen Brauer, em *On the economics of terrorism*[35], e assinala que o terrorismo possui uma lógica, segue uma *rationale*, com planejamento e cálculo de custo-benefício. Portanto, não existem atentados terroristas indiscriminados (apesar de haver alvos indiscriminados).

---

[34] BRASIL. Lei nº 13.260/2016. Observe-se que foram vetados os incisos II e III que tratavam, respectivamente, de "incendiar, depredar, saquear, destruir ou explodir meios de transporte ou qualquer bem público ou privado" e "interferir, sabotar ou danificar sistemas de informática ou bancos de dados".
[35] BRAUER, Jürgen. On the economics of terrorism. In: *Phi Kappa Forum*. v. 82, nº 2 (spring 2002), pp. 38-41.

Esses atos são perpetrados com base em determinada racionalidade para a consecução de objetivos claros e desejados.

Ao observarmos diversas definições de terrorismo, em quase todas aparecerão os seguintes elementos, identificados por Bruce Hoffman[36]:

- objetivos políticos[37];
- atos ilegais violentos ou ameaças ilegais violentas;
- ações conduzidas com o objetivo de produzir efeitos que extrapolem aqueles sobre as vítimas, com repercussões gerais;
- ações conduzidas por organizações não estatais ou grupos subnacionais[38].

Nessa linha seguem Gregory Raymond[39], que assinala que "o terrorismo político implica o uso ou a ameaça da violência contra não-combatentes, calculado para infligir medo, alarme e, em última análise, um sentimento de desamparo numa audiência além das vítimas diretas", e David Whittaker que afirma ser interessante o estabelecimento de uma conceituação básica do terrorismo que considerasse a ação dos terroristas como uso intencional da violência contra não-combatentes civis com o objetivo de alcançar fins políticos[40]. Reiteramos nossa reserva diante do fato de que, mais do que nunca, o terrorismo pode ter propósitos distintos dos políticos, por exemplo, fins religiosos.

O comportamento de grupos terroristas é, portanto, racional, apesar de se pensar sobre a irracionalidade de tais atos, devido às desgraças proporcionadas e à utilização excessiva da violência. Na verdade, na grande maioria das vezes, as condutas terroristas são como movimentos em uma partida de xadrez, calculados nos seus detalhes.

Atualmente, dentre as diversas formas de terrorismo, tem-se destacado aquela de caráter fundamentalista, mais cruel, desumana, que cruza todos os limites da ética social, e tem como alvos imediatos, sobretudo, civis ou não-combatentes. Essa modalidade de terrorismo não está acobertada por uma causa justa (assim considerada pela maioria da sociedade internacional), e sofre influência fanático-religiosa que chega a tornar o seu fim político a própria destruição do outro, beirando a um "genocídio religioso" ou de pensamento. Trata-se de modalidade de conduta bastante distinta daquela empreendida por

---

[36] HOFFMAN, Bruce, op. cit., p. 43.
[37] Claro que podem ocorrer ações terroristas que tenham objetivos distintos dos políticos.
[38] Em que pese a qualidade da definição de Hoffman, não se pode esquecer o terrorismo de Estado, conduzido por agentes públicos ou por estes orientado.
[39] RAYMOND, Gregory A. The Evolving Strategies of Political Terrorism. In: KEGLEY Jr., Charles W. (ed.) *The new global terrorism:* characteristics, causes, and controls. Upper Saddle River, NJ: Prentice Hall, 2003, p. 72.
[40] WHITTAKER, David J.. *Terrorists and terrorism in the contemporary world*. London and New York: Routledge, 2004, p. 6.

movimentos de libertação nacional ou organizações de orientação político-ideológica (de esquerda ou direita), marcantes na segunda metade do século XX.

Outrossim, cada vez mais o terrorismo atual se aproxima da intensidade de uma guerra, tornando legais ações de Estados que em outras épocas seriam consideradas graves violações ao Direito Internacional, como foi a declaração de guerra dos Estados Unidos da América (EUA) ao Terror (*War on Terror*) ou a operação para a captura de Osama bin Laden (Operação Tridente de Netuno, Paquistão, 2011). Não obstante, considerando a intensidade dos novos ataques terroristas, tal guerra ao terror ou a denominada guerra preventiva (como resposta a um potencial ataque) foram consideradas aceitáveis por alguns segmentos da comunidade internacional.

Aqui convém fazer o registro de nossa percepção acerca da iniciativa de "guerra ao terror" defendida pelo Governo de George W. Bush logo após os atentados de 11 de setembro de 2001. A nosso ver, a medida constituiu-se em grave erro estratégico. Afinal, os atos terroristas naquela ocasião deveriam ser considerados condutas criminosas e não um ato de guerra. Nesse sentido, ao declararem guerra ao terror, os EUA criaram um novo adversário, abstrato, e que, em termos práticos, jamais poderia ser derrotado como um inimigo convencional. Uma guerra deve ser travada contra um inimigo identificável e que possa ser plenamente neutralizado. Ao elegerem o "terrorismo" como inimigo, os norte-americanos criaram um adversário sem rosto, pulverizado, impossível de ser pego. Constituíram um inimigo que é uma verdadeira hidra: não adianta cortar uma cabeça, que outras tantas nascem no lugar. E com o avanço dos guerreiros solitários das causas defendidas por essas organizações, nem precisam nascer outras cabeças na hidra, porque esta provavelmente possui milhões delas.

A transformação do terrorismo e sua nova face possuem algumas razões que podem ser:

- aparição de inúmeros conflitos étnicos, religiosos e ideológicos em razão da globalização e aproximação entre os povos do mundo;
- surgimento de novos governos pelo mundo com economias fracas, transformando-se em Estados falidos que não atendem a requisitos mínimos de seus cidadãos;
- estratégia global, em que algumas nações patrocinam ou fomentam organizações terroristas com o intuito de realizar parte da política externa;
- desenvolvimento de novas tecnologias e redução de custos (transportes, comunicações, informática);
- criação de novas armas, com grande poder de destruição e acessíveis a grupos criminosos;

- pulverização de novas ideologias, especialmente as religiosas radicais que pregam a homogeneização da sociedade mundial.

O certo é que o terrorismo dos novos tempos é muito perigoso[41]. Destrói a segurança interna de uma nação, além de minar as relações de segurança global. É um dos grandes responsáveis por violações bárbaras a direitos humanos (junto com a inércia dos líderes mundiais em combater a fome, pobreza e doenças banais que atingem mais da metade do planeta) e muitas vezes é o agente causador de guerras e conflitos mundiais – por exemplo, como ocorreu com a I Guerra Mundial, em 1914, e com a Invasão israelense ao Líbano, em 1982.

Portanto, com base em todos esses novos elementos que atualmente caracterizam o terrorismo, pode-se defini-lo como *um método de ação, uma tática ou um estratagema planejado e perpetrado por organizações estruturadas, ou por elementos simpáticos à causa e guiados ideologicamente, com o efetivo uso ou a ameaça de uso da violência contra pessoas e bens, em sua maioria civis, no sentido de coagir sociedades e Estados a cederem a determinados objetivos políticos (ideológicos, religiosos, sociais, corporativos, entre outros)*. Essa definição acompanha a de Brian Jenkins, um dos mais renomados especialistas na matéria, e que estuda o fenômeno desde a década de 1970. Segundo Jenkins, terrorismo é "a violência calculada para atingir objetivos de natureza política, religiosa ou ideológica [...], é um ato criminoso frequentemente de caráter simbólico e visa a influenciar uma audiência além das vítimas imediatas"[42].

Ao tratar das características do terrorismo, Degaut[43] assinala alguns elementos fundamentais: (1) natureza indiscriminada quanto às vítimas; (2) imprevisibilidade e arbitrariedade dos atos terroristas; (3) significativa brutalidade nesses atos; (4) extrema gravidade de suas consequências. Acrescido a estes, observa Degaut, há caráter moral e de anomia no terrorismo. Daí o desprezo e a indiferença demonstrados pelos terroristas com relação aos valores de uma sociedade e, naturalmente, às pessoas que professam esses valores. Exemplo é o discurso do Estado Islâmico no que concerne aos valores ocidentais e a condenação de todos (inclusive os próprios muçulmanos) que a eles sejam simpáticos ou tolerantes. Isso faz com que a ameaça do terrorismo fundamentalista seja ainda mais preocupante, porque os fundamentalistas não buscam primordialmente "converter os infiéis", mas sim "combatê-los e eliminá--los e a suas ideias".

---

[41] Ulrich Beck, na obra *Sobre el terrorismo y la guerra* (Paidós Editora, 2003, p. 58), assinala a necessidade de a sociedade internacional criar um fundamento legal internacional e formular pactos estatais de forma a combater essa grande ameaça à segurança internacional. Para esse autor, é uma ameaça similar à destruição ambiental e à falência dos mercados financeiros globais.
[42] JENKINS, Brian M. International terrorism: the other world war. In: Charles W. Kegley, Jr. (ed.) *The new global terrorism:* characteristics, causes, and controls. Upper Saddle River, NJ: Prentice Hall, 2003, p. 16.
[43] DEGAUT, op. cit.

1.3. A INSURGÊNCIA E O TERROR

Insurgência é o termo para denominar movimentos contrários ao *status quo* político de um Estado que, por intermédio de ações políticas e armadas, tentam formar um contra-Estado, ou seja, tomar o poder[44]. De fato, o objetivo primário dos insurgentes não é destruir as forças militares do Estado adversário, tampouco capturar território. Sua meta é conseguir a legitimidade ou o controle sobre a população local, de maneira que esses grupos armados possam alcançar seus objetivos políticos, econômicos ou ideológicos[45].

Movimentos insurgentes podem ter caráter separatista (ETA, IRA), igualitário (Revolução Russa, Revolução Chinesa), religioso (Hamas, Hezbollah, Estado Islâmico ou *Daesh*), anarquista (*Narodnaya Volya*), apocalíptico (Verdade Suprema japonesa), preservacionista (Ku Klux Klan), entre outros[46]. Merece destaque o fato de que desejam alterar a ordem de uma sociedade política por razões diversas e assumir o poder. Característica marcante de suas práticas é o recurso a atos de terror ou, em caso de um conflito mais efetivo contra as forças estatais, à guerra irregular.

Diante dos movimentos insurgentes, contrapõe-se o Estado constituído para defender-se. Em sociedades pluralistas e democráticas, essa defesa se constitui de uma legitimidade que envolve toda a sociedade, o que pode não ocorrer em Estados autoritários, em que a população (ou parte importante desta) pode querer a mudança política defendida pelos insurgentes. Daí a possibilidade de fortalecimento dos grupos insurgentes ao conseguirem conquistar "corações e mentes".

Nessa busca pela conquista do poder, a ação insurgente passa por três momentos, como asseverava Bard O'Neill[47]:

- ação política, que se constitui em difusão ideológica, propaganda, influência sobre pessoas importantes, livros, divulgação de ideias, alocação de parceiros e simpatizantes;
- formação de grupos armados e ações de guerrilha, com táticas de terrorismo, já que ainda não podem derrotar as forças oficiais;
- guerra, momento em que a insurgência já cresceu o bastante para o enfrentamento militar das forças do Estado (*vide* Tabela 1.1).

---

[44] Segundo David Kilcullen (*The accidental guerrilla:* fighting small wars in the midst of a big one, Oxford University Press, 2009, p. 52), trata-se de uma visão maoísta da insurgência, que visa à formação de uma hierarquia paralela, um Estado ao lado de outro Estado.
[45] SCHULTZ JR., Richard; DEW, Andrea. *Insurgents, terrorists, and militias – the warriors of contemporary combat*. New York: Columbia Press University, 2006, p. ix.
46 Sobre todas essas organizações se tratará no capítulo seguinte.
[47] O'NEILL, Bard E. *Insurgency and terrorism:* from revolution to apocalypse. Potomac Books Inc., 2ª ed., 2005.

Para confrontar adequadamente forças insurgentes, o Estado deve buscar atuar em todas essas fases, com ênfase nas duas primeiras, quando ainda há um controle razoável da situação. A displicência em neutralizar o problema em suas origens pode ter como consequência o fracasso diante do fortalecimento da ameaça.

	TABELA 1.1. PROCESSO DE TOMADA DE PODER, SEGUNDO BARD O'NEILL	
Momento	Estágio	Ação
1	Ação política	Difusão ideológica, propaganda, influência sobre pessoas importantes, livros, divulgação de ideias, alocação de parceiros e simpatizantes ou a formação ou tentativa de formação de entidades políticas organizadas. Exs.: o partido *Batasuna* na Espanha; o *Sinn Fein* na Irlanda do Norte; e a tentativa de as FARC formarem seu partido político na Colômbia[48].
2	Insurgência	Formação de grupos armados e ações de guerrilha, com táticas de terrorismo, já que ainda não podem derrotar as forças oficiais. Exs.: os Tigres do Tamil no Sri Lanka; o Sendero Luminoso no Peru.
3	Guerra	Combates diretos – a insurgência já cresceu o bastante para o enfrentamento militar das forças do Estado. Exs.: o Estado Islâmico na Síria e no Iraque; o Exército de Libertação Nacional (anteriormente chamado Exército Livre Líbio), durante a guerra contra o regime de Muamar Kadafi.

Adaptado da obra de Bard O'Neill (op. cit.)[49]

O terrorismo, então, entendido como uma tática ou um estratagema, está vinculado à insurgência[50]. Forças rebeldes, separatistas, grupos religiosos, grupos econômicos, grupos étnicos, ao se insurgirem certamente recorrerão ao terrorismo com o objetivo de enfraquecer o seu oponente. É o mais fraco tentando diminuir a vantagem de seu inimigo, normalmente um Estado com forças militares à sua disposição.

A título de exemplo do recurso ao terrorismo por movimentos insurgentes, convém citar a atuação do Partido Comunista, comandado por Mao Tse-Tung (1893-1976), na China, nas décadas de 1930 e 1940. Em diversas ocasiões, os comunistas chineses recorreram a táticas de terror contra as tropas de Chiang Kai-Shek (1887-1975), enfraquecendo as "mentes e corações" destas, com a vitória daqueles em 1949. Citamos, ainda, a revolta árabe de 1918 contra o Império Otomano, quando as forças do Príncipe Faissal geravam pânico entre as tropas turcas por intermédio de ações terroristas, sempre sob a orientação do britânico T. E. Lawrence (que passou para a História como Lawrence da Arábia).

---
[48] Em basco há o termo *Bietan Jarrai*, que significa seguir a luta nas duas frentes: a política e a militar.
[49] O'NEILL, op. cit.
[50] KILLCULEN, David. *Countering Global Insurgency*, 2004, p. 1, edição eletrônica.

Durante a II Segunda Guerra Mundial, também os *partisans* (guerrilheiros) franceses apoiados pelos serviços secretos britânico e estadunidense atuaram na resistência contra a ocupação alemã, sendo inclusive chamados de terroristas pelos nazistas. A resposta alemã foi, muitas vezes, por meio de atos de terror contra as populações civis, como a execução de não combatentes e a prisão e deportação de homens, mulheres e crianças para campos de concentração, no que se constituiu em uma das formas mais nefastas de terrorismo de Estado.

Na segunda metade do século XX, diversos movimentos de libertação nacional recorreram ao terrorismo em prol de sua causa. Na Indochina, por exemplo, esse foi o recurso das forças de Ho Chi Minh (1890-1969) para expulsar franceses e estadunidenses. O mesmo aconteceu na Argélia, quando ações terroristas a serviço da Frente de Libertação Nacional (*Front de Libération Nationale* – FNL, em árabe جبهة التحرير الوطني وتدايناتالمسقبل), foram essenciais para enfraquecer a posição colonialista da opinião pública na França governada por Charles de Gaulle (1890-1970), forçando os franceses a saírem de suas possessões no Norte da África. Mais recentemente, nas Ilhas Britânicas, o Exército Republicano Irlandês (IRA) buscou vencer os ingleses e os unionistas por intermédio do medo, com atos de terror que chegaram às ruas de Belfast e de Londres. E, em 2011, na Líbia, forças rebeldes insurgiram-se contra o regime de Muamar Kadafi (1942-2011) em uma guerra civil que acabou na deposição do ditador.

Na América Latina, nos últimos cem anos, não foram poucos os movimentos que recorreram ao terrorismo para influenciar populações e pressionar governos. Dos Tupamaros e do Sendero Luminoso no Uruguai e no Peru, respectivamente, às Forças Armadas Revolucionárias da Colômbia (FARC)[51], passando por movimentos de luta armada na Argentina e Brasil nas décadas de 1960 e 1970, o recurso a atos de terror tornou-se uma constante nessas lutas ideologicamente motivadas. A resposta do Estado foi, muitas vezes, tanto ou mais violenta contra os guerrilheiros, repercutindo lamentavelmente na população.

Portanto, o terrorismo é um instrumento plenamente utilizado por forças insurgentes, buscando enfraquecer o espírito, o orgulho e a coragem do oponente pela inserção do medo, do pânico, do terror. E o Estado deve estar preparado para conter essas forças, investindo em inteligência, treinamento, equipamentos e cooperação institucional para que as forças legais combatam de forma eficiente seus oponentes. Naturalmente, a ação das forças estatais deve estar sob rígido controle e ser conduzida com base em preceitos legais e éticos, para que não

---

[51] Sobre as Forças Armadas Revolucionárias da Colômbia sugere-se a leitura do excelente trabalho de SPENCER, David, *Lessons from Colombia road to recovery: 1982-2010*, Center for Hemispheric Defense Studies, CHDS Occasional Paper, v. 2, nº 1, mai. 2012, disponível em: <http://chds.dodlive.mil/files/2013/12/pub-OP-spencer.pdf.> (acesso em: 15 ago. 2016).

extrapolem sua missão de proteger o Estado e a sociedade e cometam abusos e arbitrariedades, tornando-se tão nocivas quanto os próprios terroristas. Os limites à atuação dos agentes públicos no combate ao terror devem ser objeto de constante e efetiva preocupação em uma democracia.

1.4. DIREITO A DESOBEDECER AO ESTADO?

O terrorismo, repita-se, é uma tática de ação de grupos diversos, como religiosos, insurgentes, apocalípticos, entre outros. É um recurso de grupos com os mais distintos objetivos e motivação. Não obstante, todos têm em comum o ânimo de confrontar a ordem instituída, e, de fato, desobedecer ao Estado.

Mas, será que existe um direito de desobedecer ao Estado? O terrorismo pode ser tolerado? Henry David Thoreau (1817-1862) discorreu no ano de 1848[52] sobre a ideia da "necessidade" de desobedecer ao Estado na então jovem nação dos EUA, principalmente por sua convicção abolicionista que naquele momento ainda não encontrava eco junto ao governo daquele país.

Dizia Thoreau que o Estado servia para uma pequena parte da sociedade, deixando desamparada a maioria da população. E ressaltava que existia um direito à revolução, "um direito de recusar-se a ser fiel e de resistir ao governo quando a tirania ou ineficiência deste forem grandes e intoleráveis". Seria o indivíduo se insuflando contra a opressão estatal, o homem contrapondo-se ao Leviatã.

Essa perspectiva de um direito natural de reagir contra atos do Estado que possam ser injustos não é recente e encontra eco nos dias atuais. A ideia de desobedecer é também empregada por certos movimentos sociais, que, por exemplo, sob o discurso de direito coletivos básicos, invadem prédios públicos, propriedades privadas, lesionam proprietários de terras e abastados, destroem suas propriedades etc. Tem-se, nesses casos, um discurso pelo direito percebido como fundamental de desobedecer ao Estado que não cumpre seu papel social.

Em regimes autoritários, onde não há canais de negociação ou de discussão, e com instituições corrompidas, o direito a desobedecer ao Estado pode ser o único caminho pela busca de justiça. Nas democracias, entretanto, dependendo da forma como seja exercido esse direito, a desobediência pode causar sérios danos às instituições e constituir ameaça ao próprio Estado de direito.

Inalienável, sabemos, é o direito à assembleia e à livre manifestação do pensamento em democracias modernas, mas esse direito deve sofrer as limitações legais e constitucionais quando as instituições democráticas estiverem ameaçadas. Ou seja, como todos os direitos fundamentais, o direito de reunião e manifestação não é absoluto.

---

[52] THOREAU, Henry David. *Civil desobedience*. Amazon Digital Services Inc. Digital Book, 2012.

Nas modernas democracias, a ameaça terrorista é uma realidade, podendo ter as mais distintas origens e motivações. Para lidar com o problema, o Estado não pode simplesmente investir em uma capacidade de resposta. Deve também, primar pelo fomento à cultura democrática, à valorização das instituições e dos preceitos fundamentais de defesa da dignidade humana e do Estado de direito. Com isso, neutraliza-se os argumentos daqueles que se veem justificados em suas ações terroristas. E, inobstante, se mesmo assim ainda houver em uma democracia aqueles que se revoltem contra o sistema, de forma arrogante e violenta, negando o sistema constitucional previsto para a resolução de conflitos, devem ser levados a responder por seus atos, por meio de uma resposta dura do Estado, mas sempre sob a salvaguarda da lei e dos princípios democráticos.[53]

O terrorismo, independentemente de suas diferentes conceituações, é uma ameaça à democracia e aos cidadãos de bem por todo o globo. Difícil aceitar alguma justificativa para as ações terroristas. De toda maneira, é um fenômeno que nada tem de recente, e que dificilmente desaparecerá nas próximas décadas.

1.5. CONCLUSÕES

No presente capítulo, buscou-se apresentar conceitos fundamentais e elementos inerentes à definição de terrorismo. Viu-se que não há consenso acerca do conceito de terrorismo, em que pesem as dimensões espaciais e temporais desse fenômeno. Entretanto, como assevera Bruce Hoffman, podemos encontrar elementos estruturais básicos na construção de uma definição, como o uso da violência, uma estrutura organizada, alvos civis em sua maioria, com fins políticos de pressionar o Estado e a sociedade.

A relação entre o terrorismo e a insurgência também foi assinalada neste capítulo, demonstrando que o terrorismo é um estratagema, uma tática amplamente utilizada por movimentos insurgentes, ou seja, grupos que desejam controlar politicamente uma população e formar um novo governo usando a força e a violência. O terrorismo faz parte das diversas táticas desses grupos com o intuito de assustar, pressionar, causar medo às populações envolvidas e forçando o poder político a ceder.

Por fim, destacamos o discurso do direito de desobedecer ao Estado, amplamente utilizado por organizações que utilizam o terrorismo como tática. Lembremos que o terrorismo pode ser visto tanto como um crime quanto como um movimento de libertação, gerando, neste caso, um direito natural a

---

[53] REIS, Marcus Vinícius. *Direito a desobedecer ao Estado*, publicado em 17 jul. 2011. Disponível em: <http://www.marcusreis.com.br/2011/07/o-direito-de-desobedecer-o-estado.html> (acesso em: 31 jul. 2016).

desobedecer ao Estado "opressor". Este discurso pode encontrar amparo em situações em que não há qualquer liberdade política em determinado Estado, assim como em ditaduras e governos não legítimos. Entretanto, em democracias constituídas segundo preceitos modernos da ciência política, não há que se falar em direito de desobedecer ao Estado, considerando que o confronto pode ser dado pelas vias democráticas e institucionais existentes.

Capítulo 2

BREVE HISTÓRIA DO TERRORISMO

> *Só existe um modo pelo qual as agonias assassinas de morte da velha sociedade e o nascimento sangrento da nova sociedade podem ser encurtados, simplificados e concentrados, e esse modo é o terror revolucionário.*
>
> *Karl Marx, 1848*

O terrorismo é um fenômeno histórico que sempre existiu e provavelmente sempre vai existir. Empregado como a última esperança do mais fraco, o recurso que pode impelir o débil a ganhar o combate contra o forte, mas também como instrumento de poder de governos e organizações, tem-se manifestado sob diferentes formas ao longo dos séculos, e junto a distintos povos e regiões. De fato, não seria exagero afirmar que é um fenômeno relacionado ao conflito e, portanto, à própria condição humana. O presente capítulo tem por objetivo apresentar de forma breve uma história do terrorismo moderno.

2.1. PRIMÓRDIOS

Desde os tempos antigos, grupos e pessoas individualmente têm recorrido à violência política contra autoridades, elites ou grupos oponentes. No século primeiro da Era Cristã, há registro da atuação dos sicários, um grupo extremista de zelotas judeus que combateram a ocupação romana da Judeia. Seu nome origina-se da adaga usada curta por eles, a *sicae*. Esse grupo radical infligiu perdas às tropas romanas que contribuíram para uma resposta dura de Roma, culminando na destruição de Jerusalém, em 70 d.C. e na expulsão dos judeus da Palestina.

Outro exemplo de terroristas nos tempos antigos é a Ordem de Assassinos (do árabe حشاشين Ḥashāshīn), uma seita xiita fundada no século XI por Hassan Ibn Sabbah (1034-1124), conhecido como "o Velho da Montanha", e que realizava atentados contra governantes e líderes políticos e militares no Mundo Islâmico. Partiam em suas missões disfarçados, misturando-se muitas vezes a mendigos nas cidades da Síria, da Mesopotâmia, do Egito e da Palestina para não despertarem a atenção. Permaneciam ocultos, "adormecidos", até que lhes era dada a ordem de agir. Usavam adagas e atuavam nos mais diferentes ambientes – mercados, ruas estreitas, no interior de palácios e até mesmo no silêncio das mesquitas, lugar por eles escolhido em razão das vítimas estarem ali entregues à oração e com a guarda relaxada. Atacavam e executavam a missão, mesmo que tivessem que morrer por isso. O próprio Saladino (1138-1193), grande líder do Mundo Islâmico à época das Cruzadas e inimigo de morte dos Assassinos, foi por eles surpreendido com uma ameaça: entraram em seu quarto e deixaram um punhal em seu leito, para que ele soubesse que se quisessem o teriam executado.

Apesar de sempre ter existido, o terrorismo começa a ser tratado como tal a partir da Revolução Francesa, momento de consolidação do novo Estado em que a violência exercida pela Convenção Nacional buscava impor sua recente vitória contra o modelo absolutista que ainda se encontrava forte naquela nação. Era o período, entre 1793 e 1794, em que os jacobinos liderados por Robespierre (1758-1794) estabeleceram o Reinado do Terror (*régime de la terreur*), com decapitações e intolerância em nome da revolução que transformou drasticamente aquela sociedade. Qualquer um que fosse considerado inimigo do regime deveria ser eliminado da convivência social, inclusive fisicamente.

No século XIX, com o questionamento crescente do papel do Estado e de sua "função social", os anarquistas, inspirados no russo Mikhail Bakunin (1814-1876), levaram a uma mudança de concepção do termo "terrorismo". Este passou a ser utilizado pelos insurgentes contra o Estado constituído, como uma forma de acabar com o modelo político imposto à sociedade. Ainda nessa época, o terrorismo começou também a ser empregado pelos movimentos de esquerda, como alternativa ou recurso justificável da luta para as classes trabalhadoras e o proletariado tomarem o poder. E as práticas que outrora haviam sido conduzidas por motivos religiosos assumiram forte caráter político-ideológico.

É nesse contexto pós-Revolução Francesa e de desenvolvimento de novas relações econômicas e sociais em virtude da Revolução Industrial que surgem diversos grupos, os quais, ideologicamente orientados, defendem o recurso a atos de terror. A partir dessa época, a noção de "povo", ente abstrato detentor da autoridade política definitiva, serviu de justificativa para que grupos e organizações que contestavam a ordem estabelecida recorressem à violência contra "governos que não representassem o povo e sua vontade". Assim, Karl Marx (1818-1883) e seus seguidores apregoavam que a classe trabalhadora era o fundamento da legitimidade e sua vontade, a justificativa para a ação política, inclusive a violenta – conduzida por pequenos grupos que avocavam o discernimento sobre o que "o povo" realmente precisava ou desejava.

A consequência era a alternativa violenta para "libertar" o povo da opressão e estabelecer uma nova ordem (que logo ficou conhecida por muitos como a "ditadura do proletariado").

Com fundamento nas ideias de Marx e de seu rival histórico, Bakunin (um dos pais fundadores do anarquismo), organizações que recorreriam a atos de terror se estruturaram a partir da segunda metade do século XIX, sobretudo na Europa, onde a ordem estabelecida pelo Concerto Europeu de 1815 era vista como a grande adversária da liberdade e dos interesses do "povo". A isso se associaram os anseios de grupos nacionalistas e que pregavam a independência dos grandes impérios estabelecidos. E foi em meio a impérios decadentes, discursos revolucionários, pretensões nacionalistas, anarquistas, comunistas, carbonários, e revolucionários em geral que o terrorismo floresceu.

Os primeiros alvos dos modernos terroristas eram autoridades públicas e agentes do Estado. Em 1858, por exemplo, Felice Orsini, nacionalista italiano, tentou assassinar o Imperador Napoleão III (1808-1873), devido à oposição do monarca francês à unificação italiana. Alguns anos depois, foi a vez do soberano da Prússia, Guilherme I (1797-1888), ser alvo de uma das várias tentativas de assassinato de sua vida: um jovem estudante de Direito atentou contra a integridade do futuro Kaiser por considerá-lo incapaz de promover a unificação alemã. Essas, e a tentativa de assassinar o Chanceler prussiano Otto von Bismarck (1815-1898), em 1866, seriam as precursoras do que David Rapoport chamaria de a primeira onda do terrorismo moderno[1].

2.2. AS ONDAS DO TERRORISMO

O cientista político estadunidense David Rapoport assinala quatro "ondas" de terrorismo bastante distintas nos últimos cento e cinquenta anos. No seu entender, "onda" é um "ciclo de atividades em um determinado período de tempo – um ciclo caracterizado por fases de expansão e contração"[2]. Nesse sentido, um aspecto crucial da onda é seu caráter internacional: "atividades similares ocorrem em diversos países orientadas por uma energia comum predominante que modela as características e as relações entre os grupos envolvidos"[3].

---

[1] RAPOPORT, David C. Fear and trembling: terrorism in three religious traditions. In: *American Political Science Review* 78:3 (1984), pp. 658-677. Rapoport trata desses temas em outro artigo, em 2002, intitulado The four waves of rebel terror and september 11. In: *Anthropoetics*, v. 8, nº 1 (Spring/Summer 2002). Uma versão mais atualizada das reflexões do autor é The four waves of modern terrorism, publicada em 2006 e disponível em: <http://www.international.ucla.edu/media/files/Rapoport-Four-Waves-of-Modern-Terrorism.pdf> (acesso em: 10 jan. 2014). Como referência neste livro foram usados os artigos de 2002 e de 2006.
[2] RAPOPORT (2006), op. cit., p. 47.
[3] RAPOPORT (2006), op. cit., p. 47.

Cada onda teria suas características e audiências próprias, distintas estratégias e táticas (*modus operandi* particular), simpatizantes e apoiadores, sendo marcadas, ainda, por organizações que predominam ou influenciam as demais (ainda que haja organizações e métodos que perpassam mais de uma onda). Sua duração tem sido de três ou quatro décadas (uma geração, portanto), após o que iam esmaecendo para dar lugar a uma nova onda.

Assim, a primeira onda de terrorismo na concepção de Rapoport, chamada de Onda Anarquista (*Anarchist Wave*), inicia-se na década de 1880 e segue até a década de 1920, quando a segunda, a Onda Anticolonial (*Anti-Colonial Wave*) tem início. Já a terceira, chamada Onda da Nova Esquerda (*New Left Wave*), ou o Terrorismo Vermelho, começa nos anos 60 do século XX e vai até o final da década de 1970, uma vez que, em 1979, tem início a quarta onda, chamada de Onda Religiosa (*Religious Wave*), a qual chegaria a nossos dias e deveria continuar até aproximadamente 2025 (*vide* o Quadro 2.1 e Figura 2.1).

QUADRO 2.1 AS QUATRO ONDAS DO TERRORISMO (DAVID RAPOPORT)	
Período (aproximado)	Denominação
1890 – 1920	Anarquista (*Anarchist Wave*)
1920 – 1960	Anticolonial (*Anti-Colonial Wave*)
1960 – 1980	Nova Esquerda (*New Left Wave*)
1979 – presente	Religiosa (*Religious Wave*)

Rapoport assinala que o nome de cada onda reflete sua característica predominante. Lembra que havia fenômenos comuns a todas, apesar de tratados de diferentes maneiras em cada uma. Exemplo disso é o nacionalismo. Um número significativo de organizações nacionalistas aparece em todas as ondas, cada qual estabelecendo seus elementos de forma distinta. Assim, os anarquistas, que trouxeram ao terrorismo moderno táticas e a ideia de treinamento constante, tinham suas técnicas utilizadas por grupos nacionais que pregavam o separatismo. Todos os grupos na segunda onda tinham aspirações nacionalistas, mas a onda tem caráter eminentemente anticolonial porque os Estados contra os quais lutavam eram potências coloniais. Já na terceira onda ficam evidenciadas as aspirações de esquerda nos grupos nacionalistas (com ideologia orientando as atividades dessas organizações), ao passo que na quarta onda o nacionalismo é instrumento ou reação a propósitos religiosos.

Figura 2.1
As Ondas do Terrorismo Contemporâneo*

| 1ª Onda: Anarquia 1890-1920 | 2ª Onda: Anticolonial 1920-1960 | 3ª Onda: Vermelha 1960-1980 | 4ª Onda: Religiosa 1979-Presente | Rumo a uma 5ª Onda: 2001-??? |

*Produzido pelos autores a partir de David Rapoport (op. cit.).

Lembra ainda Rapoport, que "uma onda é composta de organizações, mas as ondas e as organizações têm ritmos de vida bastante distintos". Segundo ele, as organizações costumam desaparecer antes das ondas em que se estruturaram, e exemplifica com os grupos da terceira onda, cuja vida útil era de dois anos. Não obstante, a onda consegue reter energia suficiente para criar uma nova geração de organizações. Como fatores críticos que explicam o desaparecimento desses grupos estão a resistência, as concessões políticas e as transformações nas perspectivas da outra geração.

Há, ademais, organizações que ocasionalmente sobrevivem a sua onda original e alcançam as ondas seguintes. Exemplos são o Exército Republicano Irlandês (*Irish Republican Army* – IRA) e a Organização para a Libertação da Palestina (منظمة التحرير الفلسطينية, *Munaẓẓamat at-Taḥrīr al-Filasṭīniyyah* – OLP), sobre os quais se tratará adiante. Quando uma organização transcende uma onda, sofre influência da nova onda – uma mudança que pode trazer problemas para o grupo e seus apoiadores[4]. Daí que os métodos e mesmo os propósitos de uma geração podem ser distintos e conflitantes com os da anterior.

Cada onda produz, ainda, doutrina própria, por meio de "trabalhos técnicos principais que refletem as propriedades especiais da onda e contribuem para um esforço comum para a formulação de uma ciência do terrorismo"[5]. Enquanto o *Catecismo Revolucionário*, de Sergey Nechayev e Mikhail Bakunin[6], é texto fundamental para as organizações da primeira onda, as obras do general cipriota-grego Georgios Grivas, *Guerrilla warfare and EOKA's struggle*:

---

[4] RAPOPORT (2006), op. cit., p. 48.
[5] RAPOPORT (2006), op. cit., p. 49.
[6] BAKUNIN, Mikhail e NECHAYEV, Sergey. *El catecismo revolucionario*, disponível em: <http://www.christiebooks.com/PDFs/Bakunin-Netchaiev.El%20Catecismo%20Revolucionario.pdf> (acesso em: 10 jan. 2014).

a politico-military study[7], do argentino Ernesto Che Guevara, *A Guerra de Guerrilhas*[8], são de grande relevância para a segunda, e o *Minimanual do Guerrilheiro Urbano*[9], do brasileiro Carlos Marighella, para a terceira onda. Essas obras, associadas ao texto de referência da quarta onda, *Military Studies in the Jihad Against the Tyrants*[10], de Osama bin Laden, revelam um "desejo comum de buscar a eficiência aprendendo com a experiência tanto de aliados quanto de inimigos"[11].

Assim como o elemento doutrinário e a influência dos nacionalismos, outro aspecto comum nas distintas ondas foi o uso da tecnologia. Dessa maneira, os anarquistas da primeira onda souberam com maestria fazer uso das inovações e avanços provenientes da Revolução Industrial, como o desenvolvimento dos meios de comunicação, das máquinas a vapor e de novos produtos como a dinamite. Essa prática é seguida por organizações em todas as ondas posteriores, chegando-se ao emprego da internet pelas organizações terroristas modernas.

A ideia de Revolução é assinalada por Rapoport como outro aspecto comum a todos os movimentos nos últimos 150 anos: "A Revolução é o objetivo prioritário em todas as ondas, porém entendida de diferentes maneiras"[12]. Rapoport destaca que os revolucionários da primeira onda criaram uma nova fonte de legitimidade (a luta pelas classes dominadas), enquanto na segunda onda o direito de autodeterminação (o direito de todo povo de se governar, que tomava por base as Revoluções Americana e Francesa) era o fundamento para a luta contra os poderes coloniais. A ideia de revolução como uma ruptura radical para a construção de uma nova ordem livre de desigualdades permeou tanto a primeira quanto a terceira ondas. Já os grupos da quarta onda legitimam suas práticas em textos religiosos e "verdades reveladas". Esse aspecto merece atenção especial de quem combata essas organizações, pois o fundamentalismo religioso dá uma nova roupagem ao mundo utópico que seria alcançado após a revolução proletária.

Portanto, a presença do nacionalismo, a fundamentação doutrinária, o recurso à tecnologia e a ideia de revolução são elementos comuns a todas as ondas, apesar do tratamento distinto dado a cada um deles pelas diversas organizações nos diferentes períodos. Passa-se à apresentação dos aspectos gerais de cada onda.

---

[7] GRIVAS, George, *Guerrilla warfare and EOKA's struggle:* a politico-military study. (Translated by A. A. Pallis). London, G.B.: Longmans, 1964.
[8] CHE GUEVARA, Ernesto. *A guerra de guerrilhas*, 10ª ed. São Paulo: Edições Populares, 1987.
[9] MARIGHELLA, Carlos. *Minimanual do guerrilheiro urbano*, 1969, disponível em: <http://www.marxists.org/portugues/marighella/1969/manual/index.htm> (acesso em: 20 dez. 2013).
[10] BIN LADEN, Osama. *Military studies in the jihad against the tyrants*, disponível em: <http://www.fas.org/irp/world/para/aqmanual.pdf> (acesso em: 11 dez. 2013).
[11] RAPOPORT (2006), op. cit., p. 49.
[12] RAPOPORT (2006), op. cit., p. 49.

2.2.1. A Primeira Onda

A primeira onda iniciou-se na Rússia, ao final do século XIX, e da terra dos czares se espalhou pela Europa, América do Norte e Ásia. Seus fundadores mais famosos são os escritores russos Mikhail Bakunin (1814-1876), Piotr Koprotkin (1842-1921) e Sergey Nechayev (1847-1882), responsáveis por propor as doutrinas e estratégias para o terror. Também essa primeira onda está muito associada às novas tecnologias e à difusão dos meios de comunicação. A ela podem ser relacionadas, ainda, três distintas linhas de violência terrorista: revolucionários russos, anarquistas, e nacionalistas. Claro que há intersecções entre esses grupos, porém seus objetivos eram suficientemente diferentes para que sejam analisados separadamente.

Maior império continental do século XIX, desde o fim das guerras napoleônicas a Rússia czarista passou por uma série de transformações econômicas e sociais que teriam significativos efeitos no campo político, culminando na Revolução de 1917 e no estabelecimento da União das Repúblicas Socialistas Soviéticas (URSS) um pouco depois. O regime dos czares era constantemente objeto de críticas por parte de grupos que se formavam na sociedade russa que se modernizava na era pós-servidão. Em 1879, tornou-se conhecida a *Narodnaya Volya* (Народная воля), "Liberdade do Povo", organização revolucionária que assassinou o Czar russo Alexandre II (1818-1881), em 13 de março de 1881. Curiosamente, foi um dos primeiros atentados suicidas de que se tem notícia, cometido por um membro desse grupo, Ignacy Hryniewiecki. O objetivo do *Narodnaya Volya* era derrubar a monarquia russa, o que, apesar do atentado bem-sucedido, não ocorreu. Ao contrário, provocou uma forte reação do Estado czarista, inclusive com o desenvolvimento de uma polícia secreta, a temida *Okhrana*, criada para proteger Alexandre III (1845-1894), a família imperial e que enviou agentes seus para diversos pontos do planeta, para encontrar e neutralizar opositores do regime, entre os quais os terroristas que assassinaram o Czar. Entre 1879 e 1883 ocorreram mais de 70 julgamentos relacionados à *Narodnaya Volya* e cerca de duas mil pessoas foram levadas ao banco dos réus. Graças em grande parte ao trabalho da *Okhrana*, os líderes da organização terrorista foram presos, condenados e executados, entre eles Alexander Ulyanov, irmão mais velho de outro revolucionário que faria tremer a Rússia no início do século seguinte, e que passaria para a história como Vladimir Ilyich Lenin (1870-1924). De toda maneira, os métodos heterodoxos da *Okhrana* para lidar com aqueles considerados inimigos do regime deixariam seu legado para os serviços secretos que a sucederam, tanto na União Soviética quanto na Rússia do século XXI.

Com o novo século, organizações revolucionárias se espalharam pela Rússia, sendo a mais importante o Partido Socialista Revolucionário (*Partia Sotcialistav Revoliutsionerav* – Партия социалистов-революционеров – ПСР), que iniciou uma campanha terrorista para derrubar o governo de Nicolau II (1868-1818). Com ações muito mais violentas que as da *Narodnaya Volya*, esses revolucionários promoviam o terror no interior da Rússia, com o objetivo de provocar na população insatisfação e ativar o estopim de uma revolta popular que poria fim à dinastia dos Romanov para o advento do sistema socialista.

Os bolcheviques liderados por Lenin não concordavam com os métodos dos socialistas, pois entendiam que a revolução dificilmente poderia ser desencadeada com sucessivos assassinatos individuais. Afinal, as massas poderiam acabar confundindo o terrorismo com a própria revolução, a qual deveria ser cuidadosamente organizada para despertar a consciência revolucionária nas classes trabalhadoras. Apesar de condenar o terrorismo como mecanismo essencial para desencadear a revolução, os bolchevistas também recorreram a atos de terror, como "expropriações proletárias", assaltos a bancos e outros meios para financiar suas atividades. Essas práticas acabariam constituindo doutrina que seria empregada por organizações revolucionárias por todo o globo no século XX, como os movimentos de luta armada no Brasil nos anos 1960 e 1970.

Diferentemente dos revolucionários, os anarquistas percebiam no terrorismo um mecanismo de extrema importância para minar a ordem instituída e comprometer a autoridade estatal. Teóricos anarquistas como Mikhail Bakunin, Piotr Kropotkin e Sergey Nechayev defendiam que a revolução social não seria alcançada pela instrumentalização do Estado (como acreditavam os marxistas), mas pela ruptura drástica, rápida e efetiva das estruturas estatais. Somente com o Estado destruído (o que não aconteceria se houvesse uma "ditadura do proletariado" que corrompesse os ideais revolucionários) é que se alcançaria a liberdade e o verdadeiro comunismo, defendiam as correntes anarquistas.

As práticas anarquistas diferiam, portanto, das revolucionárias de índole marxista, porque acreditavam aqueles em ações diretas, como a sabotagem e o terrorismo, como meios mais científicos de desencadearem a revolução. Ao contrário de um "levante das massas" que poderia acarretar a morte de milhares, a revolução poderia ocorrer com práticas com alvos específicos e que, ao mesmo tempo em que reduzissem as fatalidades de inocentes, atingiriam as elites governantes, minando o Estado e produzindo a "propaganda pelo fato" – doutrina que também acabaria produzindo um aspecto fundamental do terrorismo moderno, sobretudo o da segunda metade do século XX. Daí que a eliminação de reis e rainhas, imperadores, políticos e generais, chefes de polícia e outros agentes públicos, deveria ser feita de forma espetacular (o que nos cem anos seguintes seria associado a ações cinematográficas), de modo a mostrar às massas o caminho para a revolução e a dissolução do Estado: "A luta não se delega aos heróis", diziam.

Assim, dos anos 1880 ao início do século seguinte, os anarquistas promoveram uma série de ações terroristas, entre as quais assassinatos políticos. Entre as vítimas do terrorismo anarquista estavam o Presidente da França, Sadi Carnot (morto em 1894), a Imperatriz Elizabeth da Áustria, mais conhecida como Sissi (assassinada em 1898), e, ainda, o Primeiro-Ministro da Espanha, Antonio Cánovas del Castillo, o Rei da Itália, Umberto I, e o Presidente dos EUA, William McKinley, que faleceram vítimas de ações anarquistas em 1897, 1900 e 1901, respectivamente. E, em 1º de fevereiro de 1908, um atentado anarquista contra o Rei Carlos I e seu herdeiro, Luís Felipe, poria fim à dinastia dos Bragança em Portugal, e à própria monarquia naquele país.

Mas esses foram apenas alguns dos diversos atos de terror promovidos pelos anarquistas. Sucediam-se atentados em diversos países, com bombas colocadas na Câmara dos Deputados em Paris (1893), no *Los Angeles Times* (1910) e em uma passeata patriótica em São Francisco (1916). Parecia haver uma conspiração global para minar a ordem, destruir o Estado e estabelecer a anarquia. Em muitos países foram feitas alterações nos códigos penais para criminalizar o anarquismo. Esse quadro continuaria no período posterior à I Guerra Mundial.

A terceira grande corrente que recorria ao terrorismo para alcançar seus objetivos políticos era a dos chamados grupos nacionalistas. No início do século XX, diversos foram os movimentos separatistas pelo mundo. Muitos vinculados a movimentos ideológicos, outros a grupos nacionalistas, inicialmente tinham como alvo autoridades públicas, inclusive governantes das grandes potências. Era a época dos grandes impérios multiétnicos como o Russo e o Austro-Húngaro, e de clamores de grupos nacionalistas por independência e autodeterminação. E, também nesses casos, o terrorismo seria percebido como o recurso dos mais fracos para afrontar os governos centrais e pleitear a liberdade.

Entre os movimentos nacionalistas que optaram por ações terroristas para alcançar seus objetivos merecem destaque, primeiramente, os Fenianos, irlandeses que pregavam a independência do Reino Unido e tinham segmentos não só nas ilhas britânicas, mas também no Canadá e até nos EUA. Surgida na comunidade irlandesa nos EUA em 1831, a Irmandade Feniana tornou-se a principal organização de resistência e reação contra a ocupação britânica da Irlanda no século XIX, realizando atentados, sequestros e outras ações violentas em prol do estabelecimento da república irlandesa. Em 1882, por exemplo, os Fenianos assassinaram o governador britânico em Dublin, Lord Cavendish. O separatismo irlandês culminaria na independência, em 1916, e sua memória foi cultuada pelos republicanos católicos da Irlanda do Norte também desejosos de emancipação.

Ainda nos anos 1890, merece destaque a Federação Revolucionária Armena (*Dashnaktsutyun* – Հայ Յեղափոխական Դաշնակցութիւն – FRA), também chamada de Partido Socialista Armeno, existente até os dias atuais (inclusive com cadeiras no parlamento da Armênia), que, inspirada em sua contraparte russa, iniciou uma campanha terrorista contra a dominação turco-otomana. Os *dashnaksutiun* chegaram mesmo a realizar uma tentativa de atentado a bomba contra o Sultão Abdul Hamid II (1842-1918), em Constantinopla, em 1905. A FRA foi apenas um dos movimentos nacionalisas de resistência no Império Otomano, o qual teve seus últimos anos marcados por levantes e ações terroristas armenas, macedônicas e eslavas, entre outras, chegando às revoltas árabes durante a I Guerra Mundial.

A primeira década do século XX registrou intensa atuação de grupos separatistas nos Balcãs que recorreram ao terrorismo. Na região, então dominada pelo Império Austro-Húngaro, desenvolveu-se um movimento chamado *Mlada Bosna* (Jovem Bósnia), composto sobretudo por estudantes sérvios, croatas e eslovenos que defendiam a independência da Bósnia-Herzegovina e a criação de um reino eslavo. Foi desse grupo terrorista que saíram aqueles que assassinaram o herdeiro do trono austro-húngaro, Arquiduque Francisco Ferdinando (1863-1914), e sua esposa, em um atendado nas ruas de Sarajevo, em 28 de junho de 1914. O principal terrorista do grupo, o jovem Gravilo Princip, fugiu para a Sérvia, à qual o Império Austro-Húngaro atribuiu a culpa pelo assassinato, culminando na guerra entre os dois países. O problema é que a Rússia era aliada da Sérvia e entrou no conflito, assim como a Alemanha, aliada da Áustria-Hungria, levando a uma guerra mundial. A I Guerra Mundial, o maior conflito que o mundo testemunhara até então, e que pôs fim a cem anos de estabilidade na Europa, teve como estopim, é sempre bom lembrar, um atentado terrorista. A partir de então, os movimentos nacionalistas ganhariam mais força e impulsionariam a segunda onda.

Assim, caracterizando a primeira onda de terrorismo, temos a forte influência revolucionária, o uso dos meios de comunicação e da propaganda para promover a causa revolucionária (e para reprimi-la), e elementos doutrinários que estabeleciam o terrorismo como "o mais rápido e efetivo meio para destruir a ordem convencional"[13]. Afinal, "ações dramáticas repetidas invariavelmente polarizariam a sociedade, e a revolução inevitável se seguiria"[14], acreditavam os grupos que se viam não como "assassinos", mas como "terroristas", ou seja, homens e mulheres que recorriam à violência com base em preceitos morais

---

[13] RAPOPORT (2006), op. cit., p. 50.
[14] RAPOPORT (2006), op. cit., p. 51.

– a ponto de Sergey Stepniak (1851-1895), revolucionário russo, ter descrito o terrorista como alguém "nobre, terrível, irresistível e fascinante, unindo dois sublimes aspectos da grandeza humana: o mártir e o herói"[15].

O terrorismo da primeira onda era, portanto, uma estratégia, não um fim. Suas táticas dependiam dos objetivos específicos do grupo político, bem como do contexto em que se encontravam, como no caso da crise do regime czarista. Note-se, ainda, o papel fundamental dos revolucionários russos em treinar grupos de outras nacionalidades, como poloneses, sérvios e armenos. Os russos "exportaram essa tecnologia", e a campanha de terror anarquista chegava a diferentes pontos do globo, como a América do Norte, a Europa Ocidental, e também os Bálcãs, o Império Otomano e a Índia, onde assassinatos de autoridades, sabotagens e assaltos a bancos para financiar essas atividades se tornaram mais intensos.

Segundo Rapoport, o ponto alto dessa onda de terror revolucionário foi nos anos 1890, chamados de "A Era de Ouro dos Assassinatos", quando monarcas, primeiros-ministros, e presidentes foram alvos de ataques, geralmente por assassinos que se moviam com facilidade entre as fronteiras[16]. Foi também quando governos começaram a buscar a cooperação internacional para responder a esses grupos, bem como estabeleceram estruturas policiais organizadas para lidar com o problema. Enquanto no campo interno é possível perceber os resultados mais efetivos (como a criação, pelo governo federal estadunidense, do FBI, em 1908), no plano internacional pouco se alcançou, particularmente devido aos distintos, e muitas vezes conflitantes, interesses dos países. A I Guerra Mundial (1914-1918) só viria a agravar esse quadro.

No período do entre guerras (1918-1939), o mundo se viu dividido por grandes disputas ideológicas, com o estabelecimento de governos autoritários e totalitários de direita e de esquerda. Os casos mais conhecidos são o da Itália fascista, da Alemanha nazista e da URSS stalinista, mas esses modelos foram reproduzidos ou adaptados para diversas partes do globo, da Europa à América Latina, passando pela Ásia e Pacífico. Sob essas ditaduras estabeleceu--se o chamado "terrorismo de Estado", quando se promoveu a perseguição e o extermínio daqueles considerados de alguma forma oponentes do regime (pogroms, expurgos, tortura, campos de trabalho e de extermínio, genocídio). Não é feita referência a essa forma de terrorismo por Rapoport, mas convém citá-la, associando-a às primeiras respostas às ações da onda anarquista/revolucionária, mas que se mostraria presente em todas as seguintes, com momentos e locais de maior ou menor intensidade.

---

[15] STEPNIAK, Sergey. *Underground Russia:* revolutionary profiles and sketches from life. Cornell University Library, 2009 (reprodução do original de 1883), pp. 39-40.
[16] RAPOPORT (2006), op. cit., p. 52.

O terrorismo de Estado acontecia dentro e fora das fronteiras dos países, pois era comum que os governos patrocinassem movimentos e organizações afins em solo estrangeiro. Foi assim que os soviéticos difundiram seus ideais de revolução proletária (com o recurso à violência e ao terrorismo) pelo globo, e que fascistas e nazistas financiaram organizações de extrema-direita como a Guarda de Ferro romena, a Cruz Flechada húngara e a *Ustasha* croata. Esta última, por exemplo, desejava a criação de um Estado croata independente do Reino da Yugoslávia e recorreu ao terrorismo para alcançar esse objetivo. Em 1934, a *Ustasha* conseguiu assassinar o Rei Alexandre I, da Yugoslávia, juntamente com o Ministro das Relações Exteriores francês em Marselha. O atentado foi condenado pelo governo de Paris perante a Liga das Nações, que atuou na produção de um projeto de dois tratados sobre terrorismo (1937): o primeiro dizia respeito à supressão internacional do terrorismo e o segundo era sobre o estabelecimento de um tribunal penal internacional para julgar autores e patrocinadores do terrorismo. Antes do desencadeamento da II Guerra Mundial (1939-1945), apenas três países haviam assinado o primeiro tratado e nenhum o outro.

2.2.2. A Segunda Onda

A segunda onda do terrorismo moderno inicia-se após a I Guerra Mundial e está relacionada ao processo de descolonização. É caracterizada, portanto, pela luta pela independência, baseada no direito de autodeterminação. De um lado, potências coloniais europeias, como Grã-Bretanha e França, e do outro, movimentos que representavam as populações nativas oprimidas, povos que consideravam seu território sob ocupação. As táticas dessa segunda onda eram distintas daquelas da primeira, uma vez que os revoltosos recorriam à prática da guerrilha (*hit and run*), o que dificultava sobremaneira qualquer resposta das autoridades coloniais, as quais não estavam preparadas para responder a contento contra essas ações. Em muitos casos, os rebeldes acabaram tendo sucesso em sua campanha e alcançaram a independência.

Outro aspecto importante da segunda onda, de acordo com Rapoport, é que os revoltosos deixaram de chamar-se terroristas, passando a identificar-se como "combatentes da liberdade" ("terroristas", na concepção destes, eram seus oponentes) e a lutar contra o que denominaram "terrorismo de Estado". De fato, o termo "terrorista" acabou acumulando conotações tão negativas que aqueles que recorriam ao terrorismo na segunda onda não queriam associar suas causas a essa terminologia: eram rebeldes, combatentes por uma causa justa, e não criminosos assassinos, diziam eles. Essa prática foi repetida por muitas organizações na terceira onda.

Assim, ações terroristas se seguiram do fim da I Guerra Mundial até as décadas de 1960 e 1970, como tática de movimentos de libertação nacional.

Podiam acontecer tanto nas áreas sob ocupação colonial (como no Norte da África ou no Oriente Médio) quanto no próprio território das metrópoles (com bombas explodindo em cafés de Paris ou nas ruas de Londres). Nesse sentido, o terrorismo mostrou-se fundamental para o processo de emancipação e o estabelecimento de novos Estados como Israel, Irlanda, Chipre e Argélia[17].

Um dos primeiros casos de luta pela independência com recurso a ações terroristas se daria dentro da própria Europa. No contexto da "segunda onda" destacaram-se, desde o começo do século XX, uma organização separatista e seu braço armado que atuavam em solo europeu: o IRA, sigla em inglês do Exército Republicano Irlandês (*Irish Republican Army*), grupo revolucionário paramilitar católico, criado no bojo da independência da Irlanda e que, após a proclamação da República irlandesa, lutou pela separação da Irlanda do Norte do Reino Unido e sua anexação à República da Irlanda. A atuação do IRA continuaria por décadas, chegando mesmo ao século XXI.

As origens do IRA estão no grupo independentista *Irish Volunteers*, fundado em 1913, e que participou ativamente na guerra de independência da Irlanda (1919-1921). À época, o território irlandês foi palco de diversos atentados contra alvos governamentais ingleses. Com o Tratado Anglo-Irlandês (1921), que pôs fim ao conflito, foi fundado o IRA, com o objetivo de continuar a luta para que a Irlanda do Norte (de maioria protestante e mantida sob domínio britânico) também alcançasse a independência e fosse incorporada à República da Irlanda. Sob o argumento de que representava a minoria católica da Irlanda do Norte (25% contra 75% de protestantes anglicanos), o IRA também defendia mais igualdade de direitos e maior participação política dos irlandeses católicos.

No final dos anos 1960, com a situação dos católicos na Irlanda do Norte se agravando, protestos por direitos civis intensificaram-se, ocorrendo batalhas nas ruas de Belfast e Londonderry. Foi nesse contexto que o IRA desencadeou ataques contra as populações protestantes e as autoridades britânicas. Atentados à bomba e emboscadas contra alvos civis e militares fizeram da Irlanda do Norte uma praça de guerra e Londres reagiu decretando estado de emergência, suspendendo o governo provincial e mandando tropas para a ilha. A chegada dos militares britânicos foi vista pelo IRA como provocação, e uma facção separatista da organização, o *Provisional IRA* ou "*Provos*", distanciou-se da estrutura central e definiu os britânicos como força de ocupação cuja presença justificava uma luta ferrenha para pôr fim ao *status* colonial. A consequência foi uma onda mais intensa de atentados terroristas que chegariam à capital inglesa.

Em 1972, ocorreu um episódio marcante na luta do IRA contra os britânicos: a Sexta-Feira Sangrenta (*Bloody Friday*), 21 de julho, quando 22 bombas explodiram em Belfast, causando a morte de nove pessoas e deixando

---

[17] *RAPOPORT* (2006), op. cit., p. 53.

mais de cem feridos. O *Provisional IRA* reivindicou esses atentados. Em resposta às ações terroristas, o governo da Irlanda do Norte iniciou uma invasão aos bairros católicos buscando os culpados pelos atentados – dezenas de pessoas foram presas arbitrariamente, interrogadas e torturadas. A forte repressão do governo contra o IRA acabou contribuindo para o crescimento da organização, que angariou mais apoio da minoria católica, a qual passou a perceber o IRA como principal representante de suas ideias e um escudo contra o governo e os protestantes. Seu braço político, o partido nacionalista *Sinn Fein* ("Nós Próprios"), também saiu fortalecido e com o tempo se tornaria importante interlocutor junto ao governo britânico.

Durante mais de três décadas, o IRA realizou atentados terroristas nas Ilhas Britânicas. Calcula-se que mais de 3.500 pessoas tenham morrido nesses atentados. Suas táticas insurgentes foram utilizadas pelos ingleses na II Guerra Mundial, assim como em diversos movimentos de separação ocorridos na África. A organização, diga-se de passagem, desenvolveu laços com congêneres de outros países, como a OLP, o ETA e movimentos guerrilheiros como as Forças Armadas Revolucionárias da Colômbia (FARC). De fato, o IRA chegou a exportar seu *know-how*, contribuindo para a luta armada e o terrorismo em diversas partes do globo.

Em 28 de julho de 2005, a organização anunciou o "fim da luta armada" e o início de um processo de desmobilização do braço militar do movimento. Em 26 de setembro daquele ano, as últimas armas foram entregues. O processo de "desarmamento" do IRA ocorreu sob a supervisão de uma comissão internacional de desarmamento, de caráter independente, constituída para aquele fim, e presidida pelo general canadense Alfred John Gardyne Drummond de Chastelain.

Naturalmente, a maioria absoluta das lutas coloniais aconteceu fora da Europa. Com o fim da II Guerra Mundial, ganhou força o processo de descolonização na África e na Ásia, o que colocaria os povos daqueles continentes contra a dominação europeia. A consequência foram guerras coloniais e o recurso pelos insurgentes a ações terroristas. Outro evento marcante no período foi a Revolução Chinesa de 1949, com a chegada ao poder dos comunistas liderados por Mao Tsé-Tung. Finalmente, a intensificação da disputa bipolar fez com que o conflito entre os EUA e a URSS fosse travado nas diversas partes do globo, com o patrocínio do terrorismo por ambas as superpotências sendo um mecanismo importante nesse embate.

Enfraquecida por duas guerras mundiais em uma geração, a Europa do pós-II Guerra não conseguia mais manter seus domínios coloniais. Ademais, tanto os EUA quanto a URSS pressionavam pelo fim do imperialismo europeu e estimulavam a emancipação das colônias. Em muitos casos, a descolonização ocorreu sem grandes conflitos, particularmente em diversos territórios britânicos, nos quais a independência foi "concedida" pela metrópole sem maiores distúrbios ou, em lugares como Índia e Paquistão, após um processo prolongado de resistência pacífica e desobediência civil, sob uma campanha de não violência promovida por líderes como Mahatma Gandhi.

Em outras ocasiões, porém, a metrópole reagiu aos anseios emancipacionistas resistindo fortemente às demandas dos movimentos de independência. Nesses casos, ocorridos em possessões inglesas, holandesas e, sobretudo, francesas, na Ásia, na África e na Oceania, o que se viu foram movimentos insurgentes e forças que se organizaram para lutar pela autodeterminação, recorrendo, muitas vezes, a atos de terror contra a potência ocupante.

Com a independência da Índia e Paquistão, em 1948, e das possessões holandesas no Sudeste Asiático que vieram a constituir na Indonésia em 1949, e sob a influência da vitoriosa Revolução Chinesa do mesmo ano, logo o discurso emancipatório ganhou força nas colônias francesas da Indochina (que viriam a se tornar os Estados do Vietnã do Norte, Vietnã do Sul, Laos e Camboja). Com a negativa da França em conceder a independência, ganhou força o movimento insurgente liderado pelo *Viet Mihn*, que começou a assassinar lideranças locais e agentes públicos vinculados à administração francesa. Sob orientação marxista, esse movimento também conduziu uma guerrilha rural que culminaria na derrota das forças coloniais e na expulsão dos colonizadores.

Houve outros lugares em que a segunda onda do terrorismo foi mais efetiva como principal recurso político para forçar os colonizadores a partir. No Protetorado de Aden, atual Iêmen, insurgentes organizados sob a Frente de Libertação Nacional (FNL) e a Frente de Libertação do Iêmen do Sul Ocupado (FLISO) utilizaram-se em larga escala do terrorismo urbano para forçar as autoridades britânicas a deixarem o país. Bombas eram colocadas nas cidades, sobretudo na capital, pois os insurgentes entendiam que ações terroristas no interior pouco efeito teriam sobre aqueles que eles queriam influenciar.

Também contra os britânicos, importante grupo relacionado ao processo de descolonização foram os *Mau Mau*, movimento que lutou pela independência do Quênia. Surgidos em 1952 no grupo étnico *kikuyu*, os *Mau Mau* realizavam sangrentos ataques contra os colonos britânicos e contra outros grupos étnicos considerados colaboradores da potência ocupante. A resposta britânica foi de extrema brutalidade, com a declaração de um estado de emergência, e medidas como tortura em interrogatórios, execuções e prisões em massa que acabaram esmagando o movimento. A luta contra os *Mau Mau*, em que foram mortas cerca de 20 mil pessoas entre 1952 e 1960, acabaria por enfraquecer a legitimidade da ocupação britânica, culminando na concessão da independência ao Quênia, em 1963. Atualmente, os membros daquele movimento de libertação são considerados heróis pela população e pelas autoridades quenianas.

Em outros processos de descolonização no que passaria a ser conhecido como Terceiro Mundo, movimentos insurgentes também recorreram à luta e ao terrorismo para expulsar os colonizadores. Desses, mais dois casos merecem especial atenção: a Palestina e a Argélia.

Desde o final do século XIX, uma grande migração de judeus ocorria para o território da Palestina, a Terra de Canaã, então sob domínio do Império Otomano. Com a I Guerra Mundial, em 1914, os otomanos apoiaram as Potências Centrais (Alemanha e Império Austro-Húngaro) e entraram em conflito contra as forças aliadas lideradas por britânicos e franceses. Os adversários dos otomanos logo insuflaram movimentos insurgentes, cujo levante enfraqueceria o inimigo turco. Em 1917, os britânicos prometem apoiar os judeus na formação de seu Estado, por meio da declaração de Balfour[18]. Ao final da Guerra, com a derrota do Império Otomano, a Palestina ficou sob mandato britânico.

Sob mandato britânico, intensificou-se a migração de judeus para a Palestina, ao mesmo tempo em que ganhava força o discurso do movimento sionista pelo estabelecimento de um Estado judeu na região. A pressão sionista levou à formação de diversos grupos terroristas, entre eles o Irgun (ארגון; "Organização", forma abreviada de הארגון הצבאי הלאומי בארץ ישראל, *HaIrgun HaTzva'i HaLe'umi BeEretz Yisra'el*; em português "Organização Militar Nacional na Terra de Israel", também chamada ארגון צבאי לאומי, transliterado como *Irgun Tsvai Leumi*, "Organização Militar Nacional"), criado em 1931. Esse grupo foi um dos primeiros a usar bombas contra civis, perpetrando um grande atentado em Jerusalém em 1946, com a explosão do hotel Rei Davi. Outros grupos que também utilizaram o terror para pressionar a formação do Estado judeu foram o Haganna (הגנה, "Defesa") e o Lehi (acrônimo hebraico para *Lohamei Herut Israel*, לח"י – לוחמי חרות ישראל; "Lutadores para a Liberdade de Israel").

Em contraposição aos judeus, surgiram movimentos de defesa da terra para os muçulmanos. Na esperança de libertar as terras dos palestinos, diversos movimentos terroristas foram estabelecidos, dos quais o mais importante foi a Organização para Libertação da Palestina (OLP – em árabe, منظمة التحرير الفلسطينية, transliterado como *Munazzamat at-Tahrir al-Filastīniyyah*), que muito se destacou na década de 1970. Fundada em 1964, a OLP tinha por objetivo libertar a Palestina da ocupação israelense e "impedir a atividade sionista" na região. Defendia, ainda, a autodeterminação dos palestinos e a criação de um Estado independente.

---

[18] Carta firmada em 2 de novembro de 1917, por Arthur James Balfour, então Secretário de Assuntos Estrangeiros do Reino Unido, declarando sua vontade de apoiar o povo judeu a povoar a região da Palestina.

Desde sua fundação, a OLP utilizou-se de táticas de guerrilha para atacar Israel a partir de bases na Jordânia, Líbano e Síria, e também de dentro da Faixa de Gaza e da Cisjordânia, territórios de população palestina. Considerada por muitos países ocidentais como uma organização terrorista, a OLP se conduziria aos poucos para uma via pacífica para solução do conflito com os israelenses na região e uma convivência entre os dois povos, deixando de ser considerada organização terrorista pelos ocidentais em 1991, na Conferência de Madri, e por Israel em 1993, por ocasião dos acordos de Oslo.

Registre-se que, apesar de surgida no contexto da segunda onda, a OLP seria organização marcante para a terceira onda de terrorismo. Foi ela que, com o término da Guerra do Vietnã, em 1975, substituiu o *Vietcong* como referência de heroísmo e luta contra uma força opressora significativamente superior, servindo de inspiração para diversas organizações de esquerda que, a partir de então, promoveram atentados terroristas pelo mundo[19]. Além de inspiração, a OLP promovia o treinamento de outros grupos terroristas, e contava com a simpatia ou até com o apoio financeiro de países, como Estados árabes e a União Soviética[20]. Suas ações marcantes nos anos 1970, como o sequestro de aviões, tomadas de autoridades como reféns, e ataques contra alvos militares estadunidenses dariam ânimo a terroristas da Nova Esquerda, como se verá adiante.

Em 1993, o então presidente da OLP, Yasser Arafat (1929-2004), reconheceu o Estado de Israel em carta oficial ao primeiro-ministro daquele país, Yitzhak Rabin (1922-1995). Em resposta à iniciativa de Arafat, Israel reconheceu a OLP como a representante legítima do povo palestino. Arafat foi presidente do Comitê Executivo da OLP de 1969 até a sua morte, em 2004. Foi sucedido no cargo por Mahmoud Abbas (1935-), também conhecido como Abu Mazen. Atualmente, a OLP se encontra representada pela Fatah (em árabe, فتح; acrônimo reverso do nome حركة التحرير الوطني الفلسطيني, transliterado como *Harakat al-Tahrir al-Watani al-Filastini*, "Movimento de Libertação Nacional da Palestina"), organização política e militar, nacionalista e laica.

Enquanto a Fatah, que governa atualmente a Cisjordânia, abandonou o recurso ao terrorismo, outra organização palestina mantém essa opção, o Hamas (em árabe, حماس, literalmente "Zelo" ou "Entusiasmo", sendo um acrônimo de حركة المقاومة الاسلامية, *Ḥarakat al-Muqāwamat al-Islāmiyyah*, "Movimento de Resistência Islâmica"), fundado em 1987, por ocasião da Primeira Intifada, e que se encontra no poder na Faixa de Gaza.

Considerado organização terrorista pela Austrália, Canadá, EUA, Israel, Japão e União Europeia (Austrália e Reino Unido consideram como organização terrorista somente o braço militar da organização, as Brigadas *Izz ad-Din*

---

[19] RAPOPORT (2006), op. cit., p. 56.
[20] RAPOPORT (2002), op. cit.

al-Qassam), o Hamas é um ramo palestino da Irmandade Muçulmana e se define como um movimento de resistência palestino, cujos princípios se baseiam no Corão, e que tem como ponto fundamental de seu programa político a instauração de um Estado palestino abrangendo toda a Palestina histórica. Seu braço político é sustentado como força partidária e conduz atividades beneficentes e assistenciais na Faixa de Gaza, além de um forte aparato propagandístico que inclui uma rede de televisão. Também recebe doações de comunidades palestinas por todo o globo.

Os conflitos entre o Hamas e Israel são constantes, sendo aquele acusado de patrocinar ações terroristas contra o Estado judeu e seus aliados. A organização, ao contrário da Fatah, não reconhece o Estado de Israel, considerando o país "entidade sionista" e pregando sua extinção.

As primeiras ações armadas do Hamas ocorreram em 1987, com o início da Primeira Intifada. Inicialmente, atacaram rivais palestinos e depois, militares israelenses. Seguiram-se ataques que tinham como alvo tanto os militares como os civis israelenses, destacando-se atentados suicidas contra a população civil, com dezenas de vítimas. Israel respondeu com ataques à Faixa de Gaza e execução de líderes do Hamas.

Em 2006, o Hamas renunciou publicamente aos ataques suicidas. Desde então, atacaria o Estado judeu por meio de foguetes Qassam contra as cidades israelenses próximas à fronteira. Negociações de paz ainda não são percebidas como alternativa. De toda maneira, a organização tenta angariar apoio e reconhecimento internacional para sua causa. África do Sul, Noruega, Rússia e o Brasil estão entre os países que não consideram o Hamas uma organização terrorista.

No Egito, em 1928, começou a atuar a Irmandade Muçulmana (em árabe جمعية الأخوان المسلمون, *Jamiat al-Ikhwan al-Muslimun*, literalmente "Sociedade de Irmãos Muçulmanos", conhecida popularmente apenas como الإخوان, *Al-Ikhwān*, "A Irmandade"), que recorreria a atos de terror contra os ocupantes britânicos pela libertação do país. Seu fundador, o professor e intelectual Hassan al Banna (1906-1949), denunciava "a doença que reduziu a *ummah* (comunidade muçulmana) ao seu estado atual", e, juntamente com outros jovens, decidiu criar a Irmandade, defendendo o estabelecimento de um Estado baseado na *sharia* (as leis islâmicas) e a unificação de todos os povos muçulmanos.

Com um discurso inicial de reformas morais e espirituais, a Irmandade cresceu rapidamente no Egito sob controle britânico, chegando a reunir, entre as décadas de 1930 e 1940, cerca de 500 mil membros apenas no Egito, com simpatizantes e afiliados em outras regiões do mundo islâmico. Com a II Guerra Mundial e os processos de descolonização que a sucederam, a Irmandade Muçulmana teve papel relevante na luta contra os ocupantes europeus, organizando, inclusive, um braço paramilitar (cujo *slogan* era "ação, obediência, silêncio, fé e luta"), e um aparato de inteligência para coordenar ataques terroristas e assassinatos.

Em 1948, a Irmandade tentou um golpe de estado contra a monarquia egípcia, tentativa frustrada pelo primeiro-ministro do rei Farouk, Nuqrashi Pasha (1888-1948), o qual acabou assassinado pela organização algumas semanas depois. A tentativa de derrubar a monarquia e o assassinato de Pasha intensificou a resposta do governo, desencadeando perseguição à Irmandade, e executando Al Banna e muitos de seus correligionários, no início de 1949. Radicalizando-se ainda mais, a Irmandade continuou a lutar e apoiou o golpe militar que depôs o Rei Farouk, em 1952.

Com a chegada ao poder do coronel Gamal Abdel-Nasser (1918-1970), a Irmandade Muçulmana foi, em 1954, posta na ilegalidade e, em outubro do mesmo ano, seus membros tentaram assassinar Nasser. A resposta do governo foi a execução dos líderes da Irmandade, e a prisão de milhares de seus membros, muitos submetidos à tortura enquanto encarcerados.

A organização permaneceu na ilegalidade até meados da década de 1980, quando alguns de seus membros tiveram autorização para candidatar-se a lideranças sindicais. Ganhando força no movimento sindical, a Irmandade voltou a ser percebida como ameaça pelo governo egípcio, que reagiu suspendendo essas lideranças e prendendo seus membros.

No século XXI, o grupo voltou à política, concorrendo com candidatos independentes nas eleições parlamentares e obtendo, em 2005, um quinto das cadeiras do Parlamento. Logo a Irmandade se tornaria oposição importante ao Presidente Hosni Mubarak (1928-), que determinaria a prisão de suas lideranças.

Em 2011, a Irmandade contribuiu para a queda do ditador Mubarak do Egito, por ocasião do que ficou conhecido como Primavera Árabe. O movimento elege o sucessor de Mubarak, Mohamed Morsi (1951)[21], primeiro civil democraticamente eleito no país, e deposto um ano depois por um golpe militar. Muitos de seus membros foram detidos e processados como criminosos pelo novo governo egípcio.

Convém registrar que a Irmandade Muçulmana encontra-se representada em cerca de 70 países. A organização teria sido atuante tanto nos conflitos entre árabes e israelenses quanto em confrontos com caráter religioso como as guerras do Afeganistão e da Caxemira. Também tomaria parte em movimentos de libertação nacional, como o da independência da Argélia. Note-se, ainda, que a *Al Qaeda* tem suas origens em segmento mais radical da Irmandade Muçulmana,

---

[21] Condenado à morte por uma corte egípcia em junho de 2015 e aguardando o cumprimento de sua sentença.

organização que influenciou, portanto, o advento do que Rapoport classificaria como a quarta onda do terrorismo.

Muitos outros movimentos recorreram ao terrorismo na luta pela libertação nacional. Aqui se buscou citar apenas alguns exemplos. Importante conhecer, não obstante, as diferenças com relação aos grupos da primeira onda. Um primeiro aspecto diz respeito à linguagem utilizada nos distintos momentos. Ao contrário dos combatentes da primeira onda, aqueles da segunda entendiam que sua identificação com o termo "terrorista" lhes traria mais prejuízos políticos que benefícios. Nesse sentido, o israelense Lehi foi o último grupo a se autointitular "terrorista". Rapoport[22] lembra que Menachen Begin (1913-1992), que liderou o Irgun, descrevia seu pessoal como "combatentes da liberdade" que lutavam, repita-se, contra o terror governamental. O apelo anticolonial dessa designação era tão significativo que foi adotado pelas organizações subsequentes em diversas partes do globo. Afinal, era algo que legitimava a causa e definia bem os lados nos conflitos pela emancipação nacional.

As táticas terroristas da segunda onda também eram distintas. Note-se que os grupos da época contaram com a colaboração do que Rapoport chama de "diásporas", ou seja, as comunidades nacionais que viviam fora dos territórios sob domínio colonial (irlandeses nos EUA e palestinos por todo o mundo, por exemplo). Como essas comunidades contribuíam com aportes financeiros para os movimentos de libertação, recorria-se menos às práticas de assalto a banco, tão comuns na primeira onda para o financiamento das organizações terroristas. Ocorreram menos assassinatos de figuras públicas na segunda onda do que na primeira, à exceção de ações do *Lehi* e do IRA[23].

Uma prática muito comum da segunda onda, entretanto, foi o assassinato sistemático de policiais, considerados importantes representantes do aparato repressor do Estado ou da força colonial ocupante – exemplo disso ocorreu na Argélia, quando oficiais de polícia tornaram-se alvos prioritários dos insurgentes da Frente de Libertação Nacional. Alguns grupos faziam questão de alertar a população sobre atentados que iriam cometer, exatamente para evitar que civis fossem vítimas colaterais. Ademais, táticas de guerrilha (sob a estratégia do atrito) foram adotadas.

Na segunda onda, junto com o apoio das comunidades nacionais no exterior, elemento novo foi o apoio de alguns Estados às organizações que recorriam ao terrorismo nos movimentos de independência. A título de exemplo, países árabes deram apoio crucial ao FNL argelino, tanto com suporte político quanto com abrigo em seu território de membros daquela organização (santuário). A Grécia, por sua vez, patrocinou levantes de cipriotas gregos contra

---

[22] RAPOPORT (2006), op. cit., p. 54.
[23] RAPOPORT (2006), op. cit., p. 54.

os ocupantes britânicos da ilha e, ainda, contra o próprio governo do Chipre quando o país alcançou a independência, ao passo que a Turquia apoiava – inclusive militarmente – os cipriotas turcos nessas lutas. E, repita-se, EUA e URSS foram decisivos para o êxito de insurgentes em diversas ex-colônias na África, Ásia e Oceania.

Por último, convém lembrar o uso da Organização das Nações Unidas (ONU) para legitimar as lutas anticoloniais e, indiretamente, o recurso a práticas terroristas pelos grupos insurgentes. Afinal, a descolonização, da década de 1940 à década de 1970, deu-se fundamentada no princípio da autodeterminação dos povos, defendido pela ONU. E, à medida que as ex-colônias se tornavam Estados independentes, acabavam por ingressar na organização internacional, participando de seu processo decisório e de seus debates, o que contribuiu para o uso da terminologia do "combatente da liberdade" pelas Nações Unidas e para a neutralização de tentativas de definir "terrorismo" e "terrorista" no âmbito daquela organização.

2.2.3. A Terceira Onda

As décadas de 1960-1970 foram testemunhas de grandes atentados pelo mundo, especialmente na Europa, cometidos por grupos de esquerda que pregavam o marxismo como alternativa de modelo político e econômico. Muito influenciada pela Guerra do Vietnã (1964-1975), essa onda se mostrou presente em especial nos países do então Primeiro Mundo e também na América Latina, no que Rapoport identificaria como a terceira onda do terrorismo, a chamada "Nova Onda de Esquerda", que combinava radicalismo, nacionalismo e doutrinas de esquerda (marxismo, leninismo, trotskismo, maoísmo).

Assim, por ocasião da chamada terceira onda do terrorismo internacional, sob a influência do conflito bipolar entre URSS e EUA, convém destacar a atuação de organizações terroristas nos países desenvolvidos, particularmente na Europa Ocidental e nos EUA. Tem-se aí, nas décadas de 1960 e 1970, um cenário de manifestações de classes trabalhadoras, agitações sociais, protestos contra a Guerra do Vietnã e contra o imperialismo ocidental, e discursos pelos direitos civis, muitos dos quais acabavam na defesa da luta armada e do terrorismo para desestabilizar a economia e a sociedade capitalistas e promover os ideais socialistas.

Aproveitando-se do clima de insatisfação e luta do período, a URSS e seus aliados incentivaram a criação e/ou patrocinaram organizações guerrilheiras e terroristas que atuariam no Ocidente. Algumas dessas organizações foram criadas à época; outras já existiam há décadas e estavam vinculadas a movimentos separatistas. Exemplos dos grupos terroristas que operavam nos países desenvolvidos são: a Fração do Exército Vermelho (*Rote Armee*

Fraktion ou RAF), grupo alemão mais conhecido como *Baader-Meinhof*; o Exército Vermelho Japonês (*Nihon Sekigun*, *Japanese Red Army* – JRA, liderado por Fusako Shigenobu); e as italianas Brigadas Vermelhas (*Brigate Rosse* – BR), de Renato Curcio. Todos esses movimentos e pessoas (a maioria jovens estudantes) utilizaram o terror para pressionar seus governos e combater o "imperialismo capitalista". Viam-se como a vanguarda para as massas do Terceiro Mundo que se levantariam contra a opressão dos países ocidentais – dos quais, ironicamente, eram cidadãos.

Assim, a Guerra do Vietnã, repita-se, teve grande influência sobre a terceira onda, sobretudo porque a atuação do *Vietcong* combatendo com armas primitivas e técnicas de guerrilha e terror contra uma Superpotência que nunca havia sido derrotada em um conflito convencional, servia de inspiração para jovens idealistas de diversas partes do globo, particularmente de países desenvolvidos. Afinal, tinha-se o Davi vietnamita lutando, resistindo e causando ferimentos ao Golias estadunidense. A guerra também contribuía para aumentar a insatisfação com o sistema capitalista e a rebeldia, sobretudo entre os jovens, contra instituições nos países ocidentais. Daí muitos desses jovens acabarem aderindo à luta armada e ao terrorismo pelos ideais de mudar o sistema e promover a alternativa socialista no Ocidente. Claro que a influência soviética era maciça nesse contexto. Quando acaba a Guerra do Vietnã, em 1975, relembre-se, a OLP substitui o *Vietcong* como modelo de heroísmo para os grupos de esquerda.

Uma característica semelhante entre a primeira e a terceira ondas foi o papel de relevância da mulher nos grupos terroristas. Ao contrário do que aconteceu nas segunda e quarta ondas, em que a mulher tinha papel secundário ou inexistente, no terrorismo anarquista e revolucionário e naquele da Nova Esquerda, mulheres não só atuaram como combatentes, mas também assumiram liderança em diversas organizações. Exemplos são: Vera Zasulich (1849-1919), revolucionária marxista autoproclamada terrorista, que em 1878 feriu um chefe de polícia russo que agredia prisioneiros políticos; Ulrike Meinhof (1934-1976), terrorista da Fração do Exército Vermelho, a RAF (mais conhecida pelo nome *Baader-Meinhof*, cunhado a partir dos sobrenomes de Ulrike e de seu amante, companheiro e cofundador da organização, Andreas Baader) que participou de inúmeros atentados na década de 1970; e de Dilma Rousseff (1947), que integrou as organizações terroristas brasileiras Comando de Libertação Nacional (Colina) e Vanguarda Revolucionária Palmares (VAR-Palmares), tendo participado da luta armada no Brasil no período militar.

Na terceira onda, de maneira semelhante à primeira, houve mudança nos alvos dos ataques terroristas. As ações tinham caráter muito mais "teatral", pois buscavam chamar atenção para as causas e os grupos que as promoviam. Operações contra alvos militares e policiais da segunda onda foram cedendo lugar a sequestros de autoridades, tomadas de aeronaves de linhas internacionais, ataques a lugares e pessoas que chamassem atenção da opinião pública e atraíssem grande cobertura da imprensa.

Entre as décadas de 1960 e 1980 ocorreram 700 sequestros promovidos por grupos terroristas pelo mundo[24], alcançando mais de 70 países, especialmente na Itália, na Espanha e na América Latina. Aviões foram sequestrados para que se fizessem reféns, resgates eram cobrados em dinheiro para financiar as organizações terroristas ou ainda exigências eram feitas em troca dos reféns, como a divulgação de comunicados, manifestos e outras peças panfletárias ou a libertação de terroristas sob custódia do Estado.

As crises de reféns se tornaram, portanto, marcantes na terceira onda. E, entre 1968 e 1982, foram precisamente 409 incidentes internacionais envolvendo 951 reféns[25]. Poderiam ser autoridades públicas ou pessoas comuns, como passageiros de um avião. Rapoport assinala como evento mais significativo no âmbito doméstico o sequestro do jurista, professor e Primeiro-Ministro italiano, Aldo Moro (1916-1978), pelas Brigadas Vermelhas. Moro foi mantido 55 dias em cativeiro, mas o Governo italiano se recusava a negociar com os terroristas. Após ser brutalmente torturado, o líder italiano foi executado e seu corpo jogado na rua em Roma. O episódio chocou a sociedade italiana e estimulou o endurecimento da luta contra o terror naquele país.

Na Nicarágua, a Frente Sandinista de Libertação Nacional (FSLN) conduziu algumas operações cinematográficas de ataques a instalações públicas e sequestros de autoridades públicas, diplomatas e políticos. Em dezembro de 1974, um grupo de guerrilheiros sandinistas cercou a casa do Ministro da Agricultura durante uma festa na qual estavam presentes vários membros do governo, fazendo-os de reféns. A ação culminou na morte do ministro e no pagamento de dois milhões de dólares aos terroristas pelo governo, que também teve que divulgar junto a imprensa um comunicado oficial da FSLN. Os guerrilheiros também conseguiram a libertação de quatorze prisioneiros sandinistas da cadeia, que foram enviados a Cuba. Entre esses prisioneiros libertados estava o líder da organização, Daniel Ortega (1945).

Outra importante ação desencadeada pelos sandinistas foi a tomada do Palácio Nacional, a sede do Poder Legislativo, em 1978. Dezenas de políticos foram mantidos como reféns, trocados por presos políticos, meio milhão de dólares e dois aviões que voaram com os guerrilheiros e os presos libertados para o Panamá e a Venezuela. Aquela ação teria grande relevância para a vitória dos sandinistas sobre o regime de Anastasio Somoza (1925-1980), por meio de uma insurreição popular, um ano depois.

---

[24] ANDERSON, Sean; SLOAN, Stephen. *Historical dictionary of terrorism*. Metuchen, N.J.: Transaction Press, 1995, p. 136.
[25] RAPOPORT (2006), op. cit., p. 57.

Na Colômbia, país em guerra civil desde a década de 1960, teve-se o cenário propício ao surgimento de grupos que recorriam à guerrilha e ao terrorismo, como a M-19 e as FARC. O Movimento 19 de abril (M-19) foi uma organização de guerrilha urbana, surgida nos anos 1970, e constituída por estudantes de classe média que se diziam desiludidos com a esquerda tradicional. Após ações contra o Exército Colombiano, que provocaram respostas duras das autoridades nacionais, o M-19 começou a atacar alvos de significativo impacto doméstico e internacional. Em 1980, um comando do M-19 invadiu e ocupou a embaixada da República Dominicana, tomando 60 reféns, entre os quais 15 embaixadores, inclusive os embaixadores dos EUA, Diogo Asencio, e do Brasil, Geraldo Nascimento e Silva.

Os efeitos propagandísticos das ações do M-19 foram enormes. Durante 60 dias, a organização esteve nas páginas da imprensa mundial, até que o governo concordou em libertar guerrilheiros presos e pagar um milhão de dólares de resgate. Mas um ato terrorista de proporções muito maiores seria perpetrado cinco anos depois: em 6 de novembro de 1985, 35 terroristas do M-19 ocuparam o Palácio da Justiça da Colômbia, no centro da capital, tomando como reféns dezenas de pessoas, entre os quais os 23 juízes da Suprema Corte. Exigiam, entre outras coisas, a presença do Presidente da República, Belisario Betancur (1923) no Palácio para ser julgado por "crimes contra o povo colombiano". O governo se recusou a negociar e, no dia seguinte, o Exército invadiu o Palácio da Justiça, e após 27 horas de combates, onde foi usado armamento pesado, os 35 guerrilheiros do M-19 foram mortos. O sucesso da operação do Exército colombiano acabou severamente comprometido, porém, porque também morreram outros 65 reféns, entre eles todos os 23 magistrados da Suprema Corte.

Em 1989, após 16 anos de luta, devido ao intenso contra-ataque por parte das forças militares colombianas, e do isolamento resultante da radicalização de seus procedimentos, uma trégua foi finalmente assinada, e o M-19 deporia as armas. A organização perdera 22 de seus fundadores e centenas de militantes. Com o fim da luta armada, o M-19 se converteria em um partido político, a Aliança Democrática, e viria a participar da disputa democrática eleitoral.

A FSLN e o MI-19 são apenas exemplos dos inúmeros grupos terroristas que atuaram na América Latina no contexto da terceira onda. Essas organizações recorriam a táticas de guerrilha urbana e rural em sua luta contra governos democráticos ou regimes de exceção. Afinal, nos anos 1960 e 1970, o continente mostrou-se pródigo no estabelecimento de ditaduras, e as disputas ideológicas sob efeito da Guerra Fria e do conflito bipolar podiam levar às vias de fato. Outros exemplos de grupos e organizações terroristas de terceira onda que atuaram na América Latina são as Forças Armadas Revolucionárias da Colômbia (FARC), o peruano Sendero Luminoso, os Montoneros argentinos e os Tupamaros uruguaios.

No Brasil, sobretudo durante o período militar (1964-1985), proliferaram grupos de esquerda que recorreram a atos de terror em sua luta contra o regime. Esses grupos desencadearam ações como assaltos, roubos a banco (desenvolvendo inclusive toda uma técnica para ataques a instituições bancárias), sequestros, explosões de carros-bombas e assassinatos, geralmente com treinamento e orientação de agentes estrangeiros, e sob a justificativa de que estavam a lutar contra o regime militar e com o objetivo de promover a revolução e estabelecer no Brasil um Estado comunista (nos moldes das ditaduras cubana, chinesa, albanesa e soviética). Foge ao escopo desta obra entrar em detalhes sobre essas ações terroristas no território brasileiro[26].

Ainda no contexto da terceira onda, percebe-se a atuação dos grupos nacionalistas e separatistas. Na Espanha, uma importante organização de caráter separatista foi responsável por significativas ações terroristas a partir da segunda metade do século XX: trata-se do ETA (sigla de *Euskadi Ta Askatasuna*, do basco para "Pátria Basca e Liberdade"), grupo que almeja a independência do País Basco (*Euskal Herria*), região localizada entra a Espanha e a França. Criado em 1959, o ETA estruturava-se como uma dissidência do Partido Nacionalista Basco (PNB) – fundado, por sua vez, em 1895, e que permanecera na clandestinidade durante o regime franquista (1939-1975).

Abrigando-se na parte do País Basco francês, os etarras (como ficaram conhecidos os integrantes do ETA), promoviam ações terroristas em território espanhol, entre as quais atentados à bomba e execução de autoridades e agentes públicos. Organização laica, sob influência marxista-leninista, o ETA teve sua primeira assembleia no mosteiro beneditino de Belloc (França), em 1962, na qual foram aprovadas resoluções que consideravam a história basca como um processo de construção da nacionalidade *euskera*, e não de uma etnia. Nesse sentido, pregavam a independência do País Basco e uma alternativa socialista para o novo Estado, rechaçando a atuação da Igreja (ao contrário do que propunha o PNB, de orientação católica). Na II Assembleia, em 1963, o grupo definiu sua orientação ideológica como comunista e na III Assembleia, no ano seguinte, rompeu-se definitivamente com o PNB e estabeleceu-se a luta armada como a melhor alternativa para se alcançar seus objetivos. Sucessivos atentados ocorreram a partir de então.

---

[26] Sobre o assunto, duas obras essenciais são *A verdade sufocada – a história que a esquerda não quer contar*, de Carlos Alberto Brilhante Ustra (Brasília: Editora Ser, 10ª ed., 2014), e *Orvil:* tentativas de tomada do poder, de Lício Maciel e José Conegundes Nascimento (Itu: Editora Schoba, 2014). Há, ainda, os sítios na internet: <http://www.averdadesufocada.com/> (acesso em: 1ª mar. 2016) e <http://www.ternuma.com.br/> (acesso em: 10 abr. 2016), este último patrocinado pela organização *Terrorismo Nunca Mais*.

A campanha de terror contra o Estado espanhol teve como primeiro atentado de grande repercussão o assassinato, em 1968, de Melitón Mananzas (1909-1968), chefe da polícia secreta de San Sebastián. O governo reagiu perseguindo, detendo e levando a julgamento vários etarras, alguns condenados à morte. Em 1973, ocorreu a mais importante ação do grupo durante a ditadura franquista: o assassinato do almirante, presidente do governo e provável herdeiro de Franco, Luis Carrero Blanco (1904-1973), em Madrid. Foi um grande êxito para o ETA, que ganhou projeção internacional.

Com o fim da ditadura de Francisco Franco (1892-1975), e a nova Constituição espanhola (de 1978), o País Basco obteve, como outras regiões, grande autonomia. O ETA, porém, continuou a reivindicar a independência total da região, realizando atentados que entrariam pelo século XXI até que, em janeiro de 2011, anunciou que adotaria um "cessar-fogo permanente, geral e verificável", não recorrendo mais a ações militares.

Em 20 de outubro de 2011, a organização emitiu um comunicado anunciando o fim definitivo de todas e quaisquer atividades. Em cinco décadas de luta, o ETA provocou mais de 800 mortes.

2.2.4. A Quarta Onda

A quarta onda tem como marco o ano de 1979. Três eventos ocorridos naquele ano sinalizaram ao mundo que uma nova onda de terror estava a começar: a Revolução Iraniana, o ataque à Grande Mesquita em Meca, e a invasão soviética do Afeganistão. Esses três eventos, que tinham em comum as crises no mundo muçulmano, foram gatilhos para o desenvolvimento de um novo terrorismo, cujo aspecto central é o fundamentalismo islâmico.

No final dos anos 1970, o Irã passava por grave crise institucional, com um conflito crescente entre correntes pró-Ocidente, capitaneadas pelo Xá Mohammad Reza Pahlavi (1919-1980) e suas reformas, e os grupos conservadores e fundamentalistas, liderados por clérigos xiitas. A Revolução Iraniana culminou com a deposição do Xá, no início de 1979, e a volta do Aiatolá Ruhollah Musavi Khomeini (1902-1989) a Teerã: formava-se a República Islâmica do Irã, um Estado Teocrático e de maioria absoluta xiita, potência regional que elegeu os EUA e Israel como seus grandes adversários (chamados por Khomeini de, respectivamente, *Grande Satã* e *Pequeno Satã*).

Uma das táticas usadas pelo regime iraniano era o fomento ao terrorismo: grupos terroristas foram estruturados e atentados promovidos pelo mundo por pessoas e organizações ligadas ao país dos aiatolás. De fato, Teerã utilizava esses grupos como instrumento de política externa e os financiava (como o fazia Kadafi, na Líbia), caracterizando um apoio Estatal ao novo terror religioso (de forma semelhante ao que os países comunistas faziam com os grupos nacionalistas e revolucionários nas duas ondas anteriores). Organizações como o *Hezbollah*, o *Hamas* e a *Jihad* Islâmica contaram com o apoio iraniano. A Revolução Iraniana promovia a expansão do fundamentalismo islâmico e enfrentava seus inimigos ocidentais recorrendo ao terrorismo.

O segundo evento marcante ocorrido em 1979 foi o ataque à Grande Mesquita (المسجد الحرام, *Masjid al-Haram*, em árabe) em Meca (Arábia Saudita), também chamada de *A Grande Mesquita Sagrada*, entre 20 de novembro e 4 de dezembro. Meca é um dos três lugares mais sagrados do Islã (junto com Medina e Jerusalém) e na Grande Mesquita se encontra o símbolo máximo do mundo islâmico, a *Kaaba*. É em direção à *Kaaba* que são feitas as preces diárias pelos muçulmanos, e um dos Cinco Pilares do Islã é exatamente a peregrinação que todo fiel deve fazer, ao menos uma vez na vida, até a Grande Mesquita de Meca para realizar a circum-ambulação ou circunvolução da *Kaaba* (sete voltas em torno da Pedra Negra).

O ataque à Grande Mesquita ocorreu então em novembro de 1979, quando um grupo extremista islâmico messiânico tomou de assalto o lugar mais sagrado do Islã, mantendo centenas de pessoas como reféns (a grande maioria peregrinos), exigindo a deposição da Casa de Saud do trono da Arábia Saudita e o estabelecimento de uma nova ordem. Liderados por Juhayman ibn Muhammad ibn Sayf al-Otaybi (1936-1980), os perpetradores do ataque proclamavam seu líder o *Mahdi* (مهدي, o "Grande Guia"), o redentor do Islã, e conclamavam os muçulmanos do mundo a segui-lo.

Durante duas semanas, a Grande Mesquita Sagrada ficou sob controle dos radicais até que foram derrotados por tropas sauditas, com apoio de comandos franceses e paquistaneses. O saldo: centenas de mortos, outros tantos feridos (entre terroristas, soldados e peregrinos), e a decisão do regime saudita de endurecer o controle do país e a segurança nos locais sagrados. Em 9 de janeiro de 1980, os 63 terroristas que haviam sobrevivido ao ataque e foram detidos pelas forças sauditas seriam executados em praça pública em oito cidades sauditas. Essas execuções tinham por objetivo servir de exemplo para aqueles que pensassem em se sublevar, e desestimular novas ações contra o regime[27]. Entendendo que a solução para levantes religiosos seria "mais religião", nos anos seguintes o regime saudita tornou-se ainda mais tradicionalista e se aproximou das lideranças religiosas conservadoras[28].

O ataque à Mesquita Sagrada mostrou ao mundo uma nova faceta do Islã: o advento do fundamentalismo, e o surgimento de grupos radicais que recorriam

---

[27] LACEY, Robert. *Inside the kingdom:* kings, clerics, modernists, terrorists, and the struggle for Saudi Arabia. New York: Viking, 2009, pp. 49-52.

[28] Sobre o assunto, *vide*: TROFIMOV, Yaroslav. *The siege of Mecca:* the 1979 uprising at Islam's Holiest Shrine. New York: Penguin, 2008.

ao terror e à violência, inclusive contra os próprios muçulmanos, para promover sua causa. A partir de 1979, ficava claro para muitos no Ocidente que o mundo islâmico não era homogêneo, mas marcado por uma heterogeneidade de grupos e correntes, alguns dos quais se digladiavam. Também se viu o terrorismo como recurso para uma guerra santa que se iniciava. Ademais, nos próprios países muçulmanos, grupos mais conservadores (alguns radicais) aumentaram sua influência sobre os governantes.

O terceiro grande evento que deu início à quarta onda foi a invasão soviética do Afeganistão. Em dezembro daquele ano, tropas da URSS entraram em território afegão em apoio ao governo da República Democrática do Afeganistão, regime marxista que travava uma guerra civil contra os guerrilheiros *mujahedins* – combatentes de várias tribos e grupos étnicos do país.

Enquanto Moscou apoiava o regime comunista de Cabul, os *mujahedins*, de maioria sunita, recebiam ajuda, na forma de armas e dinheiro, de países vizinhos (como a Arábia Saudita e o Paquistão). Também o Irã apoiou os combatentes xiitas contra os soviéticos. Entretanto, muito significativo no conflito foi o auxílio prestado pelo Reino Unido e, sobretudo, pelos EUA, àqueles "bravos guerreiros da liberdade": armas, dinheiro, treinamento. Vivia-se a Guerra Fria, e o confronto entre as superpotências se passava em solo afegão.

Entre os grupos apoiados por Washington, estava a organização *Maktab Al-Khidmat* (em árabe: بتكتم ou بتكتم الخدامات مجاهدين العرب, MAK), também conhecida como "Direção de Serviços Afegãos", fundada em 1984 por Abdullah Yusuf Azzam (1941-1989) para angariar fundos e recrutar *mujahedins* estrangeiros para a guerra contra os soviéticos. Naquele contexto, outro fundador da MAK mostrou-se um ferrenho guerreiro *mujahedin* e grande aliado dos EUA na luta contra as forças comunistas: o saudita Osama bin Laden (1957-2011?).

A intervenção soviética lançaria a superpotência comunista em um conflito que duraria 10 anos, deixaria milhares de mortos e contribuiria para o colapso do regime estabelecido com a Revolução de 1917 e do próprio bloco socialista. Chamada por alguns de "o Vietnã soviético", a Guerra do Afeganistão (1979-1989) seria o palco para a formação dos *jihadistas* que aterrorizariam o mundo no início do século XXI. Vencidos os soviéticos, muitos daqueles combatentes acabariam se tornando fundamentalistas, radicais religiosos envolvidos em uma nova "guerra santa" islâmica contra o Ocidente e seus valores. Em algumas décadas, a quarta onda alcançaria todos os continentes.

Já no novo milênio, a confrontação entre radicais islâmicos (como a *Al Qaeda*, o Estado Islâmico ou *Daesh*, e o grupo *Boko Haram*) e os "infiéis e apóstatas" associados ao Ocidente se tornaria uma característica da sociedade pós-moderna. Nesse contexto, a possibilidade de utilização de armas de destruição em massa e a oposição entre culturas seriam aspectos marcantes, e os fundamentalistas muçulmanos teriam no terrorismo a grande arma da *jihad*.

Indubitavelmente, o evento que inaugurou o século XXI deu-se no contexto da quarta onda de terrorismo: o ataque aos EUA, no dia 11 de setembro de 2001. Naquela data fatídica, três aviões comerciais foram sequestrados por terroristas e lançados contra dois grandes símbolos do poderio norte-americano: o *World Trade Center* (em Nova York), marca do poder econômico daquele país; e o Pentágono (em Arlington, Virgínia), centro do poder militar dos EUA. Um quarto avião cairia na Pensilvânia – possivelmente teria como alvo a Casa Branca ou Capitólio, em Washington, DC (símbolos do poder político estadunidense).

Os ataques cinematográficos de 11 de setembro de 2001 colocaram definitivamente o terrorismo na pauta internacional. E a organização que os perpetrou, a rede terrorista *Al Qaeda* (A Base), seria conhecida mundialmente e associada a um novo termo: o superterrorismo. Quando o governo dos EUA apoiou o grupo insurgente *Maktab Al-Khidmat*, nos anos 1980, na luta de liberação do Afeganistão, não se imaginava que alguns radicais que constituíam esse grupo formariam uma organização que modificaria a face do terrorismo no mundo. Azzam foi professor de direito islâmico de Bin Laden na Universidade *King Abdul-Aziz* (Arábia Saudita) e influenciou muito as novas ideias daquele que se tornaria "o homem mais procurado do globo" para a formação de um "grupo de defesa do Islã" no planeta.

Sob a perspectiva dos EUA, tinha-se uma guerra em que o inimigo não era mais outro Estado, mas grupos subnacionais com capacidade e poder de causar estragos grandes à governabilidade e governança mundial. De fato, logo após o 11/09, o então Presidente dos EUA, George Walker Bush (1946-) declarou a "Guerra ao Terror" como elemento central da nova estratégia estadunidense de combate ao terrorismo: Bush defendia uma "Cruzada Global" contra o que chamou de "Eixo do Mal" (constituído por Irã, Iraque e Coreia do Norte), e uma ação das Forças Armadas dos EUA em qualquer ponto do planeta onde fossem identificados inimigos dos norte-americanos, em especial terroristas e seus apoiadores.

A Guerra ao Terror motivaria os EUA a intervenções em diversas partes do globo, como no Afeganistão (contra o regime Talibã, apoiador da *Al Qaeda*), em um conflito que segue há mais de 15 anos, e no Iraque, que culminaria na invasão do território iraquiano e na deposição do Presidente Saddam Hussein (1937--2006) – outro aliado de Washington nos anos 1980. Os terroristas responderiam atacando alvos estadunidenses e aliados em todos os continentes. Por exemplo, atentados ocorreram em 11 de março de 2004 e em 7 de julho de 2005, em Madri e Londres, respectivamente, com centenas de mortos e feridos. Outros tantos trariam dor e sofrimento em países como Iraque, Síria, Turquia, França, Líbano,

Nigéria, Quênia, fazendo do terrorismo no século XXI uma ameaça realmente global.

A *Al Qaeda* foi então formada no mundo pós-URSS com características que a diferenciariam de qualquer organização de terror existente naquele momento:

- sem uma hierarquia vertical;
- com uma rede mundial de colaboradores;
- atuando em pequenas células;
- pregando de forma global uma guerra santa contra os EUA e seus aliados;
- sem um sistema de controle, sem limites, desejando inclusive utilizar armas de destruição em massa de forma indiscriminada.

Entre seus objetivos, está o estabelecimento de um califado pan-islâmico que uniria todos os povos muçulmanos, bem como expulsar os EUA e seus aliados do Oriente Médio, inclusive os governos da região considerados pró-ocidente. Sua ideologia está baseada em três fundamentos:

1. todos os infiéis (não muçulmanos e muçulmanos pró-ocidente) são inimigos;
2. modelo autocrático, ou seja, sem espaço para democracia;
3. máximo dano aos inimigos, incluindo assassinatos em massa e prejuízos econômicos.

A *Al Qaeda* conseguiu mudar a face do terrorismo no mundo. O terror deixou de ser local ou regional e passou a ser global. Não existem mais zonas neutras, tendo em vista que o Ocidente é considerado pagão e inimigo por esse grupo. A coalizão ocidental formada contra o Terror obteve algum sucesso em sua luta contra o grupo de Bin Laden, como o incremento da cooperação internacional, a diminuição de paraísos seguros para os terroristas, a morte do líder da *Al Qaeda*, o bloqueio de fundos para suas ações e, para os EUA, a inexistência de outro atentado nos dez anos seguintes ao 11 de setembro de 2001.

Entretanto, ainda há muito a fazer, especialmente em tentar diminuir o "al qaedismo", ou seja, a influência da ideologia pregada por Bin Laden entre outros grupos e pessoas ao redor do mundo. As ideias professadas pela *Al Qaeda* estão presentes em mais de 60 países e a sociedade internacional necessita diminuir esse alcance global da proposta jihadista desse grupo. A Figura 2.2 apresenta a rede de conexões da *Al Qaeda* com outras organizações no Oriente Médio e África[29].

---

[29] Figura adaptada do artigo de Peter Welby, "What is ISIS?", publicado em 16 nov. 2015, no sítio da *Tony Blair Faith Foundation*. Disponível em: <http://tonyblairfaithfoundation.org/religion-geopolitics/commentaries/backgrounder/what-isis> (acesso em: 31 jul. 2016).

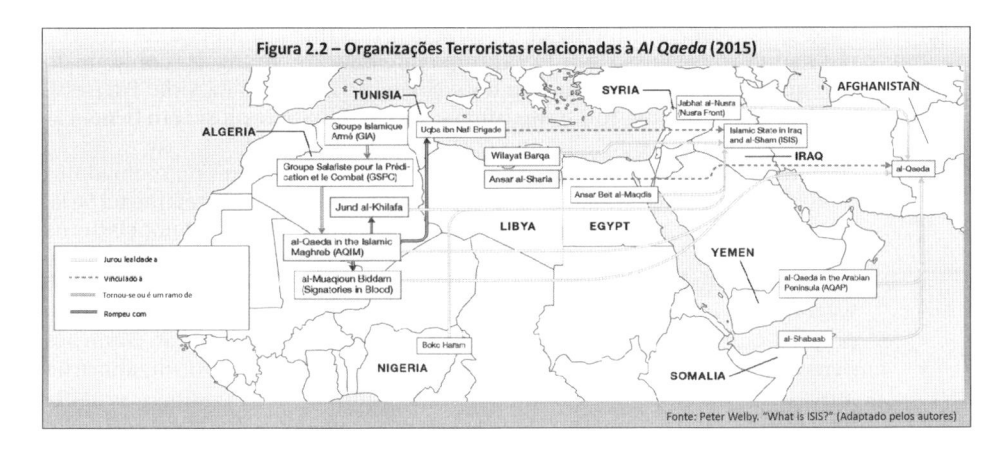

Figura 2.2 – Organizações Terroristas relacionadas à *Al Qaeda* (2015)

Fonte: Peter Welby. "What is ISIS?" (Adaptado pelos autores)

Acerca do Estado Islâmico ou *Daesh*, que se chamava originariamente Estado Islâmico do Iraque e do Levante[30], é um grupo insurgente que utiliza a tática do terrorismo como uma das principais formas de pressão para a formação de um Estado teocrático sunita baseado na lei islâmica (a *sharia*), um califado islâmico na região síria, israelense, jordaniana e iraquiana, mas com a pretensão de avançar sobre outros povos muçulmanos da região.

O grande líder do Estado Islâmico é Abu Bakr al-Baghdadi (1971-), com inspiração no finado Abu Musab al-Zarqawi (1966-2006), considerado o pai da "Jihad Moderna". Zarqawi foi líder da *Al Qaeda* no Iraque. Pregava o rompimento sunita com qualquer liderança xiita a fim de renovar a guerra dentro da religião islâmica pela formação do verdadeiro império de Alá, que para ele seria de tendência sunita. Após romper com a *Al Qaeda*, por discordâncias na estratégia do grupo, Zarqawi forma o Tawhid al-Jihad, que mais tarde originaria o Estado Islâmico no Iraque. Al-Baghdadi seria o novo califa desse Estado, o novo líder do mundo muçulmano em direção ao califado na percepção de seus seguidores. Atualmente é o terrorista mais procurado do mundo.

O Estado Islâmico desenvolveu percepção clara sobre a geopolítica do Oriente Médio e consegue jogar com os interesses das potências regionais, inclusive para conseguir financiamento de algumas delas. De fato, o *Daesh* ganhou força aproveitando-se das rivalidades e disputas de poder na região. A esse respeito, observa Loretta Napoleoni:

> O que diferencia essa organização de todos os outros grupos armados que a precederam – inclusive os que militaram durante a Guerra Fria – e o que explica seus enormes sucessos são a sua modernidade e seu pragmatismo. Além disso, seus líderes demonstram uma compreensão sem paralelo das limitações enfrentadas pelas potências contemporâneas num mundo globalizado e

---

[30] Levante é a região que engloba as nações limitadas a oeste pelo mar Mediterrâneo e a leste pela Mesopotâmia, a região entre os rios Tigre e Eufrates. Engloba a Síria, Israel (com a região de população palestina), Jordânia e Líbano.

multipolar. Por exemplo, o EI entendeu, antes que a maior parte de seus oponentes conseguisse fazê-lo, que uma intervenção estrangeira conjunta do tipo que realizaram na Líbia e no Iraque não seria possível na Síria. Foi nesse cenário que os líderes do Estado Islâmico conseguiram explorar em benefício próprio, de forma quase imperceptível, o conflito na Síria – uma versão contemporânea da guerra por procuração mantida por muitos patrocinadores de conflitos e grupos armados. Desejosos de uma mudança de regime na Síria, kuaitianos, catarianos e sauditas têm se mostrado dispostos a financiar uma série de organizações armadas, das quais o EI é apenas uma. No entanto, em vez de travar uma guerra por procuração bancada por seus financiadores, o Estado Islâmico tem usado dinheiro fornecido por eles para estabelecer seus próprios bastiães territoriais em regiões financeiramente estratégicas, como nos ricos campos de petróleo do Leste da Síria. No passado, nenhuma organização armada do Oriente Médio tinha conseguido promover-se como governante da região usando o dinheiro de seus ricos patrocinadores dos países do Golfo Pérsico[31].

A causa desse grupo insurgente é, portanto, a formação de um grande califado islâmico, o retorno ao período áureo do Islã, que no passado foi encerrado com o fim do império turco-otomano, no começo do século XX. Esse Estado, segundo o *Daesh*, deve ser regido pela lei religiosa, a *sharia*, e deve se expandir até a destruição dos infiéis pelo mundo, destruindo imediatamente Israel e seus apoiadores.

> Em marcante contraste com a retórica dos talibãs e apesar do tratamento bárbaro que dá a seus inimigos, o Estado Islâmico vem disseminando uma eficiente mensagem política, em parte positiva, pelo mundo islâmico: o retorno do Califado, de um novo Período Áureo do Islã. Essa mensagem surge numa época de grande desestabilização no Oriente Médio, com a Síria e o Iraque ardendo em guerras intestinas, a Líbia à beira de um conflito de tribos rivais, o Egito fervilhando de cidadãos descontentes governados pelo exército, e Israel envolvido em mais uma guerra com os habitantes de Gaza. Assim, o renascimento do Califado sob o comando de um novo califa, al-Baghdadi, parece, aos olhos de muitos sunitas, não o surgimento de mais um grupo armado, mas o renascimento, das cinzas de décadas de guerras e destruição, de uma nova e promissora organização política[32].

Outro aspecto que faz com que o Estado Islâmico se diferencie de outros grupos radicais religiosos é o uso dos recursos tecnológicos a seu favor. São mais pragmáticos ao utilizar a internet, os meios de comunicação e as novas tecnologias bélicas. Conseguiram desenvolver filmes de propaganda importantes e com qualidade que nada devem a produções consideradas profissionais no mercado publicitário ou cinematográfico. Usam esses mecanismos de mídia para divulgar a causa e para arrolar simpatizantes e pessoas dispostas a financiar, lutar, morrer e matar pela causa.

---

[31] NAPOLEONI, Loretta. *A fênix islamista*: o Estado Islâmico e a reconfiguração do Oriente Médio. Rio de Janeiro: Bertrand Brasil, 2015, pp. 16-17.
[32] NAPOLEONI, op. cit., p. 17.

> [...] o Estado Islâmico conhece a força da "propaganda do medo" e tem sido muito hábil no uso de redes sociais para divulgar, entre audiências locais e globais, vídeos e imagens de grande apelo visual, com suas ações bárbaras. O medo veiculado por esses instrumentos é uma arma de conquista muito mais poderosa do que as pregações religiosas, algo que a Al-Qaeda não conseguiu entender. [...] O EI aprendeu lições também sobre o poder da propaganda com fontes mais próximas de casa. Seus integrantes analisaram as máquinas de propaganda que os governos dos Estados Unidos e do Reino Unido usaram para justificar o ataque preventivo contra o Iraque em 2003. [...] Graças a uma ampla e profissional utilização de redes sociais, o Estado Islâmico criou também mitos igualmente falsos para fazer proselitismos, recrutamento e levantamento de recursos financeiros pelo mundo islâmico [33].

Além do controle do território e do uso maciço da propaganda e da tecnologia para difundir suas ideias, outro aspecto marcante do Estado Islâmico é o uso da extrema violência contra seus opositores (e mesmo contra aqueles que vivem sob seu governo). Espancamentos, chibatadas, decapitações e execuções públicas com requintes de crueldade são sua marca registrada. Punições severas para todos que sejam considerados violadores da lei islâmica são constantes (a título de exemplo, o próprio emprego da expressão *Daesh*, vista como pejorativa pelos membros do grupo é punível com oitenta chicotadas)[34].

Não menos importante, mas com o alcance limitado à Nigéria e territórios vizinhos, está o grupo insurgente *Boko Haram*. A história desse grupo encerra também o movimento contido na Quarta Onda de descontentamento com o mundo ocidental. Mohammed Marwa (1927-1980), conhecido como AllahTatsine ou Maitatsine, foi a grande influência ideológica da organização, pregando o afastamento radical do povo nigeriano de qualquer contato com o Ocidente, inclusive condenando a leitura de qualquer livro que não fosse o Corão[35].

O fundador do grupo *Boko Haram* foi o wahhabista Mohammed Yusuf, (1970-2009), no ano de 2002, que desejava espalhar a lei islâmica por todo o país e converter todos os infiéis, ou seja, todos que não compartiam da religião islâmica, bem como transformar o Estado Nigeriano em uma teocracia baseada na *sharia*. Em 2009, sob a liderança de Abubakar Shekau (1965/75-), a tática do terrorismo entra definitivamente nas ações do *Boko Haram*, tornando-se atualmente um dos grupos que mais matam em nome da causa. Sequestros, ataques com grupos armados, terrorismo suicida são mecanismos de assassinato utilizados por essa organização e que provocam muito terror na sociedade nigeriana, considerando

---

[33] NAPOLEONI, op. cit., pp. 20-21.
[34] BIRKE, Sarah. How al-Qaeda changed the syrian war. *The New York Review of Books*, December 27, 2013. Disponível em: <http://www.nybooks.com/daily/2013/12/27/how-al-qaeda-changed-syrian-war/> (acesso em: 30 jul. 2016).
[35] Informação contida na organização The National Interest, especializada em política internacional, disponível em: <http://nationalinterest.org/feature/the-origins-boko-haram-10609> (acesso em: 15 jul. 2016).

sempre o grande número de vítimas civis. Também realizam sequestros de mulheres e crianças para lhes servirem como escravos ou combatentes.

O *Boko Haram* se mostra simpático à luta da *Al Qaeda* contra o governo dos EUA e adere à rede mundial de grupos que praticam o terrorismo religioso em nome do Islã. Alguns de seus membros foram treinados por integrantes da *Al Qaeda* no Magreb. Em 2013, os EUA passaram a considerar esse grupo como organização terrorista e o Ocidente passou a acompanhar de forma mais próxima o avanço da organização sobre o território do norte nigeriano, bem como suas ações extremamente violentas contra a população cristã ali residente. Assim, o *Boko Haram* se insere como uma organização terrorista representante da Quarta Onda do terror.

Segundo o *Global Terrorism Index 2015*[36], do *Institute for Economics & Peace*, o número de vítimas do terrorismo nos últimos anos cresceu significativamente, apesar de as ações terroristas concentrarem-se em apenas cinco países: Iraque, Nigéria, Afeganistão, Paquistão e Síria. Somente na Nigéria, em 2014 o aumento no número de mortos foi de 300% com relação a 2013, chegando a 7.512 pessoas (massacradas, sobretudo, pelo *Boko Haram*, reconhecidamente o mais mortífero grupo terrorista no planeta). Assim, em 2014, 78% das vítimas do terrorismo encontravam-se nesses cinco países. De fato, o terrorismo nos países ocidentais é muito reduzido (excluindo-se o 11/09/2001, o número de mortes pelo terrorismo nos países ocidentais nos últimos quinze anos corresponde a apenas 0,5% do total), apesar de a projeção midiática, que naturalmente é dada a atentados ocorridos no Ocidente (como os de janeiro e novembro de 2015 na França e os de abril de 2016 na Bélgica), fazer com que se perceba com muito mais clareza e estupor os ataques nessa parte do mundo.

O *Global Terrorism Index 2015* alerta, ainda, que, mesmo se concentrando nos já citados cinco países, o terrorismo tem se espalhado pelo mundo, com o número de países que experienciaram mais de 500 mortes pelo terror tendo aumentado de 5 em 2013 para 11 em 2014, ou seja, um crescimento de 120% em um ano. Os seis novos países em que mais de 500 pessoas morreram vítimas do terrorismo em 2014 foram Somália, Ucrânia, Iêmen, República Centro-Africana, Sudão do Sul e Camarões. Ademais, o número de países em que ocorreu ao menos uma morte pelo terrorismo aumentou de 59 em 2013 para 67 em 2014.

Fenômeno muito marcante nos países ocidentais na segunda década do século XXI são os chamados "lobos solitários", que respondem por 70% de todas as mortes ocorridas no Ocidente entre 2006 e 2014. Nesses casos, convém registrar, as ações perpetradas por fundamentalistas islâmicos foram

---

[36] INSTITUTE FOR ECONOMICS & PEACE, *Global Terrorism Index 2015*. Disponível em: <http://economicsandpeace.org/wp-content/uploads/2015/11/Global-Terrorism-Index-2015.pdf> (acesso em: 15 mai. 2016). Trata-se de publicação indispensável para uma visão global do fenômeno.

reduzidas. Na América do Norte e na Europa, 80% dos mortos foram vítimas de lobos solitários motivados por extremismo de direita, nacionalismo, discursos antigovernamentais e discursos de ódio, ou outros tipos de extremismo político.

Outro fenômeno importante na segunda década do século XXI é a proliferação dos chamados *foreign fighters* (combatentes estrangeiros), ou seja, homens e mulheres que deixam seus países de origem (muitos no Ocidente) para se juntar a organizações como o *Daesh* e combater por elas. Entre 2014 e 2015 foi constante, por exemplo, o fluxo de *foreign fighters* para o Iraque e a Síria – estima-se que, entre 2011 e 2014, cerca de 30 mil combatentes estrangeiros, oriundos de mais de 100 países (inclusive do Brasil), chegaram à Síria e ao Iraque, número esse que em 2015 deve ter alcançado algo em torno de sete mil.

De acordo com um Relatório do *Soufan Group* (TSG)[37], em junho de 2014, cerca de 2.500 indivíduos de países ocidentais haviam viajado para a Síria para participar da guerra civil, número esse que dobrou nos 18 meses seguintes. Assim, estima-se que só da União Europeia chegaram à Síria 5.000 combatentes até dezembro de 2015, dos quais 1.800 cidadãos franceses e 470 belgas (até outubro de 2015), 760 provenientes do Reino Unido e outros 760 da Alemanha (até novembro) – calcula-se que 3.700 dos cerca de 5.000 combatentes estrangeiros que partiram do bloco seriam oriundos apenas desses quatro países. O estudo assinala no perfil desses combatentes europeus os vínculos com comunidades de imigrantes nas grandes cidades da Europa (como Paris e Bruxelas), sentimento de marginalização em seu país de origem, e tendência a seguir o discurso radical do fundamentalismo islâmico. São em geral homens, na idade de 20 anos, e sem perspectivas de inserção no modelo social europeu.

Enquanto a Europa compreende 21% dos *foreign fighters*, 50% originam-se dos países do Oriente Médio e do Norte da África e outros 23% são oriundos da Rússia e ex-repúblicas soviéticas. A grande maioria dos combatentes estrangeiros na Síria e no Iraque provém de países árabes. Até outubro de 2015, estima-se que 6.000 combatentes foram da Tunísia para a guerra civil síria, dos quais 700 mulheres. Some-se a esses mais 1.200 marroquinos e subestimados 600 líbios e 170 argelinos até maio de 2015 – com a particularidade que, desde o início de 2015 registrou-se um fluxo reverso com relação à Líbia, onde o Estado Islâmico estabeleceu uma presença relevante, inclusive encorajando os combatentes a irem defender os interesses da organização naquele país do Norte da África como alternativa à atuação na Síria e no Iraque.

Em outubro de 2015, o governo russo informou que entre cinco e sete mil combatentes originários da Rússia ou de outras ex-repúblicas soviéticas

---

[37] THE SOUFAN GROUP. *Foreign fighters – an updated assessment of the flow of foreign fighters into Syria and Iraq*, December 2015. Disponível em: <http://soufangroup.com/wp-content/uploads/2015/12/TSG_ForeignFightersUpdate3.pdf> (acesso em: 05 mai. 2016).

já teriam ido à Síria para se juntar ao Estado Islâmico. De fato, as estimativas são de que apenas da Rússia teriam partido cerca de 2.400 combatentes até setembro de 2015, aumento expressivo se comparado com os 800 russos que teriam chegado à Síria até junho de 2014. A maioria desses combatentes é proveniente do norte do Cáucaso (Tchetchênia e Daguestão), havendo ainda georgianos, azerbaijanos e, de fato, homens e mulheres procedentes de 12 das 15 ex-repúblicas soviéticas[38]. Da Ásia Central, militantes também têm ido lutar na Síria sob a égide da Al-Qaeda ou de suas afiliadas, como o Jabhat al-Nusra, também conhecida como Frente al-Nursa (em árabe, جبهة النصرة لأهل الشام, Jabhat an-Nuṣrah li-Ahl ash-Shām, que significa "A Frente da Vitória para o Povo da Grande Síria"), um dos grupos mais violentos que lutam contra o regime de Bashar Al-Assad na guerra civil síria[39].

Observe-se ainda que, com o conflito na Síria e no Iraque, milhões de refugiados têm-se deslocado para outros países do Oriente Médio, Ásia Central e, para o desespero de muitos europeus que têm que lidar com o problema da imigração em seu território, da Europa Ocidental. Segundo o Escritório das Nações Unidas para a Coordenação de Assuntos Humanitários (*United Nations Office for the Coordination of Humanitarian Affairs*), em 2016 estimava-se que 13,5 milhões de pessoas (das quais 6 milhões de crianças) necessitariam de ajuda humanitária. Desses, 6,6 milhões seriam deslocados internos, enquanto outros 4,8 milhões teriam sido forçados a deixar o território sírio rumo a países vizinhos como a Turquia (cerca de 2,7 milhões de pessoas), Jordânia, Líbano, ou seguindo por terra ou, desesperadamente, por mar rumo à União Europeia, no que configura atualmente a maior crise de deslocamento de pessoas em todo o mundo[40].

Na Europa, a crise dos refugiados sírios fez com que aumentasse a desconfiança da população do continente para com esses imigrantes forçados. Houve mesmo quem associasse os refugiados a simpatizantes dos terroristas islâmicos, o que encontra pouco fundamento. Esse quadro se agravou após os atentados de Paris, em janeiro e novembro de 2015, e de Bruxelas, em abril de 2016. Certamente o enfraquecimento do Estado Islâmico graças às ações armadas da coalização liderada pelas potências ocidentais e em razão da intervenção russa ao lado de Assad no conflito pode estar relacionado ao aumento da atividade terrorista fora da área sobre controle do *Daesh*, mas as

---

[38] Convém observar, ainda, que o norte do Cáucaso tem uma tradição de milícias islâmicas atuantes desde a desagregação da União Soviética. Em agosto de 2015, o Movimento Islâmico do Uzbequistão, que opera no Afeganistão e no Paquistão desde o início do século XXI, associou-se ao Estado Islâmico.
[39] IGNATIUS, David. Al-Qaeda affiliate playing larger role in Syria rebellion. In: *The Washington Post*, edição digital, 30 nov. 2012. (acesso em: 12 mai. 2016).
[40] A esse respeito, *vide*: <http://www.unocha.org/syrian-arab-republic/syria-country-profile/about-crisis> (acesso em: 28 mai. 2016).

investigações assinalam que quem perpetrou os atentados de Bruxelas e Paris eram, em sua maioria, terroristas nascidos e criados nos países europeus, pertencentes a terceira e quarta gerações de famílias que emigraram para a Europa depois da II Guerra Mundial.

Assim, a segunda década do século XXI vem testemunhando um recrudescimento do terrorismo, com ações em todos os continentes, com destaque para os grupos relacionados ao Estado Islâmico, à Al-Qaeda (que vem perdendo espaço para organizações mais radicais) e seus parceiros ou afiliados. Há também o fenômeno dos "lobos solitários", que não pode ser desprezado. Importante observar que o emprego de lobos solitários (ou ao menos o estímulo a estes) tem sido prática crescente em organizações como o Estado Islâmico, que conclama seguidores em todo o globo para uma "guerra santa" contra os infiéis (aí incluídos os muçulmanos considerados apóstatas por certos grupos).

Além das perdas humanas, o terrorismo neste início de século tem gerado grandes impactos na economia global. De acordo com o *Institute of Economics and Peace* (IEP), o impacto econômico global do terrorismo cresceu significativamente nos últimos anos, chegando, em novembro de 2014, a US$ 52 bilhões (cifra que só encontra paralelo no ano de 2001, marcado pelos ataques de 11/09 nos EUA) – e este é apenas o custo direto (*vide* Quadro 2.2)[41].

Ainda de acordo com o *Global Terrorism Index 2015*, as análises estatísticas identificaram dois fatores muito associados com a atividade terrorista: violência política cometida pelo Estado e a existência de conflitos armados em maior escala. Segundo o Relatório, 92% de todos os ataques terroristas ocorridos nos últimos 25 anos deram-se em países onde a violência estatal era disseminada, enquanto 88% dos ataques aconteceram em países envolvidos em conflitos violentos. Ademais, menos de 0,6% de todos os ataques ocorreram em países sem um conflito em andamento ou alguma forma de "terror político"[42]. Nesses países ricos, o que tem estimulado o terrorismo envolve, sobretudo na Europa Ocidental, o recrudescimento do terrorismo associado a fatores socioeconômicos, como o desemprego, a dificuldade de inserção de determinados estamentos sociais, e a atitude frente a imigrantes – isso contribui para o florescimento de perspectivas radicais e de ideologias contrárias aos valores ocidentais.

---

[41] HOLMES, Frank. U.S. Global Investors, The global cost of terrorism is at an all-time high. In: *Business Insider*, 28/03/2016, disponível em: <http://www.businessinsider.com/global-cost-of-terrorism-at-all-time-high-2016-3> (acesso em: 20 abr. 2016).
[42] *Global Terrorism Index 2015*, op. cit., p. 3.

Quadro 2.2
Custo Global do Terrorismo 2000-2014
(em bilhões de dólares)

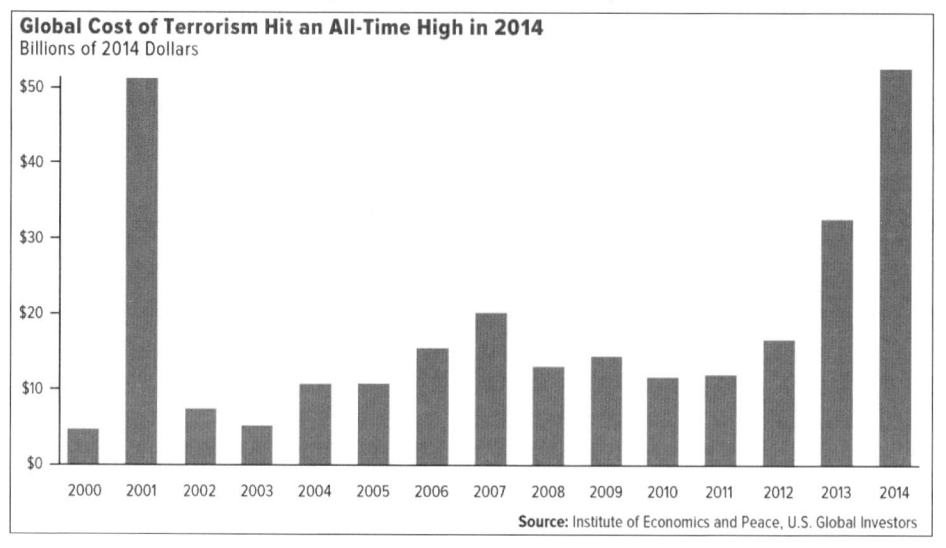

Global Cost of Terrorism Hit an All-Time High in 2014
Billions of 2014 Dollars

Source: Institute of Economics and Peace, U.S. Global Investors

2.3. CONCLUSÕES: UMA QUINTA ONDA?

O terrorismo certamente não é um fenômeno recente. A face moderna do terror ganha força no final do século XIX e, a partir de então, sucessivas ondas de ações terroristas, com motivações, objetivos e métodos distintos, geram uma nova perspectiva para a sociedade internacional contemporânea. No século XX e no início deste século XXI, o terrorismo virou uma nefasta realidade em praticamente todos os países, com milhares de vítimas que crescem a cada ano. Para se ter uma ideia, de acordo com o já citado *Global Terrorism Index 2015*, o número de mortes por terrorismo em 2014 aumentou em 80% em relação ao ano anterior, sendo o maior crescimento em 15 anos. E o Relatório observa que, desde o início do século XXI, os óbitos causados por ações terroristas saltaram de 3.329 em 2000 para 32.685 em 2014 (os números de 2015 são ainda mais expressivos).

No século XXI, há que se perguntar se o mundo não estaria diante de uma nova onda, na qual os grupos terroristas vinculados a organizações fundamentalistas islâmicas proliferam. Nesse contexto, destaca-se a atuação em rede de grupos como os capitaneados pela *Al-Qaeda* e o sistema quase de "franquias", em que modelos de organizações percebidas como "de sucesso" são copiados por grupos que surgem, alguns com o objetivo de desencadear uma ação específica. Paralelamente às "franquias terroristas", há outras organizações que se estruturam para controlar parte de um território, constituindo um governo primitivo sobre as populações que ali vivem: é o caso do Estado Islâmico e do *Boko Haram* – esses grupos também acabam se associando em uma sociedade global do terror.

Há, ainda, o fenômeno dos "lobos solitários", que proliferam tanto na Europa Ocidental (onde o Estado Islâmico se mostra mais presente), quanto na América do Norte (que testemunhou diversos atentados conduzidos por um ou dois indivíduos – e não sob planejamento e orientação específicos de uma organização – como ocorreu na Maratona de Boston, em 2013, e no ataque à boate em Orlando, em 2016). Tem surpreendido, também, o uso de meios pouco convencionais para ações terroristas: a título de exemplo, tanto no ataque de Nice, em 14 de julho de 2016, quanto no ataque ao mercado de Natal em Berlim, em dezembro daquele ano, os terroristas recorreram a caminhões, jogados contra as vítimas. Assim, uma nova onda que teria começado com o uso de aviões comerciais como armas de terror em 11 de setembro de 2001, continua na segunda década do século com o recurso a outros veículos.

A quinta onda poderia ser caracterizada, ademais, pela associação definitiva entre organizações terroristas e organizações criminosas, ou pelo uso de técnicas de terror pelo crime organizado – algo que os narcotraficantes colombianos já haviam ensaiado nas décadas de 1980 e 1990. Nesse sentido, tanto os terroristas usam sistemas financeiros semelhantes aos de organizações criminosas quanto os criminosos recorrem a atos de terror e a técnicas empregadas pelos terroristas em suas redes. No Brasil, por exemplo, facções criminosas que controlam presídios desenvolveram um sistema financeiro próprio semelhante aos *Hawalas*. Outro exemplo brasileiro se deu em janeiro de 2017, quando a crise do sistema penitenciário foi agravada por rebeliões, massacres e conflitos entre facções que puseram o Estado em alerta máximo – para piorar, o confronto nos presídios transbordou para as ruas das capitais brasileiras, apavorando a população com atos de terror cometidos a mando dos líderes encarcerados para forçar o governo a atender a suas exigências.

Uma última característica marcante dessa nova onda é o uso intensivo dos meios de comunicação e das mídias sociais pelas organizações terroristas, seja para divulgar suas ideias e práticas e promover ataques cibernéticos, seja para recrutar, orientar e até treinar combatentes. Nesse sentido, cada vez mais jovens por todo o mundo entram em contato pela internet com organizações terroristas e acabam sendo por elas recrutados.

Tentando compreender como atuam as organizações terroristas no início do século XXI, governos ainda erram muito ao lidar com o problema. Seja com o terrorismo fundamentalista muçulmano de ação global, seja com o desenvolvimento de organizações criminosas que recorrem ao terror para alcançar seus objetivos, o que se tem é um fenômeno novo, bastante distinto do terrorismo da Guerra Fria ou mesmo do fundamentalismo inaugurado no final dos anos 1970. Hoje, o terror opera em um mundo digital, com conexões baseadas em redes globais, com alvos que podem estar em qualquer parte do planeta e com motivações e objetivos diversificados. Fundamental, portanto, que os Estados desenvolvam novas estratégias e táticas para fazer frente a essa ameaça. Há que se estar preparado para a "quinta onda" de terror.

Ainda se levará muito tempo para que o terrorismo se torne um problema do passado. As futuras gerações terão que conviver com essa praga que se prolifera e contamina diferentes regiões do globo. Daí a importância de se conhecer o fenômeno. Conhecendo o terrorismo, as organizações perpetradoras do terror, os métodos por elas utilizados, suas motivações e objetivos e, ainda, a forma como obtêm recursos e mantêm suas atividades, é possível lidar melhor, prevenir e combater esse grande mal dos últimos 150 anos.

Capítulo 3

TERRORISMO E DIREITO

> *[...] lamentable porque países que a lo largo del siglo pasado perdieron a millones de personas luchando por una concepción de la vida, luchando por derechos y garantías, luchando por una cultura de libertad, de democracia y de convivencia, no pueden entregar esos valores por un fenómeno criminal de esta naturaleza.*
>
> Raúl Zaffaroni, 2009.

Neste capítulo, pretende-se analisar a relação entre terrorismo e Direito. Serão considerados aspectos gerais da legislação brasileira referente ao tema e, ainda, o arcabouço normativo internacional sobre terrorismo.

3.1. TERRORISMO E O DIREITO BRASILEIRO

O ordenamento jurídico brasileiro em vigor foi inovado em março de 2016 com a entrada em vigor da primeira lei antiterrorismo (LAT) no País, Lei nº 13.260, de 16 de março de 2016. Outrossim, a Constituição Federal de 1988 trouxe valores que permitem qualificar o terrorismo como crime inafiançável e insuscetível de graça ou anistia, conforme dispõe o inc. XLIII do art. 5º da Carta Magna[1]. O repúdio ao crime está entre os princípios essenciais que devem reger as relações internacionais do Estado brasileiro, de acordo com o art. 4º, inc. VIII, da Lei Maior[2]. Tais diretrizes constitucionais e a nova legislação põem em evidência a posição explícita do Estado brasileiro de frontal repúdio ao terrorismo.

---

[1] Art. 5º [...]
XLIII – a lei considerará crimes inafiançáveis e insuscetíveis de graça ou anistia a prática da tortura, o tráfico ilícito de entorpecentes e drogas afins, o terrorismo e os definidos como crimes hediondos, por eles respondendo os mandantes, os executores e os que, podendo evitá-los, se omitirem; [...]

[2] Art. 4º A República Federativa do Brasil rege-se nas suas relações internacionais pelos seguintes princípios:
[...]
VIII – repúdio ao terrorismo e ao racismo;
[...]

A Lei nº 8.072, de 25 de julho de 1990 (*Lei dos Crimes Hediondos*), equipara o terrorismo aos crimes hediondos, e prevê mecanismos de repressão, entre os quais: a impossibilidade de anistia, graça e indulto; a impossibilidade de livramento sob fiança; o regime de cumprimento da pena diferenciado para benefício do *sursis*, entre outros.

O terrorismo é citado brevemente na Lei nº 7.170, de 14 de dezembro de 1983 (*Lei de Segurança Nacional* – LSN), que em seu art. 20 define como crime "praticar atentado pessoal ou atos de terrorismo, por inconformismo político ou para obtenção de fundos destinados à manutenção de organizações políticas clandestinas ou subversivas". A pena é prisão de 3 a 10 anos. Desde meados da década de 1980, porém, tem havido muitas reticências por parte do Poder Público com relação à LSN, em razão do momento histórico de sua confecção (o período militar).

Em 2 de agosto de 2013, com a promulgação da Lei nº 12.850, que trata das organizações criminosas, inseriu-se na legislação brasileira a possibilidade de que as organizações terroristas internacionais sejam combatidas da mesma maneira que as organizações criminosas, por força do § 2º do art. 1º, segundo o qual:

> [...] as organizações terroristas internacionais, reconhecidas segundo as normas de direito internacional, por foro do qual o Brasil faça parte, cujos atos de suporte ao terrorismo, bem como os atos preparatórios ou de execução de atos terroristas, ocorram ou possam ocorrer em território nacional.

Mas, a promulgação da LAT alterou esse artigo da Lei do Crime Organizado, não mais trazendo a expressão *organizações terroristas internacionais*, mas apenas *organizações terroristas*, o que parece ter sido uma decisão saudável para a aplicação do marco normativo, considerando que o mundo ainda não definiu o que são organizações terroristas internacionais, e dificilmente o definirá em um tempo razoável por força das grandes divergências entre as nações sobre o tema. Seria um dispositivo inócuo na lei brasileira. Atualmente, somente o Talibã, a *Al Qaeda* e poucas organizações semelhantes poderiam ser enquadradas no dispositivo pretérito, por força da Resolução nº 1.267, de 1999, do Conselho de Segurança da ONU.

E a Lei do Crime Organizado brasileira, alterada pela LAT, passa agora a definir o que é uma organização terrorista, "entendidas como aquelas voltadas para a prática dos atos de terrorismo legalmente definidos"[3], ou seja, previstos na nova legislação de combate ao terrorismo em vigor no Brasil. Destacamos que a prática do terror não poderia ser comparada a qualquer delito previsto na legislação brasileira. Antes da confecção da LAT, era comum o comentário de que o Brasil não necessitava de legislação para combater o terrorismo, já que o estatuto penal do País já previa o tipo penal e a pena para delitos que acontecem em atos terroristas, como homicídios, lesões corporais, danos, sequestros etc.

---

[3] Art. 2º, II, da Lei nº 12.850, de 2 de agosto de 2013, alterada pela Lei nº 13.260, de 16 de março de 2016.

Sem embargo, venceu a tese de que o Brasil merecia um arcabouço normativo próprio (material e processual) acerca do terrorismo. O Poder Judiciário, o Ministério Público e a própria autoridade policial enfrentariam dificuldades em lidar com o terrorismo, dificuldades essas muito associadas ao desconhecimento da matéria. Daí a necessidade de maior especialização por parte de segmentos do Poder Público na prevenção e combate a esse fenômeno criminoso, assim como ocorre com os demais crimes que devem ser tratados de forma especial.

O terrorismo não poderia, de forma alguma, ser associado e tratado como delito comum. Assim, investigar e punir atos de terror é bem diferente de se investigar e punir um homicídio, um latrocínio, uma briga ou um dano. Nesse sentido, muito interessante a manifestação do Supremo Tribunal Federal (STF), ao permitir a extradição de terroristas:

> EXTRADITABILIDADE DO TERRORISTA: NECESSIDADE DE PRESERVAÇÃO DO PRINCÍPIO DEMOCRÁTICO E ESSENCIALIDADE DA COOPERAÇÃO INTERNACIONAL NA REPRESSÃO AO TERRORISMO. [...] O estatuto da criminalidade política não se revela aplicável nem se mostra extensível, em sua projeção jurídico-constitucional, aos atos delituosos que traduzam práticas terroristas, sejam aquelas cometidas por particulares, sejam aquelas perpetradas com o apoio oficial do próprio aparato governamental, à semelhança do que se registrou, no Cone Sul, com a adoção, pelos regimes militares sul-americanos, do modelo desprezível do terrorismo de Estado. [...] **O terrorismo – que traduz expressão de uma macrodelinquência capaz de afetar a segurança, a integridade e a paz dos cidadãos e das sociedades organizadas – constitui fenômeno criminoso da mais alta gravidade**, a que a comunidade internacional não pode permanecer indiferente, eis que o ato terrorista atenta contra as próprias bases em que se apoia o Estado democrático de direito, além de **representar ameaça inaceitável às instituições políticas e às liberdades públicas**, o que autoriza excluí-lo da benignidade de tratamento que a Constituição do Brasil (art. 5º, LII) reservou aos atos configuradores de criminalidade política[4]. (Grifos nossos)

E continua o STF:

> A cláusula de proteção constante do art. 5º, LII, da Constituição da República – que veda a extradição de estrangeiros por crime político ou de opinião – não se estende, por tal razão, ao autor de atos delituosos de natureza terrorista, considerado o frontal repúdio que a ordem constitucional brasileira dispensa ao terrorismo e ao terrorista. – A extradição – enquanto meio legítimo de cooperação internacional na repressão às práticas de criminalidade comum – representa instrumento de significativa importância no combate eficaz ao terrorismo, que constitui "uma grave ameaça para os valores democráticos e para a paz e a segurança internacionais [...]" (Convenção Interamericana Contra o Terrorismo, Art. 11), justificando-se, por isso mesmo, para efeitos extradicionais, a sua descaracterização como delito de natureza política[5].

---

[4] BRASIL. Supremo Tribunal Federal. Jurisprudência: Extradição nº 855. Relator: Ministro Celso de Mello. Julgamento em 26/08/2004.

[5] BRASIL. Supremo Tribunal Federal. Jurisprudência: Extradição nº 855. Relator: Ministro Celso de Mello. Julgamento em 26/08/2004.

O terrorista, portanto, não se confunde com o criminoso comum. O objetivo do terrorista é ameaçar e causar danos a toda a sociedade (por exemplo, afetando o funcionamento do comércio, dos transportes, comunicações e abastecimento), promover o pânico, criar empecilhos à ordem institucional e social e difundir as ideias que defende. O criminoso comum, por sua vez, está voltado a práticas delitivas simples e que afetam individualmente a vida e o patrimônio das pessoas, tendo como objetivo o lucro (ganho financeiro) com sua conduta delitiva.

Os criminosos comuns dependem do *status quo* social para desenvolver suas ações delitivas, atuam como um segmento da sociedade (que opera na ilicitude, é certo) e precisam dela. O terrorista, por sua vez, busca agredir e, em alguns casos, destruir a sociedade e a ordem estabelecida. Um atentado terrorista não visa, regra geral, primordialmente a uma pessoa ou a um determinado patrimônio, mas sim a um governo constituído e à sociedade civil. Deve ser tratado diferentemente de um crime comum, com procedimentos criminais especiais, distintos daqueles que o Estado possui para punir um ladrão, um estelionatário ou um homicida.

A tipificação do crime de terrorismo era realmente importante, sendo bem recebida pelo ordenamento jurídico brasileiro pelas seguintes razões:

- trata-se de fenômeno que ganhou importância na conjuntura internacional após o fim da Guerra Fria e contra o qual vários países vêm procurando dar respostas legislativas;
- o Brasil é signatário de instrumentos internacionais em que se compromete a tipificar o terrorismo, o que significa que assumiu um compromisso internacional de cooperar para a segurança da sociedade mundial, e tem sido pressionado pela comunidade internacional nesse sentido. Mecanismos de cooperação judiciária internacional e extradição, por exemplo, dependem de tipificação penal do crime nos países envolvidos;[6]
- o Brasil tem sediado grandes eventos mundiais e a Agência Brasileira de Inteligência (ABIN) e a Polícia Federal já alertaram para a possibilidade de atentados terroristas[7]. Sem uma lei, repita-se, esses órgãos, assim como todos os outros envolvidos na prevenção e repressão ao crime (polícias, Poder

---

[6] Um dos órgãos que pressionaram o Brasil para tipificar os crimes de terrorismo e seu financiamento foi o Grupo de Ação Financeira Internacional contra a Lavagem de Dinheiro (GAFI). O Brasil é membro do GAFI, o qual vem uniformizando o combate à lavagem de dinheiro no mundo, e as Recomendações desse organismo internacional exigem a criminalização do terrorismo e de seu financiamento. Segundo o GAFI, as autoridades brasileiras, apesar de terem ciência da necessidade de seguir as Recomendações, davam baixa prioridade à adoção de medidas antiterroristas.

[7] Dirigentes da Polícia Federal e da Abin participaram no dia 19/09/2013 do Seminário Internacional sobre Terrorismo e Grandes Eventos, promovido pelas comissões de Relações Exteriores da Câmara e do Senado.

Judiciário etc.), ficariam sem dispor dos contornos precisos para balizar sua atuação, o que pode dar azo a excessos e arbitrariedades.

Não obstante, a nova LAT está longe de ser a ideal. Possui diversas falhas, na visão destes autores, as quais deverão ser futuramente ajustadas pelo legislador. Primeiramente, a LAT brasileira deixou de fora a motivação política como elementar do tipo penal (art. 2º), estabelecendo que:

> Art. 2º O terrorismo consiste na prática por um ou mais indivíduos dos atos previstos neste artigo, por razões de xenofobia, discriminação ou preconceito de raça, cor, etnia e religião, quando cometidos com a finalidade de provocar terror social ou generalizado, expondo a perigo pessoa, patrimônio, a paz pública ou a incolumidade pública.

Essa, a nosso ver, é uma grave deficiência na Lei, uma vez que a motivação política, que está, desde as origens do terrorismo moderno, no cerne da percepção do que são essas práticas, não poderia ser desconsiderada na legislação brasileira. Assim, a motivação do delito de terrorismo é a xenofobia e as diversas formas de discriminação e preconceito, sem qualquer menção a motivos políticos que busquem modificar o comportamento do governo e da sociedade. A motivação política, repita-se, é a essência do terrorismo e está presente em qualquer definição doutrinária ou legal.

A LAT define de forma extensa o que são atos de terrorismo, o que é salutar para a aplicação da norma. São diversos verbos que mostram a diversidade de formas capazes de causar o terror em uma sociedade, inclusive trazendo o meio cibernético, o que é uma inovação em relação a outras legislações do planeta. Assim, sabotar, apoderar-se de mecanismos cibernéticos, entre outros, são formas de atos de terror cibernético. A seguir, trazemos as diversas formas de atos de terror previstas na nova legislação pátria de combate ao terrorismo:

> Art. 2º [...]
> § 1º São atos de terrorismo:
> I – usar ou ameaçar usar, transportar, guardar, portar ou trazer consigo explosivos, gases tóxicos, venenos, conteúdos biológicos, químicos, nucleares ou outros meios capazes de causar danos ou promover destruição em massa;
> [...]
> IV – sabotar o funcionamento ou apoderar-se, com violência, grave ameaça a pessoa ou servindo-se de mecanismos cibernéticos, do controle total ou parcial, ainda que de modo temporário, de meio de comunicação ou de transporte, de portos, aeroportos, estações ferroviárias ou rodoviárias, hospitais, casas de saúde, escolas, estádios esportivos, instalações públicas ou locais onde funcionem serviços públicos essenciais, instalações de geração ou transmissão de energia, instalações militares, instalações de exploração, refino e processamento de petróleo e gás e instituições bancárias e sua rede de atendimento;

> V – atentar contra a vida ou a integridade física de pessoa:
> Pena – reclusão, de doze a trinta anos, além das sanções correspondentes à ameaça ou à violência.

Importante registrar que os incisos II e III deste parágrafo foram vetados pela Presidente Dilma Rousseff na promulgação da LAT. São eles:

> II – incendiar, depredar, saquear, destruir ou explodir meios de transporte ou qualquer bem público ou privado (VETADO);
>
> III – interferir, sabotar ou danificar sistemas de informática ou bancos de dados; (VETADO);

Nas razões dos vetos, a Presidente assinala que:

> Os dispositivos apresentam definições excessivamente amplas e imprecisas, com diferentes potenciais ofensivos, cominando, contudo, em penas idênticas, em violação ao princípio da proporcionalidade e da taxatividade. Além disso, os demais incisos do parágrafo já garantem a previsão das condutas graves que devem ser consideradas "ato de terrorismo".

Fizemos questão de apresentar nesta obra os incisos II e III, vetados pela Presidente da República, e suas razões de veto, que trazem a abertura do tipo penal como razão para não aceitá-los na LAT. Não os entendemos, entretanto, como tipos abertos, conforme argumentado pela Presidente, considerando que devem ser analisados à luz do *caput* do art. 2º, ou seja, dentro das motivações inseridas no novo marco legal de combate ao terrorismo.

Ademais, permanece nossa crítica com relação à ausência de condutas tão características daquelas vinculadas ao terrorismo: "incendiar, depredar, saquear, destruir ou explodir meios de transporte ou qualquer bem público ou privado" e "interferir, sabotar ou danificar sistemas de informática ou bancos de dados". Se um grupo ou organização explodir um ônibus ou um vagão de metrô, ainda que reivindicando a ação como conduta para causar pânico ou terror e influenciar um processo decisório em prol de sua causa, isso não é tipificado como ato de terror conforme a LAT[8].

A pena do tipo penal "cometer atos de terrorismo" é compatível com o ordenamento jurídico brasileiro, isto é, proporcional e razoável, variando de 12 a 30 anos de reclusão. Excede às penas de homicídio, lesão corporal e dano, assim como apresenta uma possibilidade de variação consoante o princípio da individualização da pena.

Observação que também merece destaque ainda referente ao art. 2º da LAT é seu § 2º, que confirma a exclusão deliberada da motivação política para

---

[8] A alternativa de tipificação seria o Código Penal ou, mais precisamente, a Lei de Segurança Nacional.

a tipificação do crime de terrorismo. É notória a tentativa de o legislador evitar que pessoas, movimentos sociais e de protesto sejam criminalizados no novo estatuto "se suas ações forem direcionadas por propósitos altruístas" – ainda que as ações sejam as mais lesivas, por exemplo, atingindo a vida e outros direitos fundamentais e o patrimônio dos "alvos" dessas ações. Daí a disposição do parágrafo, segundo o qual:

> Art. 2º [...]
> § 2º O disposto neste artigo não se aplica à conduta individual ou coletiva de pessoas em manifestações políticas, movimentos sociais, sindicais, religiosos, de classe ou de categoria profissional, direcionados por propósitos sociais ou reivindicatórios, visando a contestar, criticar, protestar ou apoiar, com o objetivo de defender direitos, garantias e liberdades constitucionais, sem prejuízo da tipificação penal contida em lei.

Um movimento social que, por exemplo, apodere-se de instalações públicas (como o edifício de um órgão do governo), mediante ameaça ou uso efetivo de violência, impedindo a continuidade dos serviços naquele local, e o faça deliberadamente para causar pânico na população e afetar as decisões do Estado, mesmo assim não terá sua conduta tipificada como ato de terrorismo. Tem-se aí uma excrecência legal que vai de encontro aos modelos legais por todo o planeta. Fica nossa crítica a essa exclusão da motivação política.

Esse dispositivo do § 2º do art. 2º é desnecessário, pois se os movimentos sociais e outros grupos que protestem contra um governo estabelecido o fizerem dentro do processo democrático e sem violência, sua conduta é legítima no Estado democrático de direito, independentemente do mérito das reivindicações. Nesses casos, como aconteceu durante os protestos pacíficos que levaram milhões de brasileiros às ruas entre 2013 e 2016, as forças do Estado lá estarão para proteger esses cidadãos e lhes garantir o direito de livre manifestação do pensamento.

Entendemos que o dispositivo do § 2º do art. 2º da LAT causará confusão em sua aplicabilidade no caso de pessoas e de movimentos atuarem por "propósitos nobres e elevados", porém com ações de consequências ilegais, como homicídios, lesões corporais, danos ao patrimônio e à incolumidade pública etc. Não parece salutar haver a permissão legislativa para se matar se o motivo for reivindicatório ou direcionado a um propósito social. Movimentos democráticos atuam dentro da lei e não há permissão no ordenamento jurídico nacional para ilícitos penais. Nesse caso, consoante a LAT, repetimos, o movimento sairia ileso e seus agentes poderiam ser punidos nas formas comuns dos crimes cometidos, o que retira a força punitiva do novo marco de combate ao terrorismo.

De acordo com o art. 3º da LAT, será punido com "reclusão, de cinco a oito anos, e multa" aquele que "promover, constituir, integrar ou prestar auxílio, pessoalmente ou por interposta pessoa, a organização terrorista". Iniciativa legal importante, sobretudo porque alcança quem tiver alguma participação indireta nas atividades de organização terrorista. A Presidente vetou, entretanto, o § 1º do art. 3º, que estabelecia que "nas mesmas penas incorre aquele que dá abrigo ou guarida a pessoa de quem saiba que tenha praticado ou esteja por praticar crime de terrorismo" e o art. 2º que excluía a punibilidade de "ascendente ou descendente em primeiro grau, cônjuge, companheiro estável ou irmão da pessoa abrigada ou recebida", na hipótese do § 1º (vetado).

A nova legislação contra o terrorismo inova, não obstante, ao inserir os atos preparatórios como puníveis. Acertou o legislador, pois o Estado brasileiro deve ter a capacidade de tentar prevenir e dissuadir possíveis perpetradores de atos terroristas, motivo pelo qual o dispositivo é bem-vindo. Também há que se mencionar, no mesmo dispositivo, a permissão para o Estado brasileiro perseguir quem treina e recruta terroristas, bem como quem os apoia materialmente (municiando e transportando), como se observa no excerto pertinente:

> Art. 5º Realizar atos preparatórios de terrorismo com o propósito inequívoco de consumar tal delito:
> Pena – a correspondente ao delito consumado, diminuída de um quarto até a metade.

Foi com base no art. 5º da LAT que foram detidos, em julho de 2016, pela Polícia Federal, os membros de um grupo de brasileiros que estariam conspirando para a realização de atentados terroristas durante os Jogos Olímpicos do Rio de Janeiro. Os suspeitos foram levados a um presídio federal de segurança máxima em Campo Grande/MS[9]. Transcrevemos trechos da Nota divulgada pelo Ministério Público Federal de Curitiba, em 21/07/2016, sobre a referida ação de captura dos suspeitos de terrorismo, no âmbito da chamada "Operação Hashtag":

> A *Operação Hashtag*, deflagrada pela Polícia Federal na manhã desta quinta-feira (21/7), investiga a integração/promoção, por indivíduos brasileiros, na organização terrorista Estado Islâmico (EI), o que configura os delitos previstos nos arts. 3º e 5º da Lei nº 13.260/2016 (Lei Antiterrorismo).
>
> Em face de tais indivíduos foram expedidos 12 mandados de prisão temporária, com duração de 30 dias, prorrogáveis uma vez por igual período.
>
> Por meio de medidas como quebra de sigilo telefônico e de dados, devidamente autorizadas pelo Juízo da 14ª Vara Federal de Curitiba/PR, constatou-se a tentativa de organização do grupo para promoção de atos terroristas durante os

---

[9] O ESTADO DE SÃO PAULO. Alvos da operação antiterror estão em prisão de segurança máxima, matéria publicada em 22 jul. 2016. Disponível em: <http://politica.estadao.com.br/blogs/fausto-macedo/suspeitos-de-terrorismo-estao-em-presidio-federal-em-campo-grande/> (acesso em: 22 jul. 2016).

Jogos Olímpicos Rio 2016. O contato entre os indivíduos dava-se essencialmente por meio de redes sociais, Telegram e demais modos de comunicação virtual, espaço no qual também divulgavam ideais extremistas e de perseguição religiosa, racial e de gênero.

Conforme evidenciou-se nas investigações, alguns indivíduos já haviam realizado o batismo ao Estado Islâmico (*bayat*), juramento de fidelidade exigido pela organização terrorista para o acolhimento de novos membros. Tais atos, aliados a uma série de outros graves indícios, demonstraram a imprescindibilidade da prisão temporária decretada, tudo para garantir a segurança e paz pública necessárias à realização dos Jogos Olímpicos Rio 2016.

A custódia dos presos em presídio federal efetivará a prevenção de atuação terrorista pelo grupo em questão durante o evento internacional sediado no País.

Esclarece-se que, embora se tenha constatado indícios de atos preparatórios pelo grupo, não houve notícia de atos concretos para a realização de ataque terrorista. Segundo o procurador da República responsável pelo caso, Rafael Brum Miron, "as provas colhidas até o momento possibilitam o enquadramento dos investigados, no mínimo, nos tipos penais que estipulam 'promover' ou 'integrar' organização terrorista como crime".

Entre as principais provas identificadas até o momento, há uma comunicação eletrônica na qual um dos integrantes do grupo conclama interessados a se organizarem para prestar apoio ao Estado Islâmico com treinamento já em território brasileiro. Foram também identificadas mensagens relacionadas a possibilidade de se aproveitar o momento dos Jogos Olímpicos para a realização de ato terrorista.

O processo tramita em segredo de Justiça, a fim de assegurar o êxito da operação e a eventual obtenção de novas provas. Não haverá, portanto, no presente momento, a divulgação de nomes e demais informações dos indivíduos presos e/ou investigados.[10]

Também é dada atenção, ainda no art. 5º, à atuação no exterior ou com apoio de organizações estrangeiras, punindo-se as seguintes condutas, inclusive no contexto dos atos preparatórios e o treinamento junto a terroristas:

> Art. 5º [...]
> § 1º Incorre nas mesmas penas o agente que, com o propósito de praticar atos de terrorismo:
> I – recrutar, organizar, transportar ou municiar indivíduos que viajem para país distinto daquele de sua residência ou nacionalidade; ou
> II – fornecer ou receber treinamento em país distinto daquele de sua residência ou nacionalidade.
> § 2º Nas hipóteses do § 1º, quando a conduta não envolver treinamento ou viagem para país distinto daquele de sua residência ou nacionalidade, a pena será a correspondente ao delito consumado, diminuída de metade a dois terços.

---

[10] BRASIL. Ministério Público Federal. MPF de Curitiba – Nota à imprensa sobre a Operação Hashtag. Disponível em: <http://oestadobrasileiro.com.br/mpf-de-curitiba-nota-a-imprensa-sobre-a-operacao-hashtag/> (acesso em: 28 jul. 2016).

Essa segunda parte do art. 5º é bastante oportuna, sobretudo em um contexto em que cada vez mais pessoas viajam para outros países para aderir à causa terrorista. É significativa, por exemplo, a presença de combatentes estrangeiros junto ao Estado Islâmico e à *Al Qaeda*, os chamados *foreign fighters* (*vide* capítulo anterior). E tem crescido o número de estrangeiros recrutados por essas organizações para serem treinados e depois designados a cometer atentados no Ocidente, inclusive em seus países de origem.

Outro aspecto importante relacionado aos atos preparatórios está previsto no art. 10 da LAT, que faz referência expressa à desistência voluntária e ao arrependimento eficaz:

> Art. 10. Mesmo antes de iniciada a execução do crime de terrorismo, na hipótese do art. 5º desta Lei, aplicam-se as disposições do art. 15 do Decreto-Lei nº 2.848, de 7 de dezembro de 1940 – Código Penal.

Segundo o art. 15 do Código Penal, "o agente que, voluntariamente, desiste de prosseguir na execução ou impede que o resultado se produza, só responde pelos atos já praticados".

O financiamento do terrorismo é tratado expressamente no art. 6º da LAT:

> Art. 6º Receber, prover, oferecer, obter, guardar, manter em depósito, solicitar, investir, de qualquer modo, direta ou indiretamente, recursos, ativos, bens, direitos, valores ou serviços de qualquer natureza, para o planejamento, a preparação ou a execução dos crimes previstos nesta Lei:
> Pena – reclusão, de quinze a trinta anos.
> Parágrafo único. Incorre na mesma pena quem oferecer ou receber, obtiver, guardar, mantiver em depósito, solicitar, investir ou de qualquer modo contribuir para a obtenção de ativo, bem ou recurso financeiro, com a finalidade de financiar, total ou parcialmente, pessoa, grupo de pessoas, associação, entidade, organização criminosa que tenha como atividade principal ou secundária, mesmo em caráter eventual, a prática dos crimes previstos nesta Lei.

Certamente, um dos alicerces das organizações terroristas hoje é o dinheiro que estas conseguem gerar tanto em razão de negócios próprios (como a exploração de petróleo feita pelo ISIS no território por ele ocupado) quanto a partir de doações feitas por pessoas, organizações e mesmo governos. Daí a importância de se buscar neutralizar os mecanismos de financiamento do terrorismo. Para isso, junto com a inteligência, recorre-se a medidas legais para bloquear contas, confiscar bens e impedir o fluxo de dinheiro para subsidiar o terror.

Também relacionado ao suporte econômico e financeiro às organizações terroristas está o art. 12 da LAT, que dispõe:

> Art. 12. O juiz, de ofício, a requerimento do Ministério Público ou mediante representação do delegado de polícia, ouvido o Ministério Público em vinte e quatro horas, havendo indícios suficientes de crime previsto nesta Lei, poderá decretar, no curso da investigação ou da ação penal, medidas assecuratórias de bens, direitos ou valores do investigado ou acusado, ou existentes em nome de interpostas pessoas, que sejam instrumento, produto ou proveito dos crimes previstos nesta Lei.
> § 1º Proceder-se-á à alienação antecipada para preservação do valor dos bens sempre que estiverem sujeitos a qualquer grau de deterioração ou depreciação, ou quando houver dificuldade para sua manutenção.
> § 2º O juiz determinará a liberação, total ou parcial, dos bens, direitos e valores quando comprovada a licitude de sua origem e destinação, mantendo-se a constrição dos bens, direitos e valores necessários e suficientes à reparação dos danos e ao pagamento de prestações pecuniárias, multas e custas decorrentes da infração penal.
> § 3º Nenhum pedido de liberação será conhecido sem o comparecimento pessoal do acusado ou de interposta pessoa a que se refere o *caput* deste artigo, podendo o juiz determinar a prática de atos necessários à conservação de bens, direitos ou valores, sem prejuízo do disposto no § 1º.
> § 4º Poderão ser decretadas medidas assecuratórias sobre bens, direitos ou valores para reparação do dano decorrente da infração penal antecedente ou da prevista nesta Lei ou para pagamento de prestação pecuniária, multa e custas.

A LAT trata, nos arts. 13 e seguintes, dos procedimentos para administração de bens, direitos e valores de terroristas (ou suspeitos de terrorismo) sujeitos a medidas assecuratórias:

> Art. 13. Quando as circunstâncias o aconselharem, o juiz, ouvido o Ministério Público, nomeará pessoa física ou jurídica qualificada para a administração dos bens, direitos ou valores sujeitos a medidas assecuratórias, mediante termo de compromisso.
> Art. 14. A pessoa responsável pela administração dos bens:
> I – fará jus a uma remuneração, fixada pelo juiz, que será satisfeita preferencialmente com o produto dos bens objeto da administração;
> II – prestará, por determinação judicial, informações periódicas da situação dos bens sob sua administração, bem como explicações e detalhamentos sobre investimentos e reinvestimentos realizados.
> Parágrafo único. Os atos relativos à administração dos bens serão levados ao conhecimento do Ministério Público, que requererá o que entender cabível.

Atenção é dada, ainda, à possibilidade de acordos internacionais que se refiram a bens, direitos ou valores oriundos das práticas terroristas. Tem-se aí um aspecto da LAT produzido para atender às demandas da comunidade internacional com respeito a uma atuação mais firme do Brasil no combate ao terrorismo e na cooperação com outros países e organizações internacionais:

> Art. 15. O juiz determinará, na hipótese de existência de tratado ou convenção internacional e por solicitação de autoridade estrangeira competente, medidas assecuratórias sobre bens, direitos ou valores oriundos de crimes descritos nesta Lei praticados no estrangeiro.
> § 1º Aplica-se o disposto neste artigo, independentemente de tratado ou convenção internacional, quando houver reciprocidade do governo do país da autoridade solicitante.
> § 2º Na falta de tratado ou convenção, os bens, direitos ou valores sujeitos a medidas assecuratórias por solicitação de autoridade estrangeira competente ou os recursos provenientes da sua alienação serão repartidos entre o Estado requerente e o Brasil, na proporção de metade, ressalvado o direito do lesado ou de terceiro de boa-fé.

Preocupação pertinente também é o aumento da pena pelos atos de terror, quando estes resultarem em lesão corporal grave ou morte, desde que não sejam elementares do tipo. É o que dispõe o art. 7º:

> Art. 7º Salvo quando for elementar da prática de qualquer crime previsto nesta Lei, se de algum deles resultar lesão corporal grave, aumenta-se a pena de um terço, se resultar morte, aumenta-se a pena da metade.

Vetados pela Presidente Dilma Rousseff foram também os arts. 8º, que dispunha que "se da prática de qualquer crime previsto nesta Lei resultar dano ambiental, aumenta-se a pena de um terço", e 9º, segundo o qual "os condenados a regime fechado cumprirão pena em estabelecimento penal de segurança máxima". A justificativa para o veto do art. 8º foi que "o dispositivo não estaria em conformidade com o princípio da proporcionalidade, já que eventual resultado mais gravoso já pode ser considerado na dosimetria da pena" e que "além disso, o bem jurídico tutelado pelo artigo já conta com legislação específica".

Os argumentos para o veto ao art. 9º foram, por sua vez, que "o dispositivo violaria o princípio da individualização da pena pois, ao determinar o estabelecimento penal de seu cumprimento, impediria que a mesma considerasse as condições pessoais do apenado, como o grau de culpabilidade, os antecedentes, a conduta social, a personalidade e os fatores subjetivos concernentes à prática delituosa". Argumento bastante questionável esse, sobretudo diante da gravidade das condutas terroristas. A mais branda conduta terrorista é mais execrável que qualquer ação delituosa comum, em razão da natureza do terrorismo e do bem lesado. De toda maneira, no caso dos suspeitos detidos na Operação Hashtag, os mesmos foram encaminhados para um presídio federal.

Ainda no que concerne ao cumprimento de pena por terrorismo em estabelecimentos de segurança máxima, convém fazer um alerta para a necessidade de tratamento específico para esses detentos. Terroristas devem ficar isolados e sem comunicação com outros presos. Afinal, há o risco de que a convivência entre terroristas e detentos comuns (ainda que por crimes de alta monta) gere os piores efeitos, entre os quais a criação de criminosos que dominem as técnicas do terror e, pior, a conversão desses criminosos de alta periculosidade à causa terrorista. Trata-se de questão que não pode ser desprezada, sobretudo se considerarmos o passado recente no Brasil, quando, na década de 1970, criminosos políticos foram colocados junto com criminosos comuns resultando na transferência de conhecimento que culminaria no surgimento de organizações criminosas como o Comando Vermelho.

É mister, ademais, mencionar que a legislação brasileira inova ao prever ato terrorista cometido por uma pessoa somente. No âmbito internacional tem sido comum o debate sobre a proliferação de "lobos solitários", pessoas que atuam sozinhas motivadas por uma causa determinada. Após os atentados do 11 de setembro de 2001, com a declarada "guerra ao terror" pelo governo dos EUA, o terrorismo foi impulsionado a atuar de forma descentralizada e escondida, ensejando a aparição de células terroristas que atuam de forma isolada, bem como de pessoas que operam individualmente.

No que tange ao direito processual ou instrumental, a nova lei remete à Lei do Crime Organizado para que sejam utilizados os mesmos mecanismos de investigação e de Direito Processual Penal. O art. 3º da Lei nº 12.850, de 2013, assim elenca os mecanismos à disposição das instituições de criminalização do Estado:

> Art. 3º [...]
> I – colaboração premiada;
> II – captação ambiental de sinais eletromagnéticos, ópticos ou acústicos;
> III – ação controlada;
> IV – acesso a registros de ligações telefônicas e telemáticas, a dados cadastrais constantes de bancos de dados públicos ou privados e a informações eleitorais ou comerciais;
> V – interceptação de comunicações telefônicas e telemáticas, nos termos da legislação específica;
> VI – afastamento dos sigilos financeiro, bancário e fiscal, nos termos da legislação específica;
> VII – infiltração, por policiais, em atividade de investigação, na forma do art. 11.
> VIII – cooperação entre instituições e órgãos federais, distritais, estaduais e municipais na busca de provas e informações de interesse da investigação ou da instrução criminal.

Infelizmente, o legislador ainda não menciona a utilização de informantes como instrumento de investigação, mediante pagamento ou barganha legal, como ocorre em outras nações. A descentralização das organizações terroristas (e criminosas) faz com que a utilização de informantes seja essencial para a busca da estrutura e cadeia de comando desses entes criminosos.

A resposta estatal única ao crime de terrorismo, feita por um órgão somente, não ganhou protagonismo na LAT, devendo ser realizada pelo organismo policial que mais rápido atenda à crise. Medida salutar, considerando que o tempo de resposta é essencial na boa solução do conflito. As polícias militares estaduais devem estar alertas e prontas para a atuarem com seus grupos táticos na prevenção e durante uma crise terrorista.[11] Lembramos que é uma crise atípica, em que provavelmente haverá a necessidade de negociadores que entendam de assuntos externos e internos, bem como tradutores e especialistas que possam ser acionados e recrutados imediatamente.

Estranhamente, a LAT deixou de nomear a cadeia de comando e de responsabilidade durante uma crise terrorista, o que poderá causar confusão e disputa entre organizações policiais e de segurança (e até de defesa). Somente a repressão, ou seja, a investigação e o inquérito policial mereceram a definição de atribuição orgânica, pois determina o art. 11 da LAT que a investigação será desenvolvida pela Polícia Federal e o processo e julgamento se dará perante a Justiça Federal.

3.2. NORMAS INTERNACIONAIS SOBRE TERRORISMO

O uso do terror para a consecução de fins políticos faz parte da história da sociedade internacional. Países e grupos utilizam o terror desde a Antiguidade com o intuito de influenciar decisões políticas mundiais e nacionais (*vide* capítulo anterior). Com os atentados de 11 de setembro de 2001, o terrorismo ganhou uma projeção verdadeiramente global, tornando-se uma ameaça real a todos os povos do planeta e não somente aos Estados com problemas de separatismo e movimentos insurgentes. No mundo pós-11 de setembro, o terrorismo constitui-se em mal a toda a humanidade, perde a face de movimento revolucionário ou de libertação e torna-se um fato mais que criminoso.

Em que pesem as transformações pós-2001, não é de hoje que a sociedade internacional tem demonstrado preocupação em estabelecer regras para

---

[11] Defendemos a tese de que se o atentado terrorista ameaçar a soberania do país, como quando há uso de armas de destruição em massa ou atinja algum dos poderes constituídos, a resposta deverá ser desenvolvida pelas Forças Armadas, em consonância com a ordem constitucional de exceção prevista no Estado de Defesa ou no Estado de Sítio, arts. 136 e 137 da Constituição Federal.

coibir essa atividade perniciosa[12]. Nesse sentido, ao analisarmos o espectro internacional do fenômeno, podemos identificar iniciativas no âmbito de organizações internacionais (tanto específicas, como as Resoluções do Conselho de Segurança e Recomendações da Assembleia-Geral da ONU), acordos multilaterais e regionais e, ainda, o estabelecimento de legislação doméstica que tome como referência os textos internacionais.

Reitere-se que um grande problema em âmbito internacional é se encontrar uma definição global para o terrorismo. Apesar da falta de definição, diversos são os instrumentos jurídicos internacionais que se preocuparam com o combate ao terrorismo. Serão apresentados neste manual os dispositivos produzidos por organizações internacionais (como a ONU e o Conselho da Europa), os principais tratados multilaterais e regionais a respeito e, ainda, alguns exemplos de legislação doméstica estrangeira sobre terrorismo.

3.3. INSTRUMENTOS MULTILATERAIS

A primeira norma internacional que tratou do tema foi a *Convenção para a Prevenção e Punição do Terrorismo*[13], assinada por 24 países em Genebra, em 1937, confeccionada ainda sob a competência da Liga das Nações, por ocasião da Conferência para a Repressão do Terrorismo (de 1º a 16 de novembro de 1937). O tratado definia terrorismo como "ato criminoso dirigido contra um Estado com a intenção de criar um estado de terror nas mentes das pessoas, grupos de pessoas e do público em geral" (art. 1º). Especificava, ainda, os tipos de ações antiestatais que eram considerados atos de terror (entre os quais "atacar funcionários públicos, chefes de Estado e suas famílias ou destruir instalações públicas"), e requeria aos Estados signatários que promulgassem leis que permitissem extradição em razão de atos terroristas. A convenção nunca entrou em vigor, tanto porque as disputas entre os Estados membros sobre os artigos referentes à extradição dificultavam sua ratificação, quanto devido ao início da II Guerra Mundial (1939-1945) e consequente esfacelamento da Liga.

Após 1945 e no contexto da Guerra Fria, foram produzidos diversos instrumentos internacionais, já sob o patrocínio da ONU, para fazer frente ao terrorismo. De fato, desde 1963 foram produzidos 14 instrumentos jurídicos universais relacionados ao terrorismo. Destes, 13 já estão em vigor (o Brasil é

---

[12] YOUNG, Reuven. *Defining terrorism: the evolution of terrorism as a legal concept in international law and its influence on definitions in domestic legislation*. In: *Boston College International & Comparative Law Review 29*: 23 (2006), disponível em: <http://lawdigitalcommons.bc.edu/iclr/vol29/iss1/3>, (acesso em: 20 jun. 2016).

[13] SOCIÉTÉ DES NATIONS. *Convention pour la Prévention et la Répression du Terrorisme*. Genève, 16 novembre 1937. Disponível em: <http://www.wdl.org/pt/item/11579/> (acesso em: 28 agos. 2014). Os documentos da Liga das Nações foram transferidos para a ONU em 1946, estando depositados na sede europeia da organização, em Genebra.

signatário dos 13). Envolvem matéria de caráter preventivo e repressivo e alguns dispõem que os países signatários devam estabelecer normas domésticas sobre o tema. Repita-se, nenhum desses tratados apresenta uma definição clara de terrorismo.

O primeiro tratado internacional celebrado sob os auspícios das Nações Unidas referente a terrorismo foi a *Convenção referente às Infrações e a Certos outros Atos cometidos a Bordo de Aeronaves (Convenção de Tóquio de 1963)*[14], aplicada a atos que afetem a segurança durante o voo. Tanto este quanto os que se seguiram no início dos anos 1970 refletem a preocupação internacional com o crescente sequestro de aeronaves e manutenção de passageiros e tripulantes como reféns por organizações terroristas. A Convenção de Tóquio autoriza o comandante da aeronave a impor medidas razoáveis a qualquer pessoa que tenha cometido ou esteja prestes a cometer tais atos e exige que os Estados Partes detenham os infratores e devolvam o controle das aeronaves a seu comandante legítimo. Estabelece, ainda, que os Estados devem fazer regressar aeronaves e passageiros sequestrados aos Estados de origem. Em 2014, em Montreal, no âmbito da Organização da Aviação Civil Internacional (ICAO), foi celebrado o *Protocolo Adicional* à *Convenção referente às Infrações e a Certos outros Atos cometidos a Bordo de Aeronaves (Protocolo de Montreal, 2014)*[15], com alterações relativas à jurisdição do Estado em caso de infrações cometidas a bordo, às competências para processar e julgar infratores, e a poderes do comandante da aeronave e de oficiais de segurança dentro das aeronaves para deter suspeitos ou criminosos.

Ainda sob a preocupação referente a terrorismo relacionado a aeronaves e à aviação civil, foram celebradas mais duas convenções: a *Convenção para a Repressão à Captura Ilícita de Aeronaves (Convenção de Haia de 1970)*[16]; e a *Convenção para a Repressão de Atos Ilícitos contra a Segurança da Aviação Civil (Convenção de Montreal de 1971)*[17]. A *Convenção da Haia de 1970* considera delito o apoderamento de uma aeronave e seu controle, mediante uso ou ameaça de uso da força ou qualquer forma de intimidação, e estabelece a obrigação de Estados em processarem e julgarem sequestradores, exigindo que sejam punidos com

---

[14] UNITED NATIONS. *Convention on Offences and Certain Other Acts Committed On Board Aircraft, Tokyo, 14 September 1963*. Disponível em: <http://www.un.org/en/sc/ctc/docs/conventions/Conv1.pdf> (acesso em: 1º jul. 2014).
[15] UNITED NATIONS. *Protocol to Amend the Convention on Offences and Certain Other Acts Committed on Board Aircraft, Montreal, 4 April 2014*. Disponível em: <http://www.icao.int/Meetings/AirLaw/Documents/Protocole_mu.pdf> (acesso em: 1º set. 2014).
[16] UNITED NATIONS. *Convention for the Suppression of Unlawful Seizure of Aircraft, The Hague, 16 December 1970*. Disponível em: <http://www.un.org/en/sc/ctc/docs/conventions/Conv2.pdf> (acesso em: 1º jul. 2014).
[17] UNITED NATIONS. *Convention for the Suppression of Unlawful Acts against the Safety of Civil Aviation, Montreal, 23 September 1971*. Disponível em: <http://www.un.org/en/sc/ctc/docs/conventions/Conv3.pdf> (acesso em: 1º jul. 2014).

"penas severas", e estimula a cooperação judicial entre os Estados-Membros. Já a *Convenção de Montreal de 1971* reforça a necessidade de "penas severas" para quem ilícita e intencionalmente perpetre um ato de violência contra pessoa a bordo de aeronave em voo caso esse ato possa pôr em perigo a segurança da aeronave, coloque um artefato explosivo em uma aeronave ou tente cometer ou seja cúmplice de tais atos, versando diretamente sobre casos de sabotagem. A *Convenção de Montreal de 1971* também prevê o julgamento dos infratores pelos Estados-membros ou sua extradição.

Em 1988, o *Protocolo de Montreal para a Repressão de Atos Ilícitos de Violência nos Aeroportos ao Serviço da Aviação Civil*[18] ampliou a *Convenção de Montreal de 1971* para incluir atos terroristas perpetrados em aeroportos. No ano de 2010, foi assinado o *Protocolo de Pequim Complementar à Convenção para a Repressão à Captura Ilícita de Aeronaves (Protocolo de Pequim de 2010)*[19], que, por sua vez, amplia o escopo da *Convenção da Haia de 1970* para incluir novas formas de sequestro de aeronaves, aumenta a jurisdição dos Estados-Membros e procedimentos de investigação.

Também por ocasião da Conferência de Pequim foi assinada a *Convenção para a Repressão de Atos Ilícitos Relacionados com a Aviação Civil Internacional* (Pequim, 2010)[20], que tipifica a utilização de aeronaves civis como armas para causar morte, lesões ou destruição, bem como o uso de aviões civis para lançamento de armas biológicas, químicas e nucleares (ou material conexo) para causar morte, lesões ou destruição, ou para atacar aeronaves civis. A Convenção também criminaliza o transporte ilícito de armas biológicas, químicas e nucleares ou material conexo. Outro crime previsto nessa Convenção é o ataque cibernético a instalações de navegação aérea. A ameaça de se cometer um desses delitos, desde que crível, também foi tipificada, respondendo-se, por último, também por complô ou conspiração para a execução desses crimes[21].

O aumento de ações contra diplomatas e delegações diplomáticas conduziu a mais um tratado patrocinado pela ONU: em 1973, foi celebrada a *Convenção sobre a Prevenção e Punição de Crimes Contra Pessoas que Gozam de Proteção Internacional, inclusive Agentes Diplomáticos* (*Convenção*

---

[18] UNITED NATIONS. *Protocol for the Suppression of Unlawful Acts of Violence at Airports Serving International Civil Aviation, Supplementary to the Convention for the Suppression of Unlawful Acts against the Safety of Civil Aviation, done at Montreal on 23 September 1971, Montreal, 24 February 1988.* Disponível em: <http://www.un.org/en/sc/ctc/docs/conventions/Conv7.pdf> *(acesso em: 1º jul. 2014).*
[19] UNITED NATIONS. *Protocol Supplementary to the Convention for the Suppression of Unlawful Seizure of Aircraft, Beijing, 10 September 2010.* Disponível em: <https://www.unodc.org/tldb/en/2010_protocol_convention_unlawful_seizure_aircraft.html> (acesso em: 1º jul. 2014).
[20] UNITED NATIONS. *Convention on the Suppression of Unlawful Acts Relating to International Civil Aviation, Beijing, 10 September 2010.* Disponível em: <https://www.unodc.org/tldb/pdf/Universal_Tools/2010_Convention_Civil_Aviation.pdf> (acesso em: 1º jul. 2014).
[21] Note-se que o crime de conspiração ou complô, comum no Direito anglo-saxão, não é previsto em muitos ordenamentos jurídicos de modelo romano-germânico.

sobre Agentes Diplomáticos de 1973)[22]. Esse tratado define como "pessoa internacionalmente protegida" um Chefe de Estado, Ministro das Relações Exteriores, um representante ou funcionário de um Estado ou organização internacional que tenha direito a proteção especial em um Estado estrangeiro e a seus familiares. Estabelece que as Partes criminalizem e punam ações contra pessoas internacionalmente protegidas, aí incluídos o homicídio, sequestro ou outro atentado contra a integridade física ou a liberdade dessas pessoas, a realização de ações violentas contra locais oficiais, residência particular ou meios de transporte dessas pessoas e, ainda, a ameaça de se cometer tais atentados. A Convenção prevê, também, a punição dos criminosos (inclusive dos cúmplices), a cooperação internacional e extradição de terroristas.

Convém observar que tanto a *Convenção para a Repressão de Atos Ilícitos Relacionados com a Aviação Civil Internacional* quanto o *Protocolo de Pequim Complementar à Convenção para a Repressão à Captura Ilícita de Aeronaves* não haviam entrado em vigor quando do fechamento da presente edição (agosto de 2016). O mesmo acontece com o *Protocolo Adicional à Convenção referente às Infrações e a Certos outros Atos cometidos a Bordo de Aeronaves*, de 2014.

Na linha de preocupação com sequestros e ações contra pessoas, foi assinada em 1979, na cidade de Nova York e sob a égide da Assembleia Geral da ONU, *a Convenção Internacional contra a Tomada de Reféns* (*Convenção sobre Reféns de 1979*)[23]. Esse instrumento dispõe que "toda pessoa que prender, deter ou ameaçar matar, ferir ou continuar a deter outra pessoa (daqui por diante, denominada "refém"), com a finalidade de obrigar terceiros, a saber, um Estado, uma organização intergovernamental internacional, uma pessoa física ou jurídica, ou um grupo de pessoas, a uma ação ou omissão como condição explícita ou implícita para a libertação do refém, incorrerá no crime de tomada de refém, dentro das finalidades da presente Conversão". O tratado visa, ademais, a garantir que os criminosos sejam processados e julgados, ou extraditados, onde quer que se encontrem.

Nos anos 1980, aumentou a inquietação internacional referente à possibilidade de utilização de artefatos nucleares em atentados terroristas, pois havia uma percepção generalizada de que se tornava cada vez mais fácil o acesso às tecnologias e aos materiais radioativos. Assim, em Viena, no ano de 1980, foi

---

[22] UNITED NATIONS. *Convention on the Prevention and Punishment of Crimes against Internationally Protected Persons, including Diplomatic Agents, New York 14 December 1973*. Disponível em: <http://www.un.org/en/sc/ctc/docs/conventions/Conv4.pdf> (acesso em: 1º jul. 2014).

[23] UNITED NATIONS. *International Convention Against the Taking of Hostages, New York, 17 December 1979*. Disponível em: <http://www.un.org/en/sc/ctc/docs/conventions/Conv5.pdf> (acesso em: 1º jul. 2014).

aberta a assinaturas a *Convenção sobre Proteção Física do Material Nuclear*[24], que obriga as partes a garantirem a proteção necessária aos materiais nucleares em seu território, inclusive durante o transporte ou a bordo de seus navios ou aeronaves. Ademais, tipifica a posse ilícita, utilização, transferência e o roubo de materiais nucleares, bem como a ameaça de emprego de materiais nucleares para causar lesões ou morte a uma pessoa ou danos materiais substanciais. Em 2005, em uma Conferência Internacional em Viena, foram feitas emendas à Convenção[25], que incluíam mecanismos de cooperação entre Estados Partes para localizar e recuperar material nuclear roubado ou contrabandeado, mitigar qualquer consequência radiológica de sabotagem e prevenir e combater os delitos conexos.

Ainda na área do terrorismo associado ao emprego de materiais nucleares, também em 2005 foi celebrada em Nova York a *Convenção Internacional para a Supressão de Atos de Terrorismo Nuclear*[26]. Esse instrumento assinala diferentes alvos ou objetivos de ações terroristas, como centrais e reatores nucleares. Também tipifica a ameaça e a tentativa de se cometer os delitos ali assinalados, tanto como partícipes quanto como cúmplices, e obriga os Estados Partes a estabelecer essas condutas no âmbito da Convenção como infrações penais na respectiva legislação nacional e para tornar esses crimes puníveis com penas adequadas que levem em conta sua gravidade. Além disso, a Convenção impõe a obrigação de estabelecer a competência territorial, bem como extraterritorial (inclusive com a possibilidade de extradição), quando necessário, nos crimes previstos na Convenção. O tratado conclama, ainda, os Estados a cooperar na prevenção a atentados terroristas por meio do intercâmbio de informações e de assistência mútua nas investigações penais e nos procedimentos de extradição. Importante destacar, finalmente, que a Convenção abrange situações de crise (com o auxílio aos Estados para solucioná-las), e posteriores à crise (com o tratamento seguro e disposição do material nuclear sob os auspícios da Agência Internacional de Energia Atômica – AIEA).

Outro tratado importante na década de 1980 foi a *Convenção para a Supressão de Atos Ilícitos contra a Segurança da Navegação Marítima* (*Convenção Marítima de 1988*)[27], celebrada em Roma, em 1988. Esse acordo estabelece um regime jurídico aplicável a atos cometidos contra a navegação marítima

---

[24] UNITED NATIONS. *Convention on the Physical Protection of Nuclear Material, Vienna, 03 March 1980*. Disponível em: <http://www.un.org/en/sc/ctc/docs/conventions/Conv6.pdf> (acesso em: 1º jul. 2014).
[25] UNITED NATIONS. *Amendments to the Convention on the Physical Protection of Nuclear Material, Vienna, 8 July 2005*. Disponível em: <http://www.un.org/en/sc/ctc/docs/conventions/Conv6amd.pdf> (acesso em: 1º jul. 2014).
[26] UNITED NATIONS. *International Convention for the Suppression of Acts of Nuclear Terrorism, New York, 13 April 2005*. Disponível em: <http://www.un.org/en/sc/ctc/docs/conventions/Conv13.pdf> (acesso em: 1º jul. 2014).
[27] UNITED NATIONS. *Convention for the Suppression of Unlawful Acts against the Safety of Maritime Navigation, Rome, 10 March 1988*. Disponível em: <http://www.un.org/en/sc/ctc/docs/conventions/Conv8.pdf> (acesso em: 1º jul. 2014).

internacional semelhante àquele estabelecido para a aviação. De acordo com a Convenção, comete o delito qualquer pessoa que ilícita e intencionalmente "sequestrar ou exercer controle sobre um navio, pela força ou ameaça de força ou por qualquer outra forma de intimidação; ou praticar ato de violência contra pessoa a bordo de um navio, se esse ato for capaz de pôr em perigo a navegação segura desse navio; ou destruir um navio ou causar dano a um navio ou à sua carga e esse ato for capaz de pôr em perigo a navegação segura desse navio; ou colocar ou mandar colocar em um navio, por qualquer meio, dispositivo ou substância capaz de destruí-lo ou causar dano a esse navio ou à sua carga, e esse ato puser em perigo ou for capaz de pôr em perigo a navegação segura desse navio; ou destruir ou danificar seriamente instalações de navegação marítima ou interferir seriamente em seu funcionamento, se qualquer desses atos for capaz de pôr em perigo a navegação segura do navio; ou fornecer informações que sabe serem falsas, dessa forma pondo em perigo a navegação segura de um navio;" ou ferir ou matar qualquer pessoa, em conexão com a prática ou tentativa de prática de qualquer desses delitos previstos no tratado. Prevendo também como crime a tentativa e punindo a coautoria, o tratado obriga as Partes a extraditar ou a instaurar processos judiciais contra os pretensos infratores.

Em 2005, foi celebrado em Londres um *Protocolo Adicional à Convenção Marítima de 1980*[28], que entrou em vigor em 2010, mas ao qual o Brasil não havia aderido até a conclusão desta edição (agosto de 2016)[29]. Esse tratado tipifica a utilização de uma embarcação para o cometimento de um ato de terrorismo, bem como o transporte embarcado de materiais que se saiba serão utilizados para causar ou ameaçar causar mortes, ferimentos graves ou danos a fim de se favorecer a consecução de um ato terrorista. Outro crime tipificado no referido Protocolo é o transporte de pessoas que tenham cometido atos de terror. Finalmente, o acordo estabelece procedimentos para regular a abordagem e o embarque em um navio suspeito.

Também no que concerne a atos terroristas praticados no mar, e com o objetivo de complementar a Convenção de 1988, foi assinado o *Protocolo para a Supressão de Atos Ilícitos contra a Segurança de Plataformas Fixas Localizadas na Plataforma Continental* (Roma, 1988)[30]. Esse tratado estabelece um regime jurídico aplicável a atos realizados em plataformas fixas como as que se dedicam à exploração de petróleo e gás *offshore*, regime este semelhante ao estabelecido

---

[28] UNITED NATIONS. *Protocol of 2005 to the Convention for the Suppression of Unlawful Acts Against the Safety of Maritime Navigation, London, 1 November 2005*. Disponível em: <https://www.unodc.org/tldb/en/2005_Protocol2Convention_Maritime%20Navigation.html> (acesso em: 1º jul. 2014).
[29] Dados obtidos junto ao sítio oficial da ONU, no *Counter Terrorism Ratification Database* (acesso em: 1º jul. 2014).
[30] UNITED NATIONS. *Protocol for the Suppression of Unlawful Acts Against the Safety of Fixed Platforms Located on the Continental Shelf, Rome, 10 March 1988*. Disponível em: <http://www.un.org/en/sc/ctc/docs/conventions/Conv9.pdf> (acesso em: 1º jul. 2014).

para a aviação internacional. Ao Protocolo de 1988 foi adicionado outro acordo, o *Protocolo de 2005 Adicional ao Protocolo para a Supressão de Atos Ilícitos contra a Segurança de Plataformas Fixas Localizadas na Plataforma Continental* (Londres, 2005)[31], que faz emendas ao anterior e entrou em vigor em 2010. O Brasil não havia aderido a esse instrumento de 2005 até a conclusão da presente edição (agosto de 2016)[32].

Na última década do século XX, o medo de atentados terroristas de grande porte persistia, apesar dos tratados estabelecidos até então. Assim, naquele período, foram confeccionados diversos diplomas legais internacionais sobre o tema, os universais sob os auspícios das Nações Unidas. Em Montreal, em 1991, foi celebrada a *Convenção sobre Marcação de Explosivos Plásticos para efeitos de Detecção* (Convenção de Montreal de 1991)[33], que tem por objetivo controlar e reduzir a utilização de explosivos plásticos não marcados e indetectáveis – essa Convenção foi produzida sob influência do atentado de Lockerbie, ocorrido em 21 de dezembro de 1988, quando um Boeing 747-121 da empresa *PanAm*, que partira de Londres com destino a Nova York, explodiu no ar sobre cidade escocesa de Lockerbie, matando 270 pessoas (259 no avião e 11 em terra) de 21 nacionalidades diferentes. A explosão foi causada por bomba colocada no avião por agentes do serviço secreto líbio, segundo investigação conjunta conduzida pelos governos britânico e estadunidense.

A *Convenção de Montreal de 1991* obriga as Partes a assegurar em seus respectivos territórios o controle efetivo dos explosivos plásticos "sem marcação", a saber, aqueles que não contenham um agente de detecção entre os assinalados no Anexo Técnico da Convenção. O tratado estabelece, ainda, entre outras, a obrigação para as Partes de adotar "medidas necessárias para exercer um controle estrito e efetivo sobre a posse e a transferência da posse dos explosivos sem marcação que tenham sido fabricados ou introduzidos em seu território antes da entrada em vigor desta Convenção com relação a tal Estado, para impedir seu apoderamento ou sua utilização para fins incompatíveis com os objetivos desta Convenção". Dispõe, ainda, que se deve assegurar que todos os estoques dos explosivos sem marcação que não estiverem em poder das autoridades estatais no exercício de funções militares ou policiais sejam destruídos ou utilizados para fins que não sejam incompatíveis com os objetivos da Convenção, marcados ou tornados permanentemente inertes dentro de um prazo de quinze anos a partir

---

[31] UNITED NATIONS. *Protocol to the Protocol for the Suppression of Unlawful Acts Against the Safety of Fixed Platforms Located on the Continental Shelf, London, 14 October 2005*. Disponível em: <https://www.unodc.org/tldb/en/2005_Protocol2Protocol_Fixed%20Platforms.html> (acesso em: 1º jul. 2014).
[32] Dados obtidos junto ao sítio oficial da ONU, no *Counter Terrorism Ratification Database* (acesso em: 1º jul. 2014).
[33] UNITED NATIONS. *Convention on the Marking of Plastic Explosives for the Purpose of Detection, Montreal, 1 March 1991*. Disponível em: <http://www.un.org/en/sc/ctc/docs/conventions/Conv10.pdf> (acesso em: 1º jul. 2014).

da data de entrada em vigor do tratado (21/06/1998). Ademais, todo explosivo sem marcação fabricado depois da entrada em vigor da Convenção deve ser destruído.

Ação importante ainda na década de 1990, foi a criação, por meio da Resolução nº 51/210[34], de 17 de dezembro de 1996, da Assembleia Geral da ONU, de um Comitê *Ad Hoc* das Nações Unidas para tratar de terrorismo. Esse Comitê foi "aberto a todos os Estados-Membros das Nações Unidas ou das agências especializadas ou da Agência Internacional de Energia Atômica (AIEA)" e tinha por missão "elaborar uma convenção internacional para a repressão do terrorismo com explosivos e, subsequentemente, uma convenção internacional para repressão a atos de terrorismo nuclear, para complementar os instrumentos já existentes e, em seguida, para promover o desenvolvimento de um arcabouço legal de tratados referentes ao terrorismo internacional".

Das atividades do Comitê *Ad Hoc* adveio a *Convenção Internacional para a Repressão a Atentados Terroristas a Bomba* (Nova York, 1997)[35], que cria um regime internacional referente à utilização ilícita e intencional de "explosivos ou outros artefatos mortíferos"[36] em ou contra locais de uso público, com a intenção de matar ou causar lesões graves ou de destruir o lugar. Seu texto é claro ao assinalar que "comete um delito no sentido da Convenção qualquer pessoa que ilícita e intencionalmente entrega, coloca, lança ou detona um artefato explosivo ou outro artefato mortífero em, dentro ou contra um logradouro público, uma instalação estatal ou governamental, um sistema de transporte público ou uma instalação de infraestrutura: a) com a intenção de causar morte ou grave lesão corporal; ou b) com a intenção de causar destruição significativa desse lugar, instalação ou rede que ocasione ou possa ocasionar um grande prejuízo econômico". O tratado estabelece a obrigação das Partes de negar refúgio aos procurados por ataques terroristas com explosivos, instaurar um processo judicial contra eles, ou extraditá-los.

Com a intensificação do processo de globalização do sistema financeiro internacional no final do século XX, aumentou a preocupação com o financiamento do terrorismo. Na mesma Resolução nº 51/210, que criava o Comitê *Ad Hoc* sobre terrorismo, a Assembleia Geral da ONU exortava os Estados "a adotarem providências para obstar e neutralizar, por meio de medidas internas

---

[34] UNITED NATIONS. General Assembly. *Resolution 51/210, 17 December 1996 (A/RES/51/210)*. Disponível em: <http://www.un.org/documents/ga/res/51/a51r210.htm> (acesso em: 10 ago. 2014).
[35] UNITED NATIONS. *International Convention for the Suppression of Terrorist Bombings, New York, 15 December 1997*. Disponível em: <http://www.un.org/en/sc/ctc/docs/conventions/Conv11.pdf> (acesso em: 1º jul. 2014).
[36] Nos termos da Convenção, entende-se por explosivo ou outro artefato mortífero "arma ou artefato explosivo ou incendiário, que tenha o propósito ou a capacidade de causar morte, lesões corporais graves ou danos materiais substanciais; ou arma ou artefato que tenha o propósito ou a capacidade de causar morte, lesões corporais graves ou danos materiais substanciais pela emissão, a propagação ou o impacto de produtos químicos tóxicos, agentes ou toxinas biológicas ou substâncias semelhantes, ou radiação ou material radioativo".

apropriadas, o financiamento, que direto ou indireto, de terroristas e organizações terroristas por organizações que tenham, ou aleguem ter, fins filantrópicos, sociais ou culturais, ou que estejam, ainda, engajadas em atividades ilegais tais como tráfico de armas e de drogas e extorsão, inclusive a exploração de pessoas para fins de financiamento de atividades terroristas e, em particular, a considerarem, quando pertinente, a adoção de medidas reguladoras para obstar e neutralizar movimentações de fundos supostamente destinados a fins terroristas, sem ameaçar, de qualquer forma, movimentações de capital legítimas e, por fim, a intensificarem o intercâmbio de informações sobre a movimentação desses fundos". Pela Resolução nº 53/108, de 8 de dezembro de 1998[37], a Assembleia Geral decidiu que o Comitê *Ad Hoc* criado pela Resolução nº 51/210, ficaria encarregado também de elaborar a minuta de uma convenção internacional para a supressão do financiamento do terrorismo, com vistas a complementar os instrumentos internacionais afins vigentes.

Entre as razões para a criação de um regime para mitigar o financiamento do terrorismo estava o fato de que esse financiamento evidenciava-se como "séria preocupação para a comunidade internacional como um todo". A ONU também entendia que "a gravidade de atos terroristas internacionais depende do financiamento que os terroristas venham a obter" e que os instrumentos jurídicos multilaterais então vigentes não tratavam expressamente desse financiamento. Assim, a "necessidade premente de intensificar a cooperação internacional entre os Estados no planejamento e na adoção de medidas efetivas para impedir o financiamento do terrorismo, bem como para sua supressão, por meio de processos judiciais e da punição de seus perpetradores" conduziu à celebração da *Convenção Internacional para a Repressão e Financiamento do Terrorismo* (*Convenção sobre Financiamento do Terrorismo*, Nova York, 1999)[38], que insta os Estados Partes a adotarem medidas para prevenir e combater o financiamento (direto ou indireto) ao terrorismo, inclusive as atividades de organizações caritativas, sociais e culturais que sejam usadas para financiar ações ou grupos terroristas. A Convenção obriga os Estados Partes a responsabilizar penal, civil ou administrativamente e a processar ou extraditar acusados de financiar atividade terrorista. O tratado prevê, ainda, a identificação, o congelamento e o confisco de fundos destinados a atividades terroristas e a distribuições desses fundos entre os Estados afetados, de acordo com cada caso. Finalmente, o segredo bancário deixa de ser uma justificativa para a negativa de cooperação. Essa *Convenção sobre Financiamento do Terrorismo* adquiriu significativa importância após os atentados de 11 de setembro de 2001,

---

[37] UNITED NATIONS. General Assembly. *Resolution 53/108, 8 December 1998 (A/RES/53/108)*. Disponível em: <http://www.un.org/en/ga/search/view_doc.asp?symbol=A/RES/53/108&Lang=E> (acesso em: 10 ago. 2014).

[38] UNITED NATIONS. *International Convention for the Suppression of the Financing of Terrorism, New York, 9 December 1999*. Disponível em: <http://www.un.org/en/sc/ctc/docs/conventions/Conv12.pdf> (acesso em: 1º jul. 2014).

a ela recorrendo Estados para reformulação de sua legislação doméstica e mesmo organizações internacionais para o estabelecimento de normas adicionais e de ações conjuntas contra o financiamento do terrorismo.

O Quadro 3.1 apresenta as Convenções celebradas no âmbito das Nações Unidas e agências do sistema ONU sobre terrorismo.

QUADRO 3.1
CONVENÇÕES E PROTOCOLOS SOBRE TERRORISMO NO ÂMBITO DA ONU*

Ano	Tratado, Acordo, Ato	Assinatura	Entrada em vigor	Ratificações e Adesões	Ratificação/ Adesão pelo Brasil	Matéria
1963	Convenção referente às Infrações e a Certos outros Atos cometidos a Bordo de Aeronaves (Convenção de Tóquio de 1963).	14/09/1963	04/12/1969	186	14/01/1970	Aviação
1970	Convenção para a Repressão à Captura Ilícita de Aeronaves (Convenção de Haia de 1970)	16/12/1970	14/10/1971	185	14/01/1972	Aviação
1971	Convenção para a Repressão de Atos Ilícitos contra a Segurança da Aviação Civil (Convenção de Montreal de 1971)	23/09/1971	26/01/1973	188	24/07/1972	Aviação
1973	Convenção sobre a Prevenção e Punição de Crimes Contra Pessoas que Gozam de Proteção Internacional, inclusive Agentes Diplomáticos (Convenção sobre Agentes Diplomáticos de 1973)	14/12/1973	20/02/1977	178	07/06/1999	Agentes diplomáticos
1979	Convenção Internacional contra a Tomada de Reféns (Convenção sobre Reféns de 1979)	17/12/1979	03/06/1983	174	08/03/2000	Tomada de reféns

1980	*Convenção sobre Proteção Física dos Materiais Nucleares*	03/03/1980	08/02/1987	152	17/10/1985	Materiais nucleares
1988	*Protocolo de Montreal para a Repressão de Atos Ilícitos de Violência nos Aeroportos ao Serviço da Aviação Civil*	24/02/1988	06/08/1989	173	09/05/1997	Aviação
1988	*Convenção para a Supressão de Atos Ilícitos contra a Segurança da Navegação Marítima* (Convenção Marítima)	10/03/1988	01/03/1992	166	25/10/2005	Navegação marítima
1988	*Protocolo para a Supressão de Atos Ilícitos contra a Segurança de Plataformas Fixas Localizadas na Plataforma Continental*	10/03/1988	01/02/1992	153	25/10/2005	Plataformas na plataforma continental
1991	Convenção sobre Marcação de Explosivos Plásticos para efeitos de Detecção (Convenção de Montreal de 1991)	01/03/1991	21/06/1998	152	04/10/2001	Explosivos
1997	*Convenção Internacional para a Repressão a Atentados Terroristas a Bomba*	15/12/1997	23/05/2001	168	23/08/2002	Explosivos
1999	*Convenção Internacional para a Repressão e Financiamento do Terrorismo* (Convenção sobre Financiamento do Terrorismo, Nova York, 1999)	09/12/1999	10/04/2002	186	16/09/2005	Financiamento do terrorismo
2005	*Convenção Internacional para a Supressão de Atos de Terrorismo Nuclear*	13/04/2005	07/07/2007	99	25/09/2009	Terrorismo nuclear

2005	Protocolo de 2005 Adicional à Convenção Marítima de 1980	14/10/2005	28/07/2010	35	–	Navegação marítima
2005	Protocolo de 2005 Adicional ao Protocolo para a Supressão de Atos Ilícitos contra a Segurança de Plataformas Fixas Localizadas na Plataforma Continental	14/10/2005	28/07/2010	31	–	Plataformas na plataforma continental
2010	Protocolo de Pequim Complementar à Convenção para a Repressão à Captura Ilícita de Aeronaves (Protocolo de Pequim de 2010)	10/09/2010	Ainda não entrou em vigor	11	–	Aviação
2010	Convenção para a Repressão de Atos Ilícitos Relacionados com a Aviação Civil Internacional	10/09/2010	Ainda não entrou em vigor.	11	–	Aviação
2014	Protocolo Adicional à Convenção referente às Infrações e a Certos outros Atos cometidos a Bordo de Aeronaves (Protocolo de Montreal, 2014)	04/04/2014	Ainda não entrou em vigor	1	–	Aviação

*Atualizado pelos autores em 09/08/2016
Fonte: United Nations Office on Drugs and Crimes (www.unodoc.org)

O Brasil é signatário, portanto, de 13 dos 18 instrumentos internacionais referentes ao terrorismo já celebrados no âmbito da ONU. O Quadro 3.2 traz uma síntese dessas 13 Convenções e Protocolos dos quais o Brasil é parte.

QUADRO 3.2
OS 13 INSTRUMENTOS INTERNACIONAIS REFERENTES AO TERRORISMO NO ÂMBITO DA ONU DOS QUAIS O BRASIL É SIGNATÁRIO

Tratado	Decreto de Internalização
1) Convenção Referente às Infrações e a Certos Outros Atos Cometidos a Bordo de Aeronaves (*Convention on Offences and Certain Other Acts Committed on Board Aircraft*), aprovada em 1963: autoriza o comandante da aeronave a impor medidas razoáveis a qualquer pessoa que tenha cometido ou esteja prestes a cometer tais atos e exige que os Estados Partes detenham os infratores.	Decreto nº 66.520, de 30/04/1970
2) Convenção para a Repressão ao Apoderamento Ilícito de Aeronaves (*Convention for the Suppression of Unlawful Seizure of Aircraft*), Haia, 1970: exige que os Estados punam os sequestros com "penas severas" e que extraditem ou instaurem um processo judicial contra os infratores.	Decreto nº 70.201, de 24/02/1972
3) Convenção para a Repressão de Atos Ilícitos contra a Segurança da Aviação Civil (*Convention for the Suppression of Unlawful Acts against the Safety of Civil Aviation*), Montreal, 1971: exige que as Partes punam as infrações com "penas severas" e extraditem ou instaurem um processo judicial contra os infratores.	Decreto nº 72.383, de 20/06/1973
4) Protocolo para a Repressão de Atos Ilícitos de Violência em Aeroportos que Prestem Serviços à Aviação Civil Internacional (*Protocol for the Suppression of Unlawful Acts of Violence at Airports Serving International Civil Aviation*), Montreal, 1988. Complementação da Convenção de 1971: alarga as disposições da Convenção, de modo a abranger os atos terroristas nos aeroportos.	Decreto nº 2.611, de 02/06/1998
5) Convenção sobre a Prevenção e Punição de Crimes Contra Pessoas que Gozam de Proteção Internacional, inclusive Agentes Diplomáticos (*Convention on the Prevention and Punishment of Crimes against Internationally Protected Persons, including Diplomatic Agents*), Nova York, 1973: exige que as Partes criminalizem e punam os ataques aos funcionários e representantes dos Estados.	Decreto nº 3.167, de 14/09/1999
6) Convenção Internacional Contra a Tomada de Reféns (*International Convention against the Taking of Hostages*), Nova York, 1979: as Partes concordam em tornar a tomada de reféns punível com penas apropriadas, em proibir determinadas atividades dentro do seu território, em trocar informação e em instaurar processos criminais ou de extradição.	Decreto nº 3.517, de 20/06/2000
7) Convenção Sobre a Proteção Física do Material Nuclear (*Convention on the Physical Protection of Nuclear Material*), Viena, 1980: obriga as Partes a assegurarem a proteção dos materiais nucleares, durante o transporte no seu território ou a bordo dos seus navios ou aeronaves.	Decreto nº 95, de 16/04/1991

8) Convenção para a Supressão de Atos Ilícitos contra a Segurança da Navegação Marítima (*Convention for the Suppression of Unlawful Acts against the Safety of Maritime Navigation*), Roma, 1988: obriga as Partes a extraditar ou a instaurar processos judiciais contra os pretensos infratores que tenham cometido atos ilícitos contra esses navios, como capturá-los pela força e colocar bombas a bordo.	Decreto nº 6.136, de 26/06/2007
9) Protocolo para a Supressão de Atos Ilícitos contra a Segurança de Plataformas Fixas Localizadas na Plataforma Continental (*Protocol for the Suppression of Unlawful Acts against the Safety of Fixed Platforms Located on the Continental Shelf*), Roma, 1988. Complementação da Convenção de 1988: alarga as condições da Convenção às plataformas fixas como as que se dedicam à exploração de petróleo e gás *offshore*.	Decreto nº 6.136, de 26/06/2007
10) Convenção sobre a Marcação de Explosivos Plásticos para Fins de Detecção (*Convention on the Marking of Plastic Explosives for the Purpose of Detection*), Montreal, 1991: procura reduzir a utilização de explosivos plásticos não marcados e indetectáveis.	Decreto nº 4.021, de 19/11/2001
11) Convenção Internacional sobre a Supressão de Atentados Terroristas com Bombas (*International Convention for the Suppression of Terrorist Bombings*), Nova York, 1997: procura negar "refúgios seguros" às pessoas procuradas por ataques terroristas a bomba, obrigando cada Estado Parte a instaurar um processo judicial contra elas, se não as extraditar para outro Estado que tenha emitido um pedido de extradição.	Decreto nº 4.394, de 26/09/2002
12) Convenção Internacional para Supressão do Financiamento do Terrorismo (*International Convention for the Suppression of the Financing of Terrorism*), Nova York, 1999: obriga os Estados Partes a instaurar processos judiciais ou a extraditar as pessoas acusadas de financiar atividades terroristas e exige que os bancos decretem medidas para identificar as transações suspeitas.	Decreto nº 5.640, de 26/12/2005
13) Convenção Internacional para a Supressão de Atos de Terrorismo Nuclear (*International Convention for the Suppression of Acts of Nuclear Terrorism*), Nova York, 2005: obriga os Estados Partes a estabelecer as condutas no âmbito da Convenção como infrações penais na respectiva legislação nacional e para tornar esses crimes puníveis com penas adequadas que levem em conta sua gravidade. Além disso, a Convenção impõe a obrigação de estabelecer a competência territorial, bem como extraterritorial, quando necessário, nos crimes previstos na Convenção.	Não internalizada até a conclusão da presente edição (agosto de 2016) Aprovação: Decreto Legislativo nº 267, de 2009

3.4. RESOLUÇÕES NO ÂMBITO DA ONU

Para se entender as ações internacionais para coibir o terrorismo, é importante conhecer a atuação da Organização das Nações Unidas a esse respeito, que de forma alguma se restringiu ao patrocínio de tratados. De fato, tanto da Assembleia Geral quanto do Conselho de Segurança têm emanado decisões importantes, com destaque para a Estratégia Mundial contra o Terrorismo, sobre a qual trataremos ainda neste capítulo.

Desde o início da década de 1970, a Assembleia Geral da ONU tem suas atenções voltadas ao tema "terrorismo". Além dos tratados celebrados sob a égide da organização, foram aprovadas resoluções que conclamavam os Estados-Membros a ações mais concretas para o combate ao terror. Em dezembro de 1972, a Assembleia Geral criou um comitê *ad hoc* para tratar de terrorismo. O mundo acabara de passar por um dos piores atentados da história, o sequestro e assassinato de atletas israelenses nas Olimpíadas de Munique. Apesar da forte motivação, esse comitê não atingiu seus propósitos pela falta de entendimento acerca do tema na comunidade internacional.

A ONU aprovou, ainda, diversas resoluções com o intuito de combater e prevenir contra o terrorismo, como as Resoluções n°s 40/61, da Assembleia-Geral, condenando o terrorismo; 579/1985, do Conselho de Segurança, que condena a tomada de reféns e sequestros; e 731/1992, também do Conselho de Segurança, reforçando que o terrorismo perturba a paz mundial.

Em resumo, a ONU não possui uma convenção internacional sobre terrorismo, e uma das dificuldades está justamente em encontrar consenso sobre uma definição do fenômeno (*vide* Capítulo 1). Em 2004, a Resolução nº 1.566, do Conselho de Segurança, condenou os atos terroristas como: "atos criminosos, inclusive contra civis, cometidos com a intenção de causar a morte ou lesões corporais graves, ou tomada de reféns, com o objetivo de provocar um estado de terror no público em geral ou em um grupo de pessoas ou de pessoas particulares, intimidar uma população ou obrigar um governo ou uma organização internacional a fazer ou a abster-se de praticar qualquer ato, que constituem crimes no âmbito das convenções e protocolos internacionais relativos ao terrorismo, e que não estão, sob nenhuma circunstância, justificados por considerações de ordem política, filosófica, ideológica, racial, étnica, religiosa ou similar". Nessa resolução, a Conselho de Segurança delineia os elementos gerais do terrorismo.

Convém fazer referência, ainda, a alguns instrumentos regionais relacionados ao terrorismo. No Hemisfério Ocidental, destacamos a *Convenção Interamericana contra o Terrorismo*, da Organização dos Estados Americanos (OEA), de 2002, da qual o Brasil também é Estado-Parte (Decreto nº 5.639, de 2005). Esse tratado apenas afirma, em seu preâmbulo, que "o terrorismo constitui uma grave ameaça para os valores democráticos e para a paz e a segurança internacionais". A Convenção optou por fazer remissão aos instrumentos internacionais da ONU.

Também em âmbito regional, o Conselho da Europa elaborou uma *Convenção de Prevenção ao Terrorismo*, assinada em Portugal, em 2005. Essa Convenção tem por objetivo fortalecer a efetividade dos textos legais já existentes para o combate ao terrorismo. Evita, porém, definir a ação terrorista, e apenas remete aos referidos instrumentos internacionais da ONU. De toda maneira, propõe a criminalização de certos atos relacionados ao terrorismo (entre os quais a incitação pública, o recrutamento e treinamento de terroristas), e o reforço na cooperação para prevenir, tanto em âmbito nacional (com políticas nacionais de prevenção) quanto internacional (alteração dos acordos de extradição e de auxílio judiciário em vigor). A Convenção compreende, também, dispositivo referente à proteção e à indenização das vítimas de terrorismo.

Note-se, ainda, que o Conselho da União Europeia (que não é o mesmo Conselho da Europa nem o Conselho Europeu) aprovou as *Decisões--Quadro de Combate ao Terrorismo* em 2002 e 2008, nas quais tampouco define a ação terrorista, mas assinala ações que estão intrinsecamente relacionadas ao terrorismo, entre as quais: a) atentados contra a vida das pessoas; b) atentados à integridade física das pessoas; c) sequestro; d) incitação ao terrorismo; e) recrutamento e treinamento para terrorismo.

Com os atentados de Paris, em janeiro e novembro de 2015[39], e de Bruxelas, em março de 2016, os europeus intensificaram suas ações contra o terrorismo. A Estratégia Europeia de Combate ao Terrorismo tem quatro pilares: prevenção, proteção, persecução e resposta ao terror[40]. Associe-se a esses quatro pilares o fomento à cooperação e ao intercâmbio de informações entre os Estados. Há, ainda, o "Mecanismo Integrado da UE de Resposta Política a Situações de Crise (IPCR)", que permite ao bloco tomar decisões rápidas quando confrontado com situações de crise ou calamidade que requeiram respostas nos mais altos níveis políticos[41].

3.5. LEGISLAÇÃO ESTRANGEIRA SOBRE TERRORISMO

Alguns países já contam com leis penais sobre o terrorismo. No Quadro 3.3 apresenta-se a definição de atos terroristas nas legislações da Alemanha, Argentina, Austrália, Canadá, Colômbia, Espanha, EUA, França, Itália, Portugal, Reino Unido e Rússia:

---

[39] Sobre a atuação francesa contra o terrorismo, recomenda-se o sítio oficial do governo francês que trata do tema: <http://www.gouvernement.fr/action/la-lutte-contre-le-terrorisme> (acesso em: 1º jul. 2016).

[40] Para a Estratégia Europeia de luta contra o Terrorismo *vide*: <http://eur-lex.europa.eu/legal-content/PT/TXT/?uri=URISERV%3Al33275> (acesso em: 27 jun. 2016).

[41] Sobre o Mecanismo, *vide*: <http://www.consilium.europa.eu/pt/documents-publications/publications/2014/eu-ipcr/> (acesso em: 27 jun. 2016).

QUADRO 3.3
TIPOS PENAIS DE TERRORISMO NA LEGISLAÇÃO DE OUTROS PAÍSES

País	Tipo Penal do Terrorismo
Alemanha	Art. 129-A, Código Penal **Organização Terrorista:** todo aquele que forma ou participa de uma organização cujos objetivos ou atividades são dirigidos para a comissão de: • assassinato em circunstâncias agravantes específicas, homicídio, genocídio, crime contra a humanidade, ou crime de guerra; • crimes contra a liberdade pessoal; • causar sérios danos físicos ou mentais para outra pessoa, ou seja, no âmbito da secção; • cometer crimes contra o meio ambiente; • cometer crime disposto na Lei das Armas; • intenção de intimidar seriamente a população, para coagir ilegalmente uma autoridade pública ou uma organização internacional por meio do uso da força ou a ameaça do uso da força, ou de prejudicar significativamente ou destruir as estruturas políticas, constitucionais, econômicas ou sociais fundamentais de um Estado ou uma organização internacional, e que, dada a natureza ou as consequências de tais delitos, pode gerar graves danos a um Estado ou a uma Organização Internacional.
Argentina	Art. 213, Código Penal **Terrorista**: aquele que tomar parte de uma associação ilícita cujo propósito seja, mediante a realização de delitos, aterrorizar a população ou obrigar o Governo ou uma Organização Internacional a realizar um ato ou abster-se de fazê-lo, sempre que ela reúna as seguintes características: • ter um plano de ação destinado à propagação do ódio étnico, religioso ou político; • estar organizada em redes operativas internacionais; • dispor de armas de guerra, explosivos, agentes químicos ou bacteriológicos com qualquer outro meio idôneo a pôr em risco a vida ou a integridade de um número indeterminado de pessoas.

Austrália	Parte 5.3 do *Criminal Code Act 1995*
	Ato Terrorista: um ato terrorista é um ato, ou uma ameaça de agir, que atenda a esses dois critérios:
	• intenção de coagir ou influenciar o público ou qualquer governo por intimidação para promover uma causa política, religiosa ou ideológica, que se faz com uma ou mais das seguintes características:
	  – morte, danos graves ou perigo para uma pessoa;
	  – sérios danos à propriedade;
	  – risco grave para a saúde de segurança do público.
	  – interferência séria, com rompimento ou destruição de infraestruturas críticas, como uma rede de telecomunicações ou eletricidade.
	Ressalva: defender, realizar paralizações, assim como protestar contra elas, não são atos terroristas, quando a pessoa que faz a atividade não tem a intenção de causar sérios danos a uma pessoa ou criar um risco grave para a segurança pública.

Canadá	Art. 83.01, Código Penal **Ato terrorista:** um ato ou omissão que, organizado nacional ou internacionalmente e que, se cometido no Canadá, se enquadra em uma das infrações seguintes: • delitos definidos nos tratados internacionais assinados pelo Canadá; • coloca em risco a vida de uma pessoa; • gera um risco grave para a saúde ou segurança do público ou qualquer segmento do público; • provoca danos materiais substanciais, quer na propriedade pública ou na privada; • gera interferência grave em um serviço essencial, instalação ou sistema, seja público ou privado, que não inclua advocacia, protesto, dissidência ou paralisação de trabalho que não tem a intenção de provocar a conduta ou danos referidos.
Colômbia	Art. 343, Código Penal **Terrorismo**: aquele que provoque ou mantenha em estado de ansiedade ou terror a população ou um setor dela, mediante atos que ponham em perigo a vida, a integridade física ou a liberdade das pessoas, das edificações, dos meios de comunicação, transporte e processamento e condução de fluidos ou forças motrizes, valendo-se de meios capazes de causar estragos.

Espanha	Art. 571, apartado 1, Código Penal
	Grupos Terroristas: grupos que:
	• tenham o propósito de subverter a ordem constitucional ou a paz pública seriamente mediante a prática de qualquer dos seguintes delitos:
	   – de **Organização Criminosa**: grupo formado por mais de duas pessoas com caráter estável ou por tempo indefinido que de maneira arquitetada e coordenada repartam tarefas ou funções com a finalidade de cometer crimes, assim como levar a cabo a perpetração reiterada de delitos;
	   – de **Grupo Criminal**: a união de mais de duas pessoas que, sem reunir alguma das características da organização criminal definida pelo crime de organização criminosa, tenha por finalidade a perpetuação arquitetada de delitos ou atuação planejada e reiterada de delitos.

Estados Unidos da América	18 U.S.C. § 2331
	Terrorismo Internacional: atividades que envolvam:
	• atos violentos ou atentatórios à vida humana que violem lei federal ou estadual;
	• que aparentemente tenham por objetivo:
	   – intimidar ou coagir a população civil;
	   – influenciar a política de Governo por meio de intimidação ou coação;
	   – afetar a conduta de um Governo pela destruição em massa, assassinatos, sequestros.
	• ocorram principalmente fora da jurisdição territorial, ou transcendam as fronteiras nacionais em termos dos meios pelos quais eles são realizados, das pessoas a quem pretendem intimidar ou coagir, ou do local em que seus autores operam ou buscam asilo.

	Terrorismo doméstico: atividades que contenham as seguintes características:
	• envolvam atos atentatórios à vida humana que violem lei federal ou estadual;
	• que aparentemente tenham por objetivo:
	  – intimidar ou coagir a população civil;
	  – influenciar a política de Governo por meio de intimidação ou coação;
	  – afetar a conduta de um Governo pela destruição em massa, assassinatos, sequestros;
	• ocorram principalmente dentro da jurisdição do país.
	Crime Federal de Terrorismo: é uma ofensa que:
	• é calculada para influenciar ou afetar a conduta do Governo por intimidação ou coerção, ou para retaliar contra a conduta do Governo;
	• é uma violação de um dos vários estatutos listados, incluindo § 930 (c) (relativo a matar ou tentativa de assassinato durante um ataque a uma instalação federal com uma arma perigosa), e § 1114 (relativo a matar ou a tentativa de assassinato de oficiais e empregados dos EUA).

França	Art. 421-1, Código Penal **Terrorismo:** constituem atos de terrorismo, quando esses forem cometidos intencionalmente em conexão com uma empresa individual ou coletiva que visem a perturbar gravemente a ordem pública pela intimidação ou pelo terror, as seguintes infrações: • ataques intencionais contra a vida, os ataques deliberados contra a integridade da pessoa, rapto e sequestro de aeronave, navio ou outro meio de transporte; • roubo, extorsão, destruição, degradação e deterioração, bem como infrações em matéria de informática definidas no Código; • Infrações perpetradas por grupos de combate e outros movimentos previstos no Código Penal (combatentes de grupos e movimentos); • infrações em matéria de armas, explosivos ou de material nuclear; • receber o produto de uma das infrações; • crimes de lavagem de dinheiro; • crimes de informação privilegiada.
Itália	Art. 270-bis, Código Penal **Organização Terrorista**: Quem promover, fundar, organizar, participar, dirigir ou financiar associações cuja finalidade seja a realização de atos de violência para fins de terrorismo (atos de violência são dirigidos contra um Estado estrangeiro, uma organização internacional e instituição) ou subversão da ordem democrática.

Portugal	Lei nº 52/2003 Considera-se grupo, organização ou associação terrorista todo o agrupamento de duas ou mais pessoas que, atuando concertadamente, visem a prejudicar a integridade e a independência nacionais, impedir, alterar ou subverter o funcionamento das instituições do Estado previstas na Constituição, forçar a autoridade pública a praticar um ato, a abster-se de o praticar ou a tolerar que se pratique, ou ainda intimidar certas pessoas, grupos de pessoas ou a população em geral, mediante: a) crime contra a vida, a integridade física ou a liberdade das pessoas; b) crime contra a segurança dos transportes e das comunicações, incluindo as informáticas, telegráficas, telefônicas, de rádio ou de televisão; c) crime de produção dolosa de perigo comum, através de incêndio, explosão, libertação de substâncias radioativas ou de gases tóxicos ou asfixiantes, de inundação ou avalancha, desmoronamento de construção, contaminação de alimentos e águas destinadas a consumo humano ou difusão de doença, praga, planta ou animal nocivos; d) atos que destruam ou que impossibilitem o funcionamento ou desviem dos seus fins normais, definitiva ou temporariamente, total ou parcialmente, meios ou vias de comunicação, instalações de serviços públicos ou destinadas ao abastecimento e satisfação de necessidades vitais da população; e) investigação e desenvolvimento de armas biológicas ou químicas; f) crimes que impliquem o emprego de energia nuclear, armas de fogo, biológicas ou químicas, substâncias ou engenhos explosivos, meios incendiários de qualquer natureza, encomendas ou cartas armadilhadas; sempre que, pela sua natureza ou pelo contexto em que são cometidos, estes crimes sejam susceptíveis de afetar gravemente o Estado ou a população que se visa intimidar".
Reino Unido	*Terrorism Act 2000* **Terrorismo**: realização ou ameaça de atos que: • envolvam grave violência contra indivíduo; • envolvam sérios danos à propriedade; • tragam riscos à vida de outras pessoas que não a do terrorista; • criem sérios riscos à saúde e à segurança públicas; • se destinem a interferir em um sistema eletrônico ou perturbá-lo que sejam calculados para influenciar o Governo ou uma Organização Internacional ou para intimidar o público ou parcela desse com o propósito de disseminar uma causa política, religiosa e ideológica.
Rússia	Art. 205, Código Penal **Ato terrorista:** A realização de uma explosão, incêndio ou outras ações que intimidem a população, criando a ameaça à pessoa ou morte, imposição de danos materiais significativos ou o aparecimento de outras importantes consequências graves, a fim de influenciar a tomada de decisão por parte das autoridades ou organizações internacionais, e também a ameaça de uma comissão das referidas ações para os mesmos fins.

É possível identificar os seguintes elementos nos tipos penais vistos que compõem a ação terrorista[42] (Quadro 3.4):

QUADRO 3.4
ELEMENTOS DA DEFINIÇÃO DO ATO TERRORISTA NA LEGISLAÇÃO ESTRANGEIRA

Efeito do ato terrorista	Ato que causa terror na população.
Conteúdo do ato terrorista	Ato atentatório à vida, à integridade física, ao patrimônio ou à liberdade das pessoas. Ato atentatório às edificações e aos serviços e infraestruturas essenciais, inclusive informatizados, com capacidade de causar grandes danos. Ato que gera risco à saúde das pessoas. Ato atentatório ao meio ambiente.
Finalidade do ato terrorista	Ato com finalidade de intimidar população, de influenciar ou afetar a conduta do governo. Subverter a ordem constitucional ou a paz pública. Afetar as estruturas políticas, constitucionais, econômicas ou sociais fundamentais de um Estado ou uma organização internacional. Obrigar o governo ou organização internacional a realizar ato ou abster-se de realizá-lo. Propagação do ódio étnico, religioso ou político.
Modus operandi do ato terrorista	Ato planejado e coordenado por grupo organizado, com uso de armas capazes de atingir número indeterminado de pessoas.
Motivação do ato terrorista	Ato motivado por causa política, religiosa ou ideológica.

3.6. TERRORISMO E GUERRA JUSTA

No nascedouro do novo século, o mundo se viu surpreendido com o maior atentado terrorista da história. Apesar de todos os tratados e acordos anteriormente estabelecidos pela comunidade internacional, os acontecimentos de 11 de setembro de 2001 evidenciaram que os esforços das nações para banir o terrorismo ainda estavam longe da efetividade.

Em âmbito internacional, o terrorismo passou a ser definitivamente percebido como uma ameaça global. Assim foi que o Conselho de Segurança da ONU, imediatamente após os atentados de 11 de setembro, aprovou a Resolução nº 1.368 (2001)[43], que condena de forma dura o terrorismo como "uma ameaça à paz e à segurança internacional", reafirma o "direito inerente de legítima defesa individual ou coletiva tal como reconhecido pela Carta das Nações Unidas", e determina que todos os Estados cooperem para a punição dos responsáveis pelos

---

[42] Extraído da *Nota Informativa nº 245, de 2014*, da Consultoria Legislativa do Senado Federal, de autoria de Tiago Ivo Odon.
[43] Incorporada ao ordenamento jurídico brasileiro por meio do Decreto nº 3.976, de 18 de outubro de 2001.

atentados de 11 de setembro e pelo terrorismo internacional. É essa Resolução também que criminaliza o financiamento ao terrorismo e determina que todos os Estados devem (Item 2 da Resolução):

> a) abster-se de prover qualquer forma de apoio, ativo ou passivo, a entidades ou pessoas envolvidas em atos terroristas, inclusive suprimindo o recrutamento de membros de grupos terroristas e eliminando o fornecimento de armas aos terroristas;
>
> b) tomar as medidas necessárias para prevenir o cometimento de atos terroristas, inclusive advertindo tempestivamente outros Estados mediante intercâmbio de informações;
>
> c) recusar-se a homiziar aqueles que financiam, planejam, apoiam ou perpetram atos terroristas, bem como aqueles que dão homizio a essas pessoas;
>
> d) impedir a utilização de seus respectivos territórios por aqueles que financiam, planejam, facilitam ou perpetram atos terroristas contra outros Estados ou seus cidadãos;
>
> e) assegurar que qualquer pessoa que participe do financiamento, planejamento, preparo ou perpetração de atos terroristas ou atue em apoio destes seja levado a julgamento; assegurar que, além de quaisquer outras medidas contra o terrorismo, esses atos terroristas sejam considerados graves delitos criminais pelas legislações e códigos nacionais e que a punição seja adequada à gravidade desses atos;
>
> f) auxiliar-se mutuamente, da melhor forma possível, em matéria de investigação criminal ou processos criminais relativos ao financiamento ou apoio a atos terroristas, inclusive na cooperação para o fornecimento de provas que detenha necessárias ao processo;
>
> g) impedir a movimentação de terroristas ou grupos terroristas, mediante o efetivo controle de fronteiras e o controle da emissão de documentos de identidade e de viagem, bem como por medidas para evitar a adulteração, a fraude ou o uso fraudulento de documentos de identidade e de viagem.

Os EUA desencadearam então a ofensiva contra o Afeganistão, para neutralizar a *Al Qaeda* e combater o regime Talibã e, alguns meses depois, a guerra contra o Iraque, que culminaria na invasão do território iraquiano e na deposição de Saddam Hussein. Enquanto a ação contra o Talibã (Guerra do Afeganistão, 2001-presente) foi respaldada pela comunidade internacional, a Guerra do Iraque (ou Segunda Guerra do Golfo, 2003) colocou os EUA diante de profundas críticas e, ainda que baseada em uma coalizão de três dezenas de países, foi condenada pela ONU.

Diante de todos esses acontecimentos que iniciaram o século XXI, em especial da chamada "guerra ao terror", que teve alvos estatais e não estatais, a sociedade internacional se viu frente a alguns dilemas: se o terrorismo foi usado como arma de guerra em 2001, a resposta dos Estados contra um ente não estatal poderia ser também por meio de uma guerra, mais precisamente de uma "guerra justa"? O terrorismo poderia ensejar ações militares preventivas justificadas pelo direito de legítima defesa dos Estados e, portanto, em conformidade com as normas de Direito Internacional dos Conflitos Armados? Em caso afirmativo, os terroristas e as forças talibãs (e, mais recentemente, do Estado Islâmico) deveriam ser tratados como criminosos ou como combatentes inimigos? Enfim, pode haver uma guerra justa motivada por ações terroristas promovidas por entes não estatais?

Toda nação tem o direito de se defender e de responder a uma injusta agressão. Não cabe aqui discorrer sobre o conflito no Iraque e a falta de provas referentes à posse de armas de destruição em massa pelo regime de Saddam Hussein – o que foi usado para justificar a intervenção dos EUA naquele país. Já é sabido que nada foi encontrado com os iraquianos, havendo expressa violação ao Direito Internacional por parte do Governo de George W. Bush. Fica evidente, portanto, que o argumento de "guerra ao terror" para a intervenção militar não procede no caso iraquiano[44].

Se a ação contra o Iraque não encontra qualquer justificativa, o mesmo não acontece com as medidas tomadas contra a *Al Qaeda* e o Talibã (como a Guerra do Afeganistão), pois havia um nexo de causalidade entre o terrorismo patrocinado pelo grupo de Bin Laden (que, por sua vez, encontrou abrigo em território afegão governado pelo Talibã) e a resposta militar estadunidense. De fato, os ataques do 11 de setembro de 2001 foram entendidos pelos EUA como um *casus belli* (expressão latina para designar um fato considerado suficientemente grave pelo Estado ofendido, para declarar guerra ao suposto ofensor) para responder com a "guerra ao terror" contra inimigos em qualquer ponto do planeta, fossem eles Estados ou não. Nesse contexto, além da tradicional confrontação envolvendo Estados, os EUA estariam a dar a entes não estatais uma justa resposta a uma agressão, resposta que em muito ultrapassa o "combate à criminalidade" – recorrendo-se às Forças Armadas e não apenas ao aparato policial.

Claro que permanece a polêmica sobre o recurso justificado à guerra contra um ente não estatal (e foge ao escopo desta obra tratar com maior atenção do assunto). Porém, no século XXI, conceitos e princípios tradicionais de Direito das Gentes precisam ser revistos, inclusive os que se referem ao direito à guerra contra entes que não sejam Estados soberanos. Isso fica mais evidente quando alguns desses grupos dispõem de poder de intimidação e de força superiores

---

[44] Não obstante, foi o que aconteceu. É assim que funciona a alta política nas relações internacionais.

àqueles de alguns países. É o caso do Estado Islâmico ou *Daesh*, o qual exerce uma "soberania primitiva" sobre um território, e possui "exército" que utiliza material bélico similar ao utilizado por forças armadas tradicionais.

Nos dias atuais, não há dúvida de que, com a facilidade de acesso à tecnologia e armas, entes não estatais podem reunir condições de ameaçar mesmo Estados soberanos. Imagine-se, por exemplo, um grupo terrorista dispondo de armas de destruição em massa e com intenção de empregá-las contra uma grande cidade ou contra alvos militares. Esses terroristas devem ser tratados somente como criminosos comuns ou como forças inimigas?

Ainda no que concerne aos exemplos da *Al Qaeda*, do Estado Islâmico, e do Talibã, caso fossem tratados apenas como organizações criminosas, não seria cabível "declaração de guerra" contra eles. Ademais, mostrar-se-iam praticamente impossíveis quaisquer extradições de seus membros – o respeito à soberania de países onde se homiziassem (como Afeganistão, Iraque, Síria ou Iêmen) poderia levar esses grupos a dispor de verdadeiro refúgio contra julgamentos e punição em âmbito internacional. Entretanto, se for possível considerar que tais grupos são "forças inimigas" com capacidades semelhantes às de Estados, os membros dessas organizações terroristas seriam percebidos como "combatentes inimigos", e a eles aplicadas as leis referentes a criminosos de guerra e não a criminosos comuns – registre-se que tal perspectiva encontra pouca aceitação entre os juristas. Nesses casos, naturalmente deveriam estar sob a proteção dos instrumentos de Direito Internacional Humanitário.

Portanto, no início do terceiro milênio, a sociedade internacional pode-se ver diante da necessidade de rever conceitos e dar um tratamento diferenciado a organizações com capacidades como as de que dispõem a *Al Qaeda* e o Estado Islâmico. Não seria elevar esses grupos à condição de Estados, mas sim de entes distintos de simples organizações criminosas – claro que não de sujeitos de Direito Internacional. De toda maneira, diante da nova realidade, "o direito internacional não pode ser interpretado de forma a proteger terroristas" – este é o argumento daqueles que defendem uma percepção diferenciada da condição das organizações terroristas na atualidade.

3.7. AÇÕES INTERNACIONAIS CONTRA O FINANCIAMENTO DO TERRORISMO

Desde o século passado, já se sabe que uma das maneiras eficazes de combater atos de terror, em especial grandes atentados, é o desmantelamento da estrutura financeira que patrocina o terrorismo. Milhões de dólares em ativos dos terroristas já foram congelados através de milhares de contas bancárias em todo o mundo, mas isso também faz com que esses grupos busquem alternativas criativas para o financiamento de suas atividades. A lavagem de dinheiro[45] se sofisticou muito nos últimos anos, especialmente por causa dos avanços tecnológicos e das redes sociais, dificultando a detecção, pelos governos, do dinheiro do terrorismo. Entre essas práticas modernas e que burlam os sistemas de controle estatais temos:

Doações para caridade. Doações de caridade são uma fonte ampla de financiamento do terrorismo, vindo principalmente de instituições e indivíduos abastados, envolvidos ou não com grupos terroristas. "No mundo islâmico, há dezenas de milhares de instituições de caridade", algumas delas usadas como fachada para receber recursos que são empregados em ações terroristas[46]. Doações via mecanismos de pagamento na internet são outra grande fonte de recursos e de difícil monitoramento pelos governos. Imagine-se a doação de cinco dólares para uma instituição com uma bonita página na internet, mas que na verdade é uma organização disfarçada que desvia parte dos recursos para o financiamento de grupos terroristas... Trata-se de uma realidade do mundo atual. E no mundo islâmico, há uma tradição em realizar doações, chamadas de *zakat*, que é um valor derivado da riqueza da pessoa. Muitos grupos terroristas podem estar se aproveitando da boa-fé do muçulmano para receber recursos doados e alocá-los na atividade terrorista.

Crime Organizado. Provavelmente a maior fonte de recursos para os grupos terroristas é o comércio ilícito de drogas e o comércio de produtos falsificados. O fim da Guerra Fria retirou o farto dinheiro advindo da União Soviética que era utilizado para o financiamento de grupos insurgentes de esquerda ao redor do planeta e o resultado foi que essas organizações tiveram que buscar novas fontes de recursos[47], em especial no crime transnacional. Um dos maiores especialistas mundiais em crime organizado, o venezuelano Moisés Naím,[48] explica que existem cinco guerras ao lado da guerra ao terror. São as guerras contra o tráfico de drogas, o comércio ilegal de produtos falsificados, o comércio ilegal de pessoas, o comércio ilegal de armas e a lavagem de dinheiro, que certamente podem agregar recursos a grupos terroristas, envolvidos em muitos casos como agentes desses crimes internacionais. As Forças Armadas Revolucionárias da Colômbia (FARC) há muito tempo utilizam o tráfico de cocaína para financiar suas operações. O cultivo de

---

[45] Segundo o Banco Mundial, entre 2% e 3% do PIB mundial são derivados de atividades financeiras ilícitas, correspondendo aproximadamente a quase quatro trilhões de dólares. Disponível em: <http://www.state.gov/j/inl/c/crime/c44634.htm> (acesso em: 08 jan. 2016).
[46] BURR, j. Millard e COLLINS, Robert O. *Alms for Jihad*, Cambridge University Press, 2006.
[47] Disponível em: <http://www.marcusreis.com.br/que-desea-el-pcc-brasileno/> (acesso em: 8 jan. 2016).
[48] *Vide Five Wars of Globalization*, disponível em: <http://foreignpolicy.com/2009/11/03/five-wars-of-globalization/> (acesso em: 07 jan. 2016), em que Naím trata das formas de crime organizado transnacional.

papoula no Afeganistão também pode servir de exemplo de crime que provê recursos para o terrorismo internacional (e também para as atividades do Talibã).

Empresas de fachada. Muitas organizações terroristas operam empresas legais, porém de fachada. Geram lucros que mais tarde são transportados para a atividade terrorista. Podem utilizar também a simulação de vendas ou de atividade, com uma geração falsa de lucros, que são "legalizados" contabilmente e transferidos para grupos terroristas em quantias pequenas, normalmente inferiores a dez mil dólares, tornando-se invisível para a inteligência financeira de grande parte dos Estados. Em 2001, o *New York Times* relatou que Osama bin Laden poderia ter operado uma série de lojas de varejo de mel em todo o Oriente Médio e Paquistão. Além de gerar receitas, o mel provavelmente foi usado para esconder as transferências de dinheiro e armas.

Hawalas. São mecanismos de transferência de fundos baseados na confiança e que não transitam pelo sistema financeiro tradicional. O sistema de *Hawalas* compreende operações monetárias realizadas em agências de remessa de dinheiro com base na confiança popular particularmente em comunidades muçulmanas (com destaque para as operações conduzidas na Ásia, África e na América do Sul). Com não mais do que um aperto de mão e um código, os indivíduos são capazes de transferir dinheiro em todo o mundo. Ao se encaminhar a uma agência *Hawala*, o emissor concede o recurso monetário ao operador, paga uma pequena tarifa e o dinheiro aparece em poucos minutos do outro lado do mundo com a pessoa destinatária. O dinheiro não se moveu, mas houve uma compensação entre fundos existentes nos dois locais, de origem e de destino. É um sistema "bancário" informal, portanto, e muito eficiente.

Obras de arte, leilões de animais, esportes. As atividades envolvendo obras de arte, leilões de animais e intermediação de atletas também podem ser amplamente utilizadas para a lavagem de dinheiro do crime internacional e, consequentemente, de organizações terroristas. Ao se comprar uma obra de arte, adquirir um animal ou comprar o passe de um atleta, pode-se perder uma quantia do dinheiro ilegal e pagar ágio nesses produtos para depois vendê-los novamente, agora de forma lícita e com o dinheiro lavado. Governos devem estar atentos a atividades que trabalhem com transferência de dinheiro em espécie e negociadores de fachada, especialistas em clarear os recursos ilegais de grupos criminosos.

Portanto, o financiamento ao terrorismo é uma preocupação especial da comunidade internacional. Uma das formas mais eficientes de combater uma atividade criminosa e terrorista é retirando sua capacidade financeira. Grupos terroristas sem recursos financeiros possuem probabilidade muito inferior de cometer grandes ataques, de ameaçar a vida de muitas pessoas. Por isso o Estado deve sempre estar preparado para retirar recursos dessas organizações.

Diante da problemática internacional relacionada à lavagem de dinheiro, é sempre bom lembrar, foi criado em 1989, pelas nações mais desenvolvidas do planeta, o Grupo de Ação Financeira contra a Lavagem de Dinheiro e o Financiamento do Terrorismo (GAFI/FATF)[49]. Trata-se de uma organização intergovernamental cujo propósito é desenvolver e promover políticas nacionais e internacionais de combate à lavagem de dinheiro e ao financiamento do terrorismo. Importante destacar que o GAFI atua como organismo elaborador de políticas com o objetivo de gerar "a vontade política necessária para realizar reformas legislativas e regulatórias nessas áreas". Nesse sentido, publicou as *Recomendações do GAFI*, que se referem a boas práticas a serem adotadas pelos países-membros para o combate ao branqueamento de capitais.

Referência importante ao trabalho do GAFI são suas *40 Recomendações*, que "constituem-se como um guia para que os países adotem padrões e promovam a efetiva implementação de medidas legais, regulatórias e operacionais para combater a lavagem de dinheiro, o financiamento do terrorismo e o financiamento da proliferação, além de outras ameaças à integridade do sistema financeiro relacionadas a esses crimes"[50]. Após os atentados de 11 de setembro de 2001, o GAFI produziu mais oito recomendações relacionadas ao financiamento do terrorismo.

Os países participam do GAFI por meio de suas unidades de inteligência financeira (FIU), que operam em rede e promovem o intercâmbio de informações e conhecimentos. Em 1995, representantes de algumas FIU reuniram-se no Palácio de Egmont Arenberg em Bruxelas, Bélgica, e decidiram formar um grupo informal visando a estimular a cooperação internacional. Conhecido atualmente como "Grupo de Egmont"[51], esse organismo reúne FIU que se encontram regularmente "para buscar formas de cooperar entre si, especialmente nas áreas de intercâmbio de informações, treinamento e troca de experiências"[52], totalizando quase 150 FIU de todos os continentes.

A FIU brasileira é o Conselho de Controle de Atividades Financeiras (COAF), vinculado ao Ministério da Fazenda e de reconhecida excelência no monitoramento de movimentações financeiras nacionais e internacionais, aí incluídas as de fundos destinados a atividades terroristas. Há várias publicações disponíveis sobre tipologias de lavagem de dinheiro na página do COAF na

---

[49] Para a página oficial do Gafi, *vide* <http://www.fatf-gafi.org/> (acesso em: 27 jun. 2016).
[50] "40 Recomendações Gafi", disponível em: <http://www.coaf.fazenda.gov.br/backup/pld-ft/novos-padroes-internacionais-de-prevencao-e-combate-a-lavagem-de-dinheiro-e-ao-financiamento-do-terrorismo-e-da-proliferacao-as-recomendacoes-do-gafi-1> (acesso em: 27 jun. 2016).
[51] Para o Grupo de Egmont, *vide* <http://www.egmontgroup.org/> (acesso em: 1º jun. 2016).
[52] Disponível em: <http://www.coaf.fazenda.gov.br/menu/atuacao-internacional/grupo-de-egmont> (acesso em: 1º jun. 2016).

internet. Nesse sentido, reproduzimos no Anexo I[53] deste livro um conjunto de 20 casos que exemplificam a maior parte das transferências de fundos a atividades terroristas, extraídos dos trabalhos do Grupo de Egmond[54], e que merecem a atenção das unidades policiais do Brasil e do exterior. Recomendamos o estudo dessas situações.

3.8. CONCLUSÕES

É fundamental uma percepção jurídica do fenômeno do terrorismo. Para lidar com essa praga da modernidade, os Estados devem desenvolver arcabouço normativo específico, pois os atos de terror não podem ser confundidos com condutas delitivas comuns. Terrorismo deve ser percebido como crime hediondo, que ameaça o conjunto da sociedade e os valores de um povo. Ademais, as motivações dos terroristas são distintas daquelas do criminoso comum, e mesmo daqueles envolvidos com o crime organizado. Assim, no âmbito doméstico, é importante que haja normas específicas para prevenir, neutralizar e punir os atos de terrorismo.

Em que pesem as diversas convenções internacionais e regionais relacionadas à prevenção e combate ao terrorismo, e a atuação de organizações internacionais como a ONU, são ainda muito efêmeros os instrumentos internacionais a esse respeito. A dificuldade enfrentada pela comunidade internacional para definir o terrorismo continua um obstáculo a iniciativas mais efetivas no campo do Direito das Gentes.

No âmbito doméstico, não são poucos os países que já possuem legislação de prevenção e combate ao terrorismo, chegando mesmo a tipificar a conduta terrorista como criminosa. Estados como os EUA, a França, o Canadá, a Espanha e a Rússia, motivados por ataques sofridos em seu próprio território ou contra seus nacionais, desenvolveram todo um arcabouço jurídico-normativo para fazer frente a essa ameaça. Qualquer interessado no aspecto jurídico do tema deve tomar a legislação desses países como exemplo.

No caso do Brasil, se passos importantes foram dados com a Lei nº 13.260, de 2006, muito ainda há a ser feito, pois nossa Lei Antiterror tem como foco (apesar do nome) as medidas judiciais punitivas para os atos de terror. A lei brasileira peca, ademais, na definição do terrorismo, desvinculando-o das motivações políticas.

---

[53] Os anexos estão disponíveis em formato digital no sítio da Editora na internet: <http://www.impetus.com.br>.
[54] BRASIL. COAF. 20 casos coletados pelo Grupo de Egmont e pelo GAFI/FATF. Disponível em: <http://www.coaf.fazenda.gov.br/menu/pld-ft/publicacoes/financiamento-do-terrorismo> (acesso em: 1º jun. 2016).

De toda maneira, até 2016 o Brasil via-se diante de lacuna jurídico-normativa sobre a matéria, lacuna essa que somente começa a ser preenchida. A prevenção continua difícil sem respaldo legal. Mais difícil ainda, porém, será a fundamentação legal para qualquer resposta em caso de ataque terrorista, caso a motivação seja política. Instituições, especialmente polícias, Ministérios Públicos e Poder Judiciário, despreparadas, sem conhecimento do fenômeno terrorista, certamente agirão com base em doutrinas aparentemente semelhantes, como a que fundamenta o crime organizado, com prováveis resultados ineficientes e aquém do ideal de resposta por um Estado moderno.

O financiamento ao terrorismo, tema também tratado neste capítulo, deve ser combatido, sendo extremamente importante a existência de normas que permitam a retirada da capacidade operativa de grupos criminosos e terroristas. Sem recursos financeiros, ou sem capacidade de empregar esses recursos, as organizações terroristas sofrerão duro golpe.

Capítulo 4

MACROANÁLISE DO TERRORISMO

Terrorists want a lot of people watching and not a lot of people dead.
Brian Jenkins, 1975

No presente capítulo, trataremos de forma mais específica de como, por que e quando uma organização terrorista encontra o meio adequado para atuar. Neste capítulo, conheceremos a parte ampla ou genérica do fenômeno do terrorismo, ou seja, suas causas, motivações, lógicas, objetivos e estratégias. É a "macroanálise", observando esse fenômeno na sua gênese e ideologia. Em seguida, no próximo capítulo, trataremos da microanálise, como funciona um grupo terrorista, como escolhe seus alvos, sua estrutura, seu funcionamento.

Assim, comecemos com a "macroanálise" do terrorismo.

4.1. AS CAUSAS DO TERROR

Martha Crenshaw, no trabalho intitulado *The Causes of Terrorism*[1], formula um marco no estudo do tema e assevera que o terrorismo possui fatores bastante específicos que o originam, chamados pré-condições e precipitantes. O terrorismo não surge do nada, não é um fim em si, necessita de componentes que o justifiquem, que o motivem e que o despertem. Assim como uma chama precisa de oxigênio para se iniciar e para se manter, o terrorismo também carece de elementos que o materializem.

Pré-condições são fatores de longo prazo que estão presentes em determinada sociedade permitindo o ambiente político, ideológico, econômico, religioso necessário para a atuação do terror. As pré-condições, portanto, estabelecem o meio necessário ao surgimento e crescimento do terrorismo. São citados por Crenshaw, entre outros, o processo de modernização da sociedade, a urbanização, situações econômicas e sociais, ideologias, a religião.

---

[1] CRENSHAW, Martha. The causes of terrorism. *Comparative Politics*. v. 13, nº 4 (jul. 1981), pp. 379-399.

O processo de modernização foi determinante na atuação de diversas organizações terroristas. Com as conquistas tecnológicas a partir da Revolução Industrial, aqueles grupos que viam terrorismo como alternativa, passaram também a fazer uso da tecnologia nos atentados. Exemplo interessante é o uso da dinamite desde que foi inventada, por Alfred Nobel (1833-1896), na segunda metade do século XIX. E à medida que explosivos vão se modernizando, também o vão o conhecimento sobre esses e o recurso a eles por organizações terroristas, o que justifica o temor, nos dias atuais, do uso de artefatos nucleares em atentados.

Também com o desenvolvimento dos meios de transporte, proliferaram os atentados envolvendo transportes públicos, de trens de passageiros e carga aos aviões comerciais, passando por ônibus e metrôs. Nesse sentido, a diversidade dos meios de transporte público, e o seu uso por uma grande quantidade de pessoas, são pré-condições que contribuem para que os terroristas encontrem campo fértil para operarem. O agravante é que não há como se deixar de usar esses transportes (o que, por si só, já representaria uma vitória dos próprios terroristas). Inúmeros são os exemplos de uso dos transportes públicos em ações terroristas: as explosões em ônibus e no metrô, por exemplo, em Londres, em 2005, o ataque com gás *sarin* ao metrô de Tóquio, em 1995, o uso de aviões no 11 de setembro de 2001 e os ataques no metrô belga e no aeroporto turco, em 2016.

A urbanização também foi uma pré-condição importante para o terrorismo, movendo grandes massas de pessoas do campo para as cidades, o que criou um ambiente propício para reuniões, encontros e difusão rápida de ideias. Dos aspectos se destacam nesse contexto:

1) a possibilidade de se reunir e recrutar terroristas nos centros urbanos; e
2) o cenário urbano, com grandes aglomerações de pessoas, como área ideal para a execução de atentados.

Na era da informação, outro exemplo de pré-condição para o terrorismo é a existência da rede mundial de computadores, a Internet. Neste contexto, a expressão "ciberterrorismo", que descreve ataques terroristas realizados pela Internet com o objetivo de causar danos a sistemas e equipamentos, tornou-se bastante conhecida na comunidade de segurança e inteligência. Do uso de vírus de computador até a violação de sítios e a entrada em redes e sistemas restritos com o intuito de causar dano, tem-se nos dias atuais um leque de alternativas de ação por terroristas no ambiente virtual tão vasto quanto é o universo da rede de computadores.

Assim, ataques que podem vir de governos e organizações, mas também de pessoas isoladas, geram preocupação junto a indivíduos, empresas e entes estatais. Um exemplo desse fenômeno se deu em 2007, quando sites do governo da Estônia foram alvo de ataques, causando-se danos significativos a um país considerado altamente digitalizado, o que afetou serviços públicos e gerou problemas à população.

Imagine-se uma cidade como São Paulo, Rio de Janeiro ou Brasília, em que o sistema que gerencia os semáforos sofra um ataque cibernético na hora do rush, e os alvos sejam os sistemas de gerenciamento do metrô ou do abastecimento de energia. O caos estaria estabelecido.

Crises econômicas, sociais, políticas geram o meio necessário a ações de grupos terroristas pela fragilidade da sociedade naquele momento. Ideologias fundamentalistas e a defesa deturpada da religião também são fatores que alimentaram diversos movimentos terroristas ao redor do mundo. Por fim, injustiças e a falta de possibilidade de participação política, que alimentam sentimentos de ódio e raiva são elencadas como pré-condições ao terrorismo.

Precipitantes, por sua vez, são fatores que atuam no curto prazo, e determinam a ação terrorista pelo seu caráter essencial e motivador, como execuções do governo (aplicação da pena capital a líderes de organizações ou execuções de simpatizantes em manifestações públicas), perseguições religiosas, ideológicas e étnicas, guerras, lutas, conflitos, motins, rebeliões. É a fricção entre o fósforo e o papel pólvora. Precedem imediatamente o terror. São o gatilho acionado, o fim do pavio de paciência a que se submetem os grupos sociais. Violam o aceitável psicológico de determinado grupo social.

Um caso de precipitante no Brasil aconteceu em 2006, no mês de maio, em que a permanência de líderes do Primeiro Comando da Capital (PCC) no regime diferenciado de prisão deu origem ao famoso "salve" deste grupo, desencadeando ações de diversos membros por toda a cidade de São Paulo. Outro caso deu-se em julho e agosto de 2016, quando, no Estado do Rio Grande do Norte, sobretudo na capital, Natal, a população se viu aterrorizada por um "salve" dos grupos criminosos locais, motivado pela instalação de torres bloqueadoras de celulares nos presídios do Estado, sendo queimados diversos ônibus do sistema de transporte local. Também um caso de precipitante, ainda que não relacionado à atividade terrorista ou criminosa, é um conflito entre policiais e manifestantes, onde algum membro do grupo que se manifesta é ferido, gerando um aumento do grau de violência nos demais.

Fora do país, exemplo recente foi a execução do líder xiita Nimr al-Nimr (1959-2016) na Arábia Saudita, em janeiro de 2016, levando milhares de manifestantes a cometerem atos violentos contra a embaixada desse país no Irã e em diversas partes do planeta. Um fator preexistente é o ambiente de luta e ódio entre sunitas e xiitas. Nesse caso, a execução de Nimr foi o gatilho, o disparo para uma revolta popular, ou seja, a precipitante de um movimento violento forte em diversos países.

O terrorismo, repita-se, é um ato racional, derivado de uma escolha entre diversas possibilidades. Essa decisão, portanto, sofre a influência dos fatores citados: pré-condições e precipitantes. A opção pelo terrorismo é atrativa para dramatizar uma causa, ganhar apoio popular, provocar medo, inspirar seguidores, dominar outras organizações e acelerar uma mudança política. Presentes as pré-condições necessárias e com o surgimento de algum evento precipitante, pode determinado Estado sofrer um ataque terrorista.

Ainda no que concerne às causas do terrorismo, destaca-se a percepção de Donatella Della Porta, autora do trabalho sobre o terrorismo de esquerda na Itália, *Left Wing Terrorism in Italy*[2]. Segundo Della Porta, o terrorismo surge quando existem alguns elementos presentes em determinada sociedade. São eles:

1) oportunidade política – crises econômicas, crises sociais, crises políticas, movimentos sociais insatisfeitos, crises no sistema penitenciário, desestabilização de governos, consolidação democrática, grandes eventos, como Campeonatos de Futebol, Olimpíadas, megaconcertos;

2) ideologia que vai suprir necessidades nessa oportunidade política – capitalismo *versus* socialismo; capital *versus* trabalho; brancos *versus* negros; judeus *versus* muçulmanos, presidiários *versus* sistema penal; pobres *versus* ricos; indígenas *versus* Estado;

3) laços de fraternidade entre indivíduos – laços religiosos, de família, de condição social (grandes laços na população carcerária, laços de trabalho, renda, cor, etnia etc.), de lealdade.

Assim, tem-se mais elementos para analisar as causas do surgimento do terrorismo. Este fenômeno não é aleatório, possui causas e motivos que podem ser identificados pelo Estado com o fim de mitigá-los. O combate ao terror deve necessariamente englobar suas causas, sob pena de ser pontual e ineficaz.

Por fim, David Kilcullen[3], ex-militar australiano e professor nos EUA em temas de terrorismo e insurgência, propôs um modelo de contrainsurgência que ataca essas causas. O modelo assinala que aquele que combate o terrorismo deve estar alerta aos fatores mencionados pelas professoras Crenshaw e Della Porta. A estabilidade de uma sociedade, segundo Kilcullen, somente é alcançada com a garantia de pilares básicos, que são a segurança, as instituições políticas e a economia. Nesses pilares também se encontram causas para o surgimento do terrorismo, quais sejam, a falta de segurança, a falta de estabilidade política e a falta de estabilidade econômica.

---

[2] DELLA PORTA, Donatella. Left wing terrorism in Italy. In: *Terrorism in context*. Pennsylvania State University Press, 1995, pp. 105-159.
[3] KILCULLEN, David J. *Three pillars of counterinsurgency*. Conferência do Governo dos EUA sobre contrainsurgência. Washington DC, 28 de setembro de 2006.

O pilar da segurança é atingido pelo fornecimento de um ambiente de estabilidade institucional dos órgãos de justiça e de segurança pública, com taxas de criminalidade aceitáveis para a manutenção da atividade econômica dentro de uma sociedade. Empresas e, consequentemente, empregos são possíveis em locais onde há a possibilidade de se lucrar, de explorar a atividade econômica, não em países com custos altíssimos para a proteção de bens e de serviços.

O pilar da estabilidade política é garantido com o funcionamento das instituições estatais, em especial os Poderes constituídos. Independência entre os Poderes, não submissão entre eles, existência do "*rule of law*", base histórica do Estado de Direito, assim como uma carta de direitos fundamentais garantida efetivamente, são essenciais para a estabilidade de uma nação. Outras instituições também são essenciais, como o sistema de saúde, de educação, de assistência social etc. Nenhuma nação pode sobreviver ou se manter estável ou funcionando adequadamente caso se afaste desses verdadeiros princípios de vida em uma comunidade política.

Finalmente, o pilar econômico garante todos os demais. Um Estado arrasado financeiramente é incapaz de fornecer os demais pilares. Toda nação necessita de recursos e de um ambiente de segurança jurídica negocial, trazendo empresas que gerem divisas, empregos e paguem tributos. Kilcullen trouxe em seu texto os verdadeiros fundamentos de construção e de manutenção de um Estado que tenha a capacidade de propiciar o ambiente adequado a todos seus cidadãos lograrem seus planos de vida. A queda de um pilar pode ser aproveitada por algum grupo terrorista com o intuito de conquistar "corações e mentes" da população e de forma violenta atentar contra o governo e contra a sociedade.

4.2. MOTIVAÇÃO POLÍTICA E TERRORISMO

Terrorismo é um ato de violência praticado por um grupo organizado, de forma planejada, geralmente com um fim político. Assim, muitas vezes, a motivação política está por trás de um atentado terrorista. Essa força impulsora de um grupo de terror possui uma ideologia que direciona as ações da organização. A ideologia é o conjunto de ideias que explicam a maneira como as coisas são e como devem ser.

Grupos terroristas tentam, por intermédio de suas ações, transformar a realidade em direção a um dever ser, usando a ideologia para justificar quaisquer atos, inclusive os de violência, como necessários à transformação da realidade. Como exemplo, a *Al Qaeda* possui como motivação política, como força impulsora, a expulsão dos EUA e de outros países ocidentais do Oriente Médio, bem como a derrubada dos regimes monárquicos do golfo pérsico. Para isso, possui uma ideologia fundada no radicalismo (pureza do Islã e guerra santa), que serve para justificar suas ações violentas. A realidade que os membros da *Al Qaeda* querem transformar é a da dominação e presença norte-americana nos países muçulmanos e o alinhamento dos países do golfo com o Ocidente. A crença de que o Islã deve-se purificar, afastar os infiéis, bem como de que há uma guerra santa neste momento, é a ideologia desse grupo e se encaixa de forma perfeita com sua motivação política.

Diversas são as motivações existentes na atualidade e que fundamentam as atitudes de distintos grupos politicamente motivados. O nacionalismo e o separatismo podem ser um motivador político, impulsionando grupos a cometerem atentados na tentativa de se separarem de determinado Estado, como nos casos do ETA e do IRA.

Outro forte motivador é aquele baseado em ideologias de esquerda (em especial marxistas) e de direita (nazismo e fascismo, por exemplo), que direcionam grupos a transformarem a realidade política de seus Estados. A religião tem sido ultimamente um grande motivador de associações terroristas, com forte tema de apelo que é "tudo em nome de Deus".

Também existem motivadores políticos chamados de tema único, como a defesa dos animais, a proteção ao meio ambiente, a proteção ao nascituro, a defesa da justiça econômica. Nesse sentido, há grupos que recorrem ao terrorismo na tentativa de modificar a realidade com que laboratórios tratam animais em suas experiências, como a organização denominada Frente de Libertação dos Animais.

O *Daesh*, grupo insurgente atuante na Síria e no Iraque, tem fundamentação religiosa e separatista. Deseja a formação de um Estado sunita puro, um verdadeiro califado, com aprofundamento das tradições conservadoras da religião, de cunho *wahhabista*, assim como o afastamento do mundo ocidental do território que pretendem ocupar. Utilizavam o terrorismo como um grupo insurgente puro, nos locais de combate, contra exércitos sírios e iraquianos, mas a partir de 2015 intensificaram suas ações fora do Oriente Médio, por meio de seguidores fanáticos, com destaque para a Europa, como se observou nos atentados de Paris ocorridos naquele ano.

Portanto, diversas são as motivações políticas de terroristas. Quaisquer que sejam, porém, sempre haverá uma ideologia com o objetivo de justificá-las. Atualmente, muitos são os programas de Estados de combate ao terrorismo que visam a atacar essas ideologias, tentando modificar a atitude e o entendimento das gerações presentes e futuras acerca dos limites na defesa de ideias, em especial com a propagação da proteção aos direitos humanos universais.

4.3. ANÁLISE ECONÔMICA DO TERRORISMO

A Economia é muito utilizada em alguns países para analisar não somente fenômenos tradicionais do mercado, mas também fenômenos que agridem a sociedade como o crime[4] e a guerra[5]. Qualquer evento pode ser foco de estudo da Economia, desde que haja certa racionalidade no comportamento de seus atores. Assim, como um consumidor racional, um criminoso, uma organização terrorista, uma organização criminosa, um exército, um guerrilheiro, enfim, qualquer agente racional pode ter seus atos analisados pela Ciência Econômica.

Logo, a Economia está interessada em comportamentos racionais. Se uma organização terrorista age de forma racional (e age) ao atacar determinado alvo, este comportamento pode ser estudado pela Economia. Ao analisar minuciosamente este comportamento racional, o prof. Jürgen Brauer, no texto *On the Economics of Terrorism*[6], destaca que:

1. serão alocados recursos de forma a minimizar os gastos e a maximizar os resultados. Sabe-se que atentados com explosivos são mais baratos e atingem mais pessoas e bens, logo são mais eficientes, motivo pelo qual são os mais utilizados. Outro exemplo de ações com custo significativamente baixo para seus perpetradores foram os atentados de 11/09/2001 para os quais muitas das despesas (como a compra das passagens aéreas) foram pagas com cartão de crédito, cujo vencimento ocorria em data posterior aos atentados;

2. o ato de terror decorre de uma escolha entre um comportamento racional legal (negociação, política, mobilização etc.) e um ilegal. A escolha do comportamento ilegal pode ter sido motivada pela falta de espaço para negociação ou utilização de outra forma legal de atingir os objetivos. Por isso, quando governos fecham totalmente os canais de negociação com organizações sociais, sindicais, políticas ou quaisquer outros grupos que lhes sejam antagônicos ou questionadores, aumentam o custo do dissenso legal, facilitando a utilização de atos ilegais por essas organizações. Assim, se determinado partido político, por exemplo, é impedido em um regime de disputar o poder dentro dos trâmites legais e legítimos (v.g., concorrendo em uma eleição), pode ter segmentos que defendam o recurso a outros meios para alcançar suas pretensões (e, nesses casos, o terrorismo e a luta armada podem se tornar opção para os mais radicais);

---

[4] *Vide* vasta bibliografia em: <http://www.pitt.edu/~upjecon/BERGER/crime_bib.htm> (acesso em: 8 jan. 2016).
[5] *Vide* bibliografia sugerida em: <http://www.odi.org/sites/odi.org.uk/files/odi-assets/publications-opinion-files/313.pdf> (acesso em: 08 jan. 2016).
[6] BRAUER, op. cit. pp. 39-40.

3. quando o Estado aumenta o custo de determinado comportamento ilegal, os grupos terroristas irão substituir estes atos por outros menos custosos. Por exemplo, quando o governo instala equipamento de raio-X em todos os aeroportos, torna mais caro os atentados nestes espaços, forçando terroristas a buscarem outros alvos, como prédios públicos, *shopping centers*, rodoviárias e portos. Nesses casos, é importante que as autoridades públicas estejam atentas aos "gargalos" que podem se formar na prevenção e neutralização do terrorismo, por exemplo, no que diz respeito a mecanismos relacionados ao financiamento do terrorismo[7];

4. a existência de grande contingente de pessoas disponíveis para recrutamento minimiza os custos de atentados que utilizam pessoas, como ações suicidas, especialmente se o pagamento a esses atores for de forma imaterial, como a promessa de uma vida eterna cheia de prazeres, reduzindo muito o custo operacional do atentado. Pobreza, fundamentalismo, nacionalismo, racismo, intolerância são elementos importantes no aumento de populações recrutáveis para ações terroristas. Ademais, o aspecto "desesperança" deve ser considerado. Exemplo bastante nefasto dessa situação foi o uso de crianças pela organização terrorista peruana *Sendero Luminoso*, sobretudo na década de 1980, como "garoto-bomba" (*niño bomba*): eram-lhes entregues ou amarrados a seu corpo cartuchos de dinamite com o pavio aceso para que fossem até os alvos explodi-los – naturalmente, não eram raras as vezes em que as explosões ocorriam antes que a criança alcançasse o alvo. Em sua maioria garotos impúberes, os *niños bomba* eram recrutados junto às comunidades carentes da periferia ou de zonas rurais[8];

5. o terrorismo acontece em ciclos. Atentados contra prédios públicos e aeroportos, assim como sequestro de aeronaves, foram comuns nas décadas de 1970 e 1980, mas, com o reforço na segurança desses estabelecimentos, houve o aumento dos custos de atentados nesses locais, forçando terroristas a procurarem outros alvos. Caso governos diminuam a proteção a esses estabelecimentos e instalações podem sinalizar a terroristas que busquem novamente tais alvos;

6. a mídia atrai a atenção dos terroristas. Funciona como uma propaganda de graça. Por isso, com a redução da cobertura da mídia seria possível reduzir o interesse de grupos terroristas. A falta da imprensa livre na China ou em Myanmar não atrai a atenção de terroristas, motivo pelo qual

---

[7] Sobre o assunto, *vide*: <http://www.odi.org/sites/odi.org.uk/files/odi-assets/publications-opinion-files/313.pdf> (acesso em: 20 mai. 2016).

[8] Sobre o assunto, *vide Comisión de la Verdad y Reconciliación. Informe Final: (Peru: 1980-2000)*. Lima: UNMSM; PUCP, 2004, disponível em: <http://cverdad.org.pe/ifinal/> (acesso em: 23 set. 2013), particularmente o Tomo VI, item 1.8. *La violencia contra los niños y niñas*.

atuam muito pouco nesses locais. Entretanto, em regimes democráticos é impossível e inaceitável qualquer iniciativa por parte do Estado que ofenda a liberdade de imprensa. Nesses casos, o que se deve buscar é a conscientização e o comprometimento dos meios de comunicação no trato responsável desses assuntos. Ainda sobre o tema, o êxito em termos midiáticos dos atentados de 11/09/2001 foi absoluto: nunca se conseguiu, antes nem depois, um impacto de cobertura de mídia tão grande quanto com aqueles nefastos eventos. Esse foi mais um dos objetivos alcançados com êxito pelos terroristas;

7. ao tratar com terroristas, os governos dispõem de duas opções: negociar ou não negociar. Ao negociar uma demanda originada de uma pressão política ilegítima, como a derivada do terrorismo, o governo sinaliza que vale a pena usar a força contra essa sociedade. Não negociar aumenta o custo para essas organizações. Por isso as democracias modernas costumam não negociar com grupos terroristas;

8. determinados Estados podem considerar dar abrigo a terroristas em troca de paz doméstica. Entretanto, com a guerra ao terror e a pressão internacional, em especial a econômica, contra esses governos, torna-se cada vez menos lucrativo apoiar ou abrigar grupos terroristas, tanto em termos políticos quanto econômicos. Estados que apoiem organizações terroristas (direta ou indiretamente) podem acabar alijados da comunidade internacional, ou mesmo vir a sofrer represálias de outros países que combatem esses grupos.

As organizações terroristas atuam, portanto, com racionalidade e dessa maneira devem ser combatidas. Terrorismo não acontece pelo simples objetivo de matar[9]. Existe uma lógica por trás desse comportamento violento.

Entender o porquê de se participar de grupos terroristas é um desafio dos investigadores, que tentam mensurar os ganhos individuais de pertencer a tais grupos. Estados falham ao não proporcionarem bens necessários à vida de seus nacionais, e isso pode motivar o surgimento de grupos que tentem destruir tais nações[10].

Ademais, é fundamental que os Estados aumentem os custos de uma ação terrorista com a adoção de medidas antiterror[11]. Afinal, o comportamento do terrorista obedece a uma lógica e suas atividades possuem custos e benefícios que são analisados pelos membros das organizações que as conduzem. Políticas que levem em conta esses aspectos são as mais efetivas no combate ao

---
[9] SNODGRASS, Thomas E. Know your enemy. In: *Air and Space Power Journal*, Fall 2008, 22.
[10] ROTBERT, Robert I. The failure and collapse of nation-states. In: *When states fail:* causes and consequences. Princeton Press, 2003.
[11] PILLAR, Paul R. The dimensions of terrorism and counterterrorism. In: *Terrorism and the United States foreign policy*. The Brookings Institution, 2001, pp. 12-29.

terrorismo. O ato de terror considera uma escolha racional de determinado grupo. Essa foi uma conclusão a que chegaram os membros do Grupo de Ação Financeira Internacional contra Lavagem de Dinheiro (GAFI), organização internacional que estabeleceu as oito Recomendações Especiais relacionadas ao financiamento do terrorismo[12].

O terrorismo visto como crime pode e deve ter uma análise econômica. A abordagem econômica já vem sendo adotada para o estudo do fenômeno criminoso desde o trabalho *Crime and Punishment: an Economic Approach*, de Gary Becker[13], em 1968. Nesse sentido, há semelhanças entre o comportamento do terrorista e o comportamento do criminoso.

Convém destacar, portanto, que o comportamento do criminoso é motivado por fatores relacionados aos custos e benefícios de seu ato:

> Os benefícios consistem nos ganhos monetários e psicológicos proporcionados pelo crime. Por sua vez, os custos englobam a probabilidade de o indivíduo que comete o crime ser preso, as perdas de renda futura decorrentes do tempo em que estiver detido, os custos diretos do ato criminoso e os custos associados à reprovação moral do grupo e da comunidade em que vive.[14]

No caso do terrorismo, quais são os custos e quais os benefícios a serem mensurados pelas organizações que conduzem ou patrocinam essas ações? Considerando que o terror, desde que não afete a segurança nacional de um Estado (o que seria um ato de guerra), pode ser classificado como uma espécie de crime, apesar de um alcance e intensidade maiores, porque se dirige contra um Estado e não apenas contra indivíduos, também existirão ganhos que, apesar de não financeiros ou monetários, podem colocar a organização em vantagem, como aquisição de território, de poder político, de força social.

Como vantagens alcançadas com o terrorismo podem ser citados a arrecadação de fundos (para sua atividade), o aumento na oferta de pessoal para recrutamento, a conquista de território, a derrubada de governos, a obtenção de investimentos por parte de outras organizações (e até de governos) etc. Entretanto, nos atos de terror, os ganhos psicológicos são mais evidentes: atenção da mídia, a simpatia de grupos que se percebem oprimidos, o ganho de confiança e respeito dentro da própria organização ou entre outros grupos terroristas, a imposição de medo à população, o estabelecimento de condições para abertura de negociação com o governo.

A análise dos custos pode ter como elementos os gastos financeiros para o cometimento de atentados, a probabilidade de seus perpetradores serem presos ou mortos, a reprovação pela comunidade internacional ou pela opinião pública

---

[12] *Vide* capítulo anterior.
[13] BECKER, Gary. *Crime and punishment:* an economic approach. Columbia University, 1968.
[14] VIAPIANA, Luiz Tadeu. *Economia do crime. Uma explicação para a formação do criminoso*. Porto Alegre: AGE Assessoria Gráfica e Editorial Ltda., 2006, p. 37.

doméstica, o desprezo da sociedade pela organização, a clandestinidade, os gastos com propaganda e divulgação etc. Nesse sentido, é fundamental que, no combate ao terrorismo, o Estado tome medidas que aumentem significativamente os custos de um atentado ou de uma ação terrorista[15]. Exemplos dessas ações são a proteção de alvos potencialmente substitutos, aumento dos mecanismos de controle na área de segurança, diminuição da possibilidade de obtenção de recursos por estas organizações, redução das possibilidades de recrutamento etc. De grande importância, ademais, é o investimento em um aparato de inteligência que permita às instituições governamentais a prevenção contra essas ameaças, sua identificação e neutralização oportuna.

Pode-se, então, fazer a notação de uma função que correlaciona todos esses fatores, com base na expressão matemática desenvolvida por Viapiana[16] (Quadro 4.1):

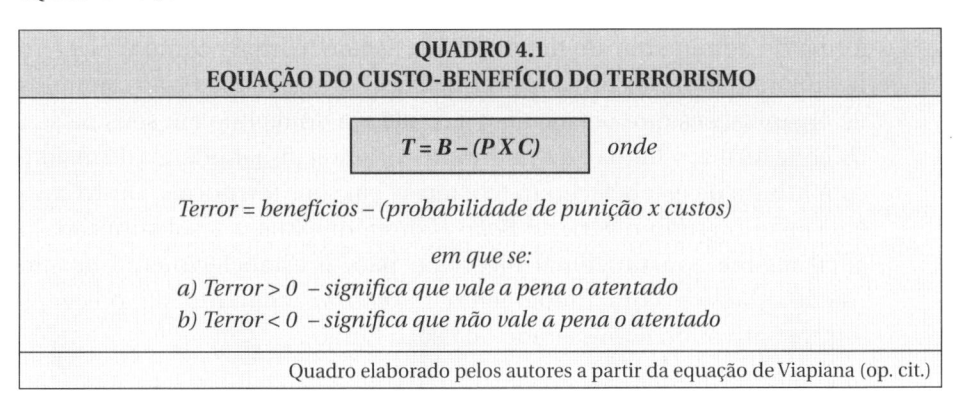

QUADRO 4.1
EQUAÇÃO DO CUSTO-BENEFÍCIO DO TERRORISMO

$$T = B - (P \times C)$$ onde

Terror = benefícios – (probabilidade de punição x custos)

em que se:
a) Terror > 0 – significa que vale a pena o atentado
b) Terror < 0 – significa que não vale a pena o atentado

Quadro elaborado pelos autores a partir da equação de Viapiana (op. cit.)

Logo, cabe ao Estado influenciar essa equação, reduzindo os benefícios e aumentando os custos com o intuito de desmotivar grupos terroristas a realizarem ações ilegais. Destaque-se que, tomando-se por base um dos fatores da equação apresentada, qual seja, a probabilidade de prisão, evidencia-se que quanto maior essa possibilidade, maior será o custo do crime. No caso do terrorismo suicida, por exemplo, nota-se que, uma vez que a probabilidade de prisão tende a zero, esse tipo de atentado mostra-se altamente eficiente, considerando que, de acordo com a fórmula, *terror = benefícios*. O suicida, portanto, não teria o prejuízo da prisão, mas somente o benefício do êxito da missão. Daí o amplo recurso a ações suicidas pelas organizações terroristas na atualidade.

Para a eficiência no combate ao terrorismo devem ser tomadas, assim, medidas que aumentem a probabilidade de prisão (ou outras formas de neutralização e resposta ao agressor) e, consequentemente, elevem o custo de um atentado terrorista. Exemplos, além dos já citados, compreendem investimentos

---
[15] BRAUER (2002), op. cit., p. 41
[16] VIAPIANA, op. cit., pp. 37-39.

em inteligência e segurança pública, como preparação dos policiais, aumento do efetivo das forças de segurança, compra de equipamentos, melhoria dos processos investigatórios, celeridade nos processos judiciais, agilização do Poder Judiciário, preparação do Ministério Público etc. De fato, as políticas de segurança devem ser mais custo-efetivas, maximizando custos e benefícios dos Estados e minimizando o dos grupos terroristas[17].

4.4. OBJETIVOS E ESTRATÉGIAS

Uma vez que o terrorismo envolve racionalidade em suas táticas, e que as ações terroristas não são perpetradas aleatoriamente, mas têm objetivos claros, quais são esses objetivos? Segundo Kydd e Walter[18], as organizações terroristas perseguem os seguintes objetivos políticos:

1. mudança do regime – substituição do governo com a alteração da forma de administrar de determinado Estado. Grupos como o *Sendero Luminoso* (Peru) e as Brigadas Vermelhas (Europa e Japão) são exemplos de organizações que perseguiam a mudança do regime em seus países. De certa forma, o Talibã e o *Daesh* também almejam a mudança do regime com intuito de estabelecerem teocracias em seus territórios. Outro caso é o violento grupo nigeriano *Boko Haram*, que busca a substituição do atual regime constitucional nigeriano para o estabelecimento de um Estado islâmico com fundamento na s*haria*, conjunto de preceitos interpretativos do livro sagrado do Islã, o Corão;

2. mudança territorial – separação de determinado território para a criação de novo ente estatal ou para anexação a outro Estado. O IRA e o ETA são exemplos de grupos que perseguiam esse objetivo. É também o caso do *Daesh* ou Estado Islâmico, que buscam a formação de um califado na região denominada Levante, que engloba a Jordânia, Israel, Palestina, Líbano, Chipre e uma pequena porção ao sul da Turquia;

3. mudança de política – tem-se por objetivo a alteração da política e da conduta de determinado Estado. Exemplo é a *Al Qaeda*, que busca modificar a política externa norte-americana no Oriente Médio. Esse grupo terrorista não admite a interferência dos EUA nas monarquias sauditas nem seu apoio ao Estado de Israel;

4. controle social – estabelecimento de controles, principalmente sobre determinados grupos sociais e, em menor grau, sobre um governo. Exemplos são a atuação do grupo racista *Klu Klux Klan*, que tenta

---
[17] GOLD, David. *Economics of terrorism.* New School University, 2004. Disponível em: <http://www.ciaonet.org/casestudy/God01/God01.pdf> (acesso em: 15 jan. 2013).
[18] KYDD, Andrew H.; WALTER, Barbara F. The strategies of terrorism. In: *International Security.* v. 31, nº 1 (*Summer* 2006), pp. 49-80.

controlar socialmente a população afro-americana dos EUA, e a conduta de grupos terroristas antiaborto, que assassinam médicos que praticam o aborto com o intuito de assustar e impedir que outros médicos façam procedimentos abortivos;

5. manutenção do *status quo* – o objetivo, nesse caso, é apoiar determinados governos ou grupos, impedindo qualquer mudança política no Estado. As Autodefesas Unidas da Colômbia (AUC) são um exemplo de organização com esse objetivo, promovendo o terror contra populações que apoiavam a mudança de regime naquele país. Especialmente no interior do território colombiano, as AUC, de viés ideológico de direita, atuavam de forma a causar medo e temor nas populações sob influência de grupos de matiz comunista, como as FARC.

É importante ressaltar que organizações terroristas podem ter mais de um objetivo, buscando muitas vezes não somente a mudança territorial, por exemplo, mas também a mudança do regime, como é o caso do ETA na Espanha. Atualmente, o Estado Islâmico ou *Daesh* também pode se inserir na categoria de grupo com mais de um objetivo, objetivando a mudança do regime no Levante, com o estabelecimento de sua teocracia ou califado, a mudança do território, com a agregação de áreas extensas sírias, iraquianas, jordanianas, israelenses e libanesas para a formação de seu Estado, assim como afastar a influência norte-americana na região. Outras almejam a mudança do regime e um controle social sobre determinadas populações. Não são excludentes esses objetivos, portanto, podendo haver mais de um na agenda política dos grupos terroristas.

Para alcançar seus objetivos, as organizações terroristas possuem estratégias, em que o terrorismo é uma tática que será usada para a consecução do desejado. Entre as estratégias utilizadas por esses grupos, Kydd e Walter[19] citam as seguintes:

1. **atrito** – tentam os terroristas mostrar ao governo constituído que possuem capacidade e força, pressionando a aceitação do que desejam. Dirigem-se ao governo de um Estado. Exemplo é a utilização de terroristas suicidas para causar medo à população e coagir as autoridades públicas;
2. **intimidação** – dirigida contra a população, com o fim de mostrar que o governo não pode protegê-la contra as ações terroristas. Ataques a delegacias e símbolos do poder do Estado realizados pela organização criminosa Primeiro Comando da Capital (PCC), em São Paulo, em maio de 2006, são exemplos dessa estratégia;
3. **provocação** – por intermédio de um atentado, um grupo pode causar reação exagerada do governo, colocando a população contra o Poder Público.

---
[19] Kidd e Walter, op. cit., p. 59-76.

Com os atentados de 11 de setembro de 2001, o governo dos EUA viu-se impelido a tomar medidas percebidas por muitos segmentos da sociedade e da opinião pública estadunidenses como exageradas e arbitrárias, angariando antipatia desses segmentos e severas críticas por parte de setores como as organizações de direitos humanos e a imprensa;

4. **sabotagem da paz** – estratégia que busca minar e destruir uma possibilidade de acordo com determinada facção ou grupo. A atuação do Hamas por ocasião dos acordos de Oslo, na década de 1990, seguia essa estratégia. Assim, sucessivos atentados contra alvos israelenses foram conduzidos por aquela organização durante as negociações dos acordos, o que impediu a paz entre Israel e a Autoridade Nacional Palestina[20]. A população israelense retirou o apoio ao governo do então Primeiro-Ministro Ehud Barak, que em seguida foi sucedido por Ariel Sharon, encerrando totalmente as negociações e o caminho para a paz na região;

5. **competição** – normalmente, quando existem dois ou mais grupos terroristas disputando determinado ganho político, há competição entre eles. Um dos grupos tenta, assim, superar a ação do outro para mostrar ao Poder Público e à sociedade que é mais forte. Na década de 1980, por exemplo, houve uma escalada de violência na Colômbia promovida pelas FARC, que tinham por objetivo mostrar que seriam mais fortes que o Exército de Libertação Nacional (ELN). Atualmente, é possível observar um choque de forças entre o *Daesh* e *Al Qaeda*[21], o que poderia significar um ajuste de poder na região, mas não se sucedeu o confronto, com a *Al Qaeda* aproveitando a propaganda e o foco mundial sobre o Estado Islâmico e decidindo diminuir suas operações neste momento.

4.5. CONCLUSÕES

O terrorismo possui causas, acontece dentro de uma lógica, e não compreende atos confusos e sem objetivos ou estratégias. De fato, terroristas seguem uma estratégia determinada por um comando superior com o fim de mudar a realidade segundo orientação ideológica específica. Os objetivos da organização terrorista são minuciosamente escolhidos dentro da estratégia proposta e o terrorismo é a tática para atingir alvos e alcançar tais objetivos. Daí a importância de que as autoridades públicas conheçam esse processo para poderem conduzir adequadamente suas atividades de antiterrorismo e de contraterrorismo.

---

[20] *Vide* <http://www2.dbd.puc-rio.br/pergamum/tesesabertas/0210612_06_cap_04.pdf> (acesso em: 10 jan. 2016).

[21] Excelente reportagem sobre o confronto político entre as duas organizações pode ser visto em <http://edition.cnn.com/2015/11/25/opinions/rogers-paris-attacks/> (acesso em: 02 jan. 2016).

O terrorismo não é uma conduta passional. É um delito pensado e estruturado de forma racional, como cada movimento em uma partida de xadrez. A resposta ao terrorismo deve levar em conta essa racionalidade e envolver:

1) o fortalecimento de possíveis alvos substitutos;
2) a decisão de não negociar com terroristas;
3) a manutenção da vigilância e a constante preparação para fazer frente à ameaça;
4) a melhoria na comunicação entre o Poder público e a mídia, reforçando-se o papel social dos órgãos envolvidos na divulgação de notícias;
5) o fomento a uma crescente cooperação internacional entre organismos de segurança e inteligência;
6) o bloqueio de recursos ou a inviabilização do uso destes por terroristas;
7) a mitigação de fatores que propiciem o recrutamento de novos terroristas (pobreza, fundamentalismo, intolerância, ódio);
8) o investimento em um aparato policial e de segurança especializado;
9) o estabelecimento de forças-tarefa e de iniciativas de cooperação entre os órgãos públicos e estes e instituições privadas voltados à prevenção e combate ao terrorismo;
10) o estímulo à pesquisa e desenvolvimento de conhecimento científico sobre o fenômeno do terrorismo, o que envolve parcerias com universidades e centros de pesquisa;
11) a conscientização da população e dos tomadores sobre o fenômeno e seus riscos, de modo que se perceba com mais clareza a ameaça;
12) o estabelecimento de legislação adequada que permita ao Estado prevenir, detectar, neutralizar, obstruir e combater o terrorismo;
13) a preparação, o treinamento e a capacitação continuada de profissionais das áreas de segurança e inteligência;
14) o estabelecimento de protocolos de resposta e de ações coordenadas para o caso de sinistros;
15) investimento maciço em inteligência.

O terrorismo é conduzido com base em cálculo de custo-benefício. Assim, é de suma importância que o Estado e a sociedade possam desenvolver medidas para aumentar os custos dos atentados e reduzir seus ganhos para os terroristas. A Economia pode ser uma arma poderosa na tomada de decisão em políticas de segurança pública e inteligência, em especial na prevenção e combate ao terrorismo, merecendo a devida atenção dos gestores públicos e políticos.

Capítulo 5

MICROANÁLISE DO TERRORISMO

> *As vítimas de um ataque terrorista são terceiros, observadores inocentes; não existe qualquer razão para atacar; qualquer outra pessoa, dentro de uma vasta classe de pessoas (sem qualquer relação entre elas), servirá [...] o terrorismo é aleatório, degradante, assustador. É esta a sua marca distintiva e é por isso que não pode ser defendido.*
>
> Michael Waltzer

A Microanálise diz respeito a como funciona uma organização terrorista, sua estrutura, a escolha de seus alvos, atuação, quais os instrumentos e táticas utilizados nos atentados e o porquê. Trata-se de uma verificação mais próxima do fenômeno terrorista, buscando conciliar o painel macro de condições, objetivos, causas do terrorismo com o real funcionamento de um organismo terrorista.

5.1. ESTRUTURA E ORGANIZAÇÃO

Assim como nas instituições legais, os grupos criminosos e os terroristas também possuem estrutura para atender adequadamente a seus propósitos e finalidades. Nesse sentido, há dois modelos clássicos de estruturação de organizações terroristas: o hierarquizado (tipo pirâmide); e o descentralizado ou em rede (*network*). De acordo com as necessidades e objetivos da organização, ela poderá optar por um modelo ou outro.

Durante muitos anos, a estrutura centralizada, com um comando que orientava as ações e ao qual segmentos da organização respondiam de forma hierárquica predominou, especialmente em entes voltados ao terrorismo doméstico e movimentos de libertação nacional. Não obstante, à medida que se internacionalizou o terrorismo, tendo objetivos e atuação mais abrangentes, transcendendo as fronteiras nacionais, a opção mais adequada a esses grupos foi a da descentralização, sob a forma de redes que não seguiam necessariamente a uma autoridade ou diretório central. Em ambos os casos, entretanto, é usual a forma de estruturação por meio de células. Assim, independentemente de qual modelo seja escolhido, existe um mínimo estrutural em comum entre as duas formas de organização: a célula.

5.2. A CÉLULA TERRORISTA

A Célula é a unidade básica da organização terrorista e atua em um nível tático. Normalmente é composta por um número de 3 a 10 indivíduos, que operam de forma mais ou menos independente do Comando, dependendo do tipo de estrutura (hierárquica ou em rede).

Aspecto importante da célula é o fato de que esta estrutura atende à necessidade de compartimentação das informações dentro de uma organização, dificultando aos adversários o acesso ao grupo. Pessoas que pertençam a uma célula, particularmente no modelo estruturado em rede, não conhecem ou pouco conhecem outras de células diferentes e não podem prover adversários com informações sobre o restante da organização. Claro que no modelo hierárquico, a estrutura celular não permite uma compartimentação elevada, aumentando a vulnerabilidade do grupo terrorista. Isso já é bem distinto de quando se opera em rede.

As células podem ser estruturadas em torno de indivíduos (famílias) e de entidades civis (empresas, organizações não governamentais, associações etc.). Os membros das células podem ser colegas de trabalho em uma lanchonete, em uma livraria, em uma lavanderia ou em uma empresa maior. Podem ser da mesma família. Podem, ainda, vincular-se a um clube, uma associação ou uma congregação religiosa, frequentando os mesmos lugares e compartindo as mesmas convicções ideológicas.

Toda célula deve ter um líder, responsável por comunicar-se com outras células e com o Comando. Na estrutura hierárquica, esse líder possui uma relação de comando com os membros de sua célula e de subordinação ao Comando central que, para efeitos deste livro, será chamado de Comando. No modelo em rede, porém, esse líder pode atuar de forma independente e estabelecer a missão e as tarefas aos membros, desde que em direção ao objetivo proposto pelo Comando.

Carlos Marighella, que escreveu em 1969 o *Minimanual do Guerrilheiro Urbano*[1], opúsculo de referência internacional para organizações terroristas, já citava a importância da célula (o grupo de fogo), pregando a sua independência e autonomia do Comando. A proposta de Marighella, em uma época em que predominava a estrutura centralizada, pode ser considerada uma previsão do êxito do modelo em rede para organizações terroristas:

> Para poder funcionar, o guerrilheiro urbano tem que estar organizado em pequenos grupos, dirigidos e coordenados por uma ou duas pessoas, isto é o que constitui um grupo de fogo.[2]

---

[1] MARIGHELLA, Carlos. *Minimanual do guerrilheiro urbano*. 1969. Disponível em: <http://www.marxists.org/portugues/marighella/1969/manual/> (acesso em: 10 jan. 2013).
[2] MARIGHELLA, op. cit.

Quando existem tarefas planejadas pelo comando estratégico, essas tarefas tomam preferência. Mas não há tal coisa com um grupo de fogo sem sua própria iniciativa. Por esta razão é essencial evitar qualquer rigidez na organização para permitir uma maior quantidade de iniciativa possível por parte do grupo de fogo. "O velho tipo de hierarquia, o estilo do esquerdista tradicional não existe em nossa organização", pregava Marighella[3].

Portanto, para se compreender a estrutura de uma organização, deve-se estar atento à célula, a qual pode trazer informações essenciais sobre o combate ao grupo, em especial sobre a eficiência dos métodos a serem desenvolvidos e a estrutura global adotada pelos terroristas. As células são, portanto, a estrutura básica de uma organização terrorista e consoante o modelo que esta adote, hierárquico ou em rede (descentralizado), aumenta-se o nível de segurança e probabilidade de não violação das demais células.

Finalmente, é interessante ainda constar que, a partir da década de 1990, com a maior capacidade policial de conhecer e intervir em grupos criminosos e terroristas, inicia-se uma tendência, ainda que suplementar, de aparecimento dos chamados "lobos solitários", que ainda serão estudados nesta obra. Eles operam sós, sem participação em células ou em uma estrutura mais elaborada, mas consoante a ideologia e a possível orientação do Comando, ainda que genérica e finalística.

5.3. A ESTRUTURA PIRAMIDAL OU HIERÁRQUICA

As organizações terroristas surgiram como forma de confrontar Estados e governos, muitas vezes com interesse em formar um contra-Estado, ou seja, derrubar o governo constituído e formar outro. Por esse motivo diversas organizações possuíam (e algumas ainda possuem) uma estrutura muito parecida com a dos governos que desejavam destituir.

Muitos grupos terroristas estruturaram-se como exércitos paralelos, com uniformes, armas, treinamento e disciplina bem parecidos aos dos exércitos estatais. Assim passou com IRA, com o ETA, com a FLN, com os Mau Mau, com as brigadas vermelhas, com a OLP e, na atualidade, com as FARC. Esse modelo teve grande guarita do comunismo, que com sua influência doutrinária e teórica construiu um modelo ideal de grupo insurgente – o de um exército vermelho. Por isso diversas organizações de esquerda adotaram essa estrutura (Figura 5.1).

As organizações terroristas que se estabelecem de maneira piramidal possuem estrutura paramilitar, ou seja, similar à dos militares, mas não pertencendo a nenhum Estado ou governo soberano. Nessa formação, há uma

---
[3] MARIGHELLA, op. cit.

cadeia de comando muito bem definida, desde o líder até o suporte. Informação e inteligência passam de cima para baixo e de baixo para cima, como em uma instituição militar. Existe o respeito à liderança imediatamente superior, identificada muitas vezes com símbolos, uniformes ou algo que demonstre uma "patente". Normalmente, há uma compartimentação da informação, segundo a hierarquia.

Ainda assim, apesar dessa compartimentação, há uma lógica hierárquica de conhecimento de informação que o Estado pode explorar. Ou seja, à medida que se conhece uma determinada célula, pode-se chegar à superior e assim por diante, como fez o exército francês para combater a FLN na Argélia (1954-1962).

As vantagens desse modelo hierárquico são:
- visibilidade do comando, o que muitas vezes determina grande propaganda e apoio (Che Guevara, Fidel Castro, Mao Tsé-Tung, Ho Chi Minh);
- melhor definição de objetivos, derivados do comando ou do líder;
- facilidade de arrecadar fundos;
- menor possibilidade de existência de ideologias fragmentárias;
- facilidade de comunicação;
- logística.

Entre as desvantagens, podemos citar:
- alta visibilidade, facilitando a ação de forças contraterroristas;
- possibilidade de interceptação de comunicações;
- vulnerabilidade do comando;
- facilidade de monitorar fundos e recursos.

Portanto, trata-se de modelo que foi muito utilizado no passado, em especial por grupos de esquerda que desejavam substituir o governo, motivo pelo qual possuíam uma organização similar à do Estado. Nessa época ainda não havia a perseguição ou guerra contra terroristas em nível mundial e muitos dos grupos mencionados eram vistos de forma romântica ou simpática. Diversos Estados apoiavam grupos terroristas e mantinham seu *status* internacional inabalado.

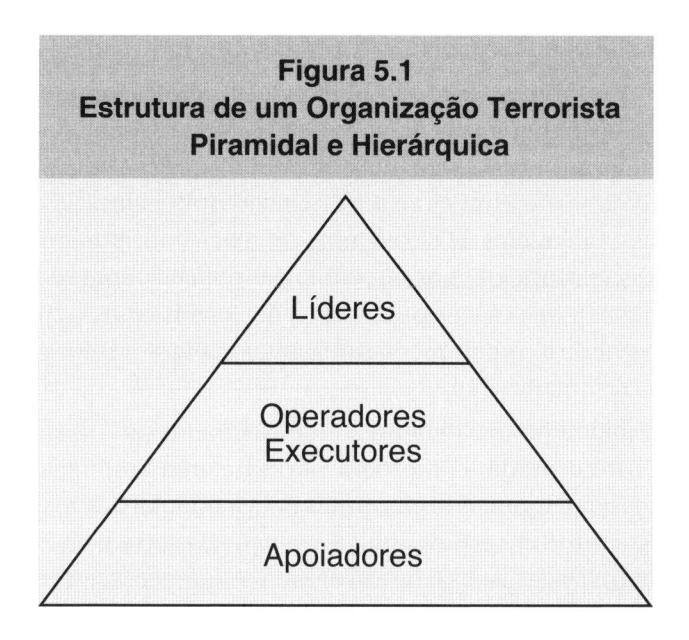

**Figura 5.1
Estrutura de um Organização Terrorista
Piramidal e Hierárquica**

- Líderes
- Operadores Executores
- Apoiadores

Atualmente, qualquer grupo terrorista é perseguido e qualquer Estado que o apoie está sujeito a sanções gigantes pela comunidade internacional, forçando a invisibilidade desses criminosos. Não se reconhece, na comunidade internacional, o "terrorista romântico" – faça-se a ressalva de que tudo envolve perspectiva política e propaganda, de modo que o talibã de hoje, terrorista para os EUA, foi considerado aliado e guerreiro da liberdade na década de 1980, quando combatia os soviéticos no Afeganistão. Ademais, muitas das milícias oposicionistas a Assad na Síria são vistas com bons olhos pelos ocidentais, como o foram os grupos que combateram o regime de Kadafi na Líbia, independentemente das práticas violentas que adotassem.

Ainda existem casos de estrutura piramidal e paramilitar operando na atualidade. Exemplo são as FARC, que se organizaram para melhor confrontar o exército colombiano, muito superior e com apoio internacional. Entretanto, mesmo as FARC tiveram que flexibilizar muito esse modelo, migrando provavelmente para uma estrutura mista, onde existe um forte comando e hierarquia, mas com descentralização de operação. Atualmente, mesmo tendo características de grupo paramilitar e atuando em células hierárquicas, as FARC são altamente descentralizadas, e o fazem com o intuito de dificultar a atuação da inteligência colombiana. De fato, não confrontam mais o governo colombiano com as configurações tradicionais de tropas, com igualdade de forças. Isso se deu no passado das FARC e, talvez por essa mudança estrutural, o grupo ainda tenha sobrevivido tanto.

5.4. A ESTRUTURA DESCENTRALIZADA OU EM REDE (*NETWORK*)

Nessa forma de organização há uma descentralização muito maior que no modelo piramidal, o que traz vantagens e desvantagens para o ente terrorista. O modelo em rede tornou-se muito popular após a queda da URSS, com perda do financiamento direto de Estados ao terrorismo e com a guerra ao terror lançada pelos EUA após os atentados de 11 setembro de 2001. Contribuíram também para a formação dessa estrutura as novas tecnologias policiais, como a interceptação das comunicações e as imagens por satélite, desequilibrando o "jogo" em favor do Estado e forçando as organizações terroristas a migrarem para novas formas menos visíveis de organização.

A necessidade de invisibilidade e de fragmentação da entidade, tanto para não ser interceptada, como para permitir uma ampliação da base de financiamento foram motivos importantes para a popularização do modelo em rede. Ademais, a estrutura acompanha a evolução da sociedade e a tendência a relações descentralizadas. Apesar de existir uma coordenação, esta é menos rígida que na forma hierárquica, com o intuito de agilizar e facilitar a atuação do grupo.

Note-se que, atualmente, há uma tendência crescente em diversas organizações (e até na própria sociedade) a se estruturarem de forma descentralizada. A estrutura social moderna permite manter as relações diretas, tradicionais, bem como vínculos indiretos e derivados da tecnologia, com a formação de verdadeiras redes de relacionamentos por meio de listas de endereços eletrônicos, WhatsApp, Twitter, Facebook, Linkedin. Também é possível mesmo se criar grupos privados em plataformas de jogos *on-line*, tudo isso com comunicação criptografada entre seus membros.

Os seres humanos da atualidade saímos da era da informação e entramos na era da conexão, na qual empresas, sociedade civil, governos e também organizações criminosas funcionam dentro das redes (sociais, culturais, econômicas, políticas etc.). Empresas como Google, Microsoft, Amazon, Facebook, Oracle, por exemplo, possuem uma organização similar a uma rede, o que permite que atuem em nível mundial por essa capacidade de descentralização, sem perda de foco no negócio.

Normalmente a estrutura em rede é adotada para grupos religiosos ou de temas únicos (antiaborto, antiglobalização, proteção de animais, proteção do meio ambiente etc.). A razão é que não há necessidade de visibilidade de comando ou de hierarquia como acontece no terrorismo separatista ou em grupos insurgentes (paramilitares). A Figura 5.2 ilustra a estrutura organizacional do grupo que cometeu os atentados de 11/09/2001[4].

---

[4] KOUZNETSOV, Alexander; TSVETOVAT, Maksim. *Social network analysis for startups*. O'Reilly Media, Inc., *2011*.

Figura 5.2 – Estrutura em Rede de uma Organização Terrorista
O Grupo que Cometeu os Atentados de 11/09/2001

Fonte: Kouznetsov & Tsvetovat. *Social Network Analysis for Startups* (op. cit.), adaptada pelos autores.

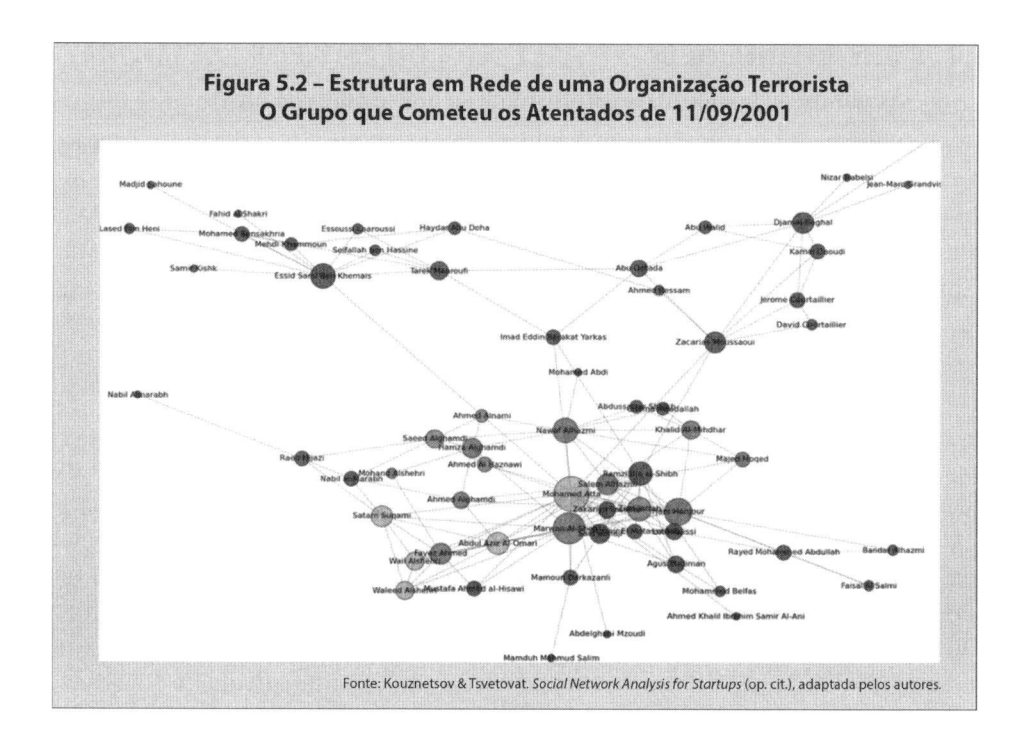

A estruturação em rede possui, como no modelo hierárquico, vantagens e desvantagens. As vantagens são:

- estrutura menos visível;
- dificuldade em se monitorar suas comunicações;
- dificuldade em se monitorar as transações financeiras, que muitas vezes podem acontecer de maneira informal através de doações, *zakats*[5], *hawala*[6] etc.;
- alcance amplo, muitas vezes global;
- possibilidade de atuar por muitos anos de forma quase imperceptível;
- dependência menor do Comando, o que dificulta a visibilidade do grupo por forças de segurança;
- dificuldade de infiltração pelo Estado e grande capacidade de compartimentação das informações;
- possibilidade de autofinanciamento de cada célula.

---

[5] Tributo religioso, doação ao mais pobre, considerada uma obrigação ao muçulmano. É impropriamente utilizada para transferir fundos de forma ilegal entre organizações terroristas.
[6] Transferência informal de fundos entre pessoas e organizações tendo como garantia a confiança nos operadores do sistema. É um mecanismo para transferir valores que não passa pelo sistema financeiro de um Estado.

E como desvantagens:
- a comunicação dentro de um sistema secreto é complicada;
- dificuldade de coordenação das atividades tendo em vista a descentralização;
- a garantia da disciplina interna;
- dificuldade em se evitar ideologias fragmentárias;
- logística para o desenvolvimento das operações;
- o treinamento e o financiamento também devem ser descentralizados, dificultando a padronização e a unidade de fontes de financiamento (há quem veja esses itens como vantagens, o que realmente pode ser verdade dependendo da situação).

Trabalho interessante sobre a estrutura organizacional em rede é o de Victoria Barber, intitulado "*The Evolution of Al Qaeda's Global Network and Al Qaeda Core's Position Within it: A Network Analysis*"[7]. Analisando a rede social da *Al Qaeda* entre 1996 e 2013, a autora observa mudanças significativas na organização à medida que se globalizava. De fato, observa Barber, a estrutura descentralizada da Al Qaeda fez com que a organização visse a afinidade ideológica dando lugar a outros tipos de preocupação (derrubada de governos, estabelecimento de governos islâmicos, luta contra os xiitas, nacionalismos etc.), em um contexto em que preocupações regionais se mostraram mais efetivas que ações em âmbito global. Com tantas "afiliadas" com propósitos específicos, a organização de Bin Laden acabou perdendo o controle sobre sua rede de terror.

5.5. SELEÇÃO DE ALVOS

Organizações terroristas escolhem os alvos segundo seus objetivos, sua estratégia, capacidade de gerar propaganda, recursos materiais e humanos à disposição, esforço antiterrorista do Estado-alvo. O alvo não é aleatório, merece toda a atenção da organização terrorista, pois será por intermédio dele que o grupo conseguirá ou não pressionar politicamente o Estado ou a sociedade.

A modernização e a urbanização, bem como a melhoria dos meios de transporte e de comunicação, transformaram a sociedade contemporânea em um supermercado de alvos para terroristas. A complexidade do mundo atual estabelece uma sociedade em que tudo é alvo, devendo o grupo de terror escolhê--los segundo diversos critérios, que serão mencionados a seguir.

Consoante o objetivo da organização, os alvos serão selecionados então visando a auxiliar o grupo a cumprir com seu papel, que pode ser:

---

[7] BARBER, Victoria. The evolution of Al Qaeda's global network and Al Qaeda core's position within it: a network analysis. *Perspectives on terrorism*. v. 9, nº 6, 2015.

- mudar o regime – o alvo deve refletir o esforço de mudança do governo. São atacadas instituições do governo, suas autoridades, mídia etc. Não se visará, a princípio, à população pelo fato de se desejar o apoio desta para a mudança do regime. Entretanto, exemplos existem de organizações terroristas que começaram a atacar a população com o fim de conseguir seu apoio pelo medo – intimidação, como o *Sendero Luminoso* no Peru;
- separar-se do território atual – o alvo será determinado para se atingir o governo, suas instituições e autoridades, bem como população de apoio ao governo instituído e contra dissidentes do próprio grupo. Muitos alvos do ETA na Espanha, do IRA na Irlanda do Norte e do PKK na Turquia são exemplos dessa opção;
- mudar a atuação política – o alvo também será o governo instituído ou a população de apoio, inclusive a mídia alinhada com o governo, como no caso do atentado de 2001 em Nova Iorque, em que *Al Qaeda* buscava também mudar o comportamento dos Estados Unidos em relação aos países muçulmanos;
- controlar socialmente determinado grupo – as ações são contra um grupo específico a ser controlado, como, por exemplo, minorias étnicas ou religiosas. Daí ataques contra negros, latinos, judeus etc. Exemplo são as ações da Ku Klux Klan nos EUA;
- manter o *status quo* – visará ao grupo insurgente, seus agentes e a população de apoio. O alvo serão quaisquer pessoas ou instituições que desejem a mudança política, inclusive mídia e partidos políticos. É o que aconteceu, por exemplo, nos atentados do Riocentro, em 30 de abril de 1981, e outros conduzidos por grupos de direita no Brasil no começo da década de 1980.

Não basta designar o alvo segundo determinado objetivo. Uma organização terrorista leva em consideração sua capacidade e os meios de atingir esse alvo. E, ainda quando tem capacidade, busca analisar se o alvo possui poder para neutralizá-la. Por isso, a escolha dos alvos pelas organizações terroristas também considera outros fatores, como a prospecção para estabelecimento de possibilidades de propaganda oriunda da destruição do alvo, a capacidade policial e militar do Estado protetor do alvo, os recursos financeiros e técnicos da organização, o possível suporte a eventuais grupos simpatizantes, entre outros.

Toda organização terrorista necessita disseminar suas ideias, promover seu grupo e sua ideologia. Terroristas precisam de propaganda para a difusão da causa e para reunir simpatizantes. A propaganda é o meio de divulgar ideias com o viés do comunicador, do terrorista, sem desejo de ser questionado. A propaganda é a autopublicidade, a divulgação da imagem sem questionamentos ou críticas.

A propaganda possui as seguintes funções em uma organização terrorista:
- motivar simpatizantes;
- coletar fundos;
- promover a ideologia;
- justificar os atos;
- gerar simpatia;
- polarizar a opinião pública;
- disseminar o medo;
- enfraquecer governos e governantes.

Para realizar essas funções, a propaganda, atualmente, encontra diversos meios, em razão da evolução da sociedade contemporânea, como a mídia de massa (rádio, TV, jornais), a internet (sites, blogs, redes sociais etc.), a literatura (panfletos, livros, áudios, DVDs etc.) e frentes políticas (associações, partidos etc.). No caso da mídia de massa, pode haver uma relação perversa entre um ente terrorista e os meios de comunicação. Estes, na ânsia de provocar a opinião pública com imagens ou notícias impactantes, podem acabar divulgando e promovendo aquelas organizações. Por isso, a mídia necessita atuar de forma responsável, seguindo alguns padrões éticos como:
- evitar fontes únicas;
- não promover o contexto, *background*, história do evento e da organização;
- não inflamar ou atuar com sensacionalismo junto à opinião pública;
- proteger identidades dos reféns, policiais e testemunhas;
- não servir de plataforma para as demandas terroristas;
- não participar como ator ou servir como negociador em um atentado ou evento terrorista;
- respeitar a privacidade de famílias das vítimas.

O respeito a esses comportamentos éticos servirá certamente à sociedade, que também é o fim da mídia de massa, colocando a informação em primeiro lugar, e não a manipulação.

No Brasil, ainda não há uma legislação que crie obrigações a uma mídia responsável. Talvez nem seja frutífera a existência dessa norma. Porém, os canais de comunicação precisam estabelecer padrões éticos e fiscalizar a si mesmos a fim de evitar que sejam utilizados por grupos terroristas (ou criminosos) em detrimento da sociedade.

A organização terrorista necessita de recursos. Por isso o Estado deve atentar que a escolha do alvo levará em conta fatores econômicos e financeiros. Assim, devem as autoridades saber se o grupo terrorista tem recursos para atacar o alvo. Dependendo do alvo, o custo do atentado pode ser gigantesco – atacar a Casa Branca, atacar uma usina nuclear, atacar uma base militar. Também há que se considerar o emprego de recursos humanos para a escolha do alvo. Existem alvos contra os quais são necessários terroristas suicidas, especialistas em explosivos, especialistas em informática, físicos, químicos. Logo, deve o Estado estar atento a essas restrições de recursos do ente terrorista, a fim de ser mais eficiente na escolha dos alvos a serem protegidos e dos recursos a serem empregados nessa proteção.

Por fim, a determinação do alvo também leva em conta a sua proteção pelo Estado. Existem governos que não se preocupam com a proteção dos alvos, o que os torna vulneráveis. Estados sem esforço antiterrorista proporcionam um aspecto essencial para a escolha do alvo: a diminuta possibilidade de se evitar um atentado contra determinada pessoa ou bem. Alvos não protegidos também reduzem os custos de um atentado, o que é essencial atualmente para o planejamento das ações por parte de uma organização terrorista.

Portanto, repita-se, a seleção do alvo não é aleatória. Obedece a uma lógica que leva em conta os objetivos da organização, seus recursos materiais e humanos, a propaganda a ser gerada e a existência de esforço anti e contraterrorista no Estado atacado. Esses elementos devem ser de conhecimento das forças policiais responsáveis pela análise e combate ao terrorismo.

No que concerne ao tema "escolha de alvos", é ainda essencial discorrer sobre a infraestrutura crítica dos Estados como um alvo recorrente das organizações terroristas. Infraestrutura crítica é toda estrutura física e virtual essencial para a defesa, a segurança, o bem-estar, a economia de um país. Exemplos são os meios de transporte, aeroportos, portos, redes de transmissão de energia, usinas hidrelétricas, usinas atômicas, redes de computadores e até os cientistas[8].

A proteção dessas estruturas merece atenção por parte dos governantes. É importante que se tenha em mente que qualquer dano às infraestruturas críticas terá efeitos significativos sobre a vida econômica, política e social de um país. No caso do Brasil, a alta exposição em razão de grandes eventos realizados na segunda década do século XXI pode fazer com que os brasileiros se vejam obrigados a testar seus sistemas de proteção e de resiliência das infraestruturas críticas. Convém destacar, a título ilustrativo, algumas ações que deveriam ser consideradas no Brasil para que o País tenha melhores condições de salvaguardar suas estruturas críticas:

- melhorar a coordenação entre a segurança pública e a privada – a segurança privada no Brasil e pelo mundo tem crescido de forma acelerada. É notório que

---

[8] USA President's Commission. *The Report of the President's Commission on Critical Infrastructure Protection*. Us Government, 1997, p. ix, disponível em: <https://www.fas.org/sgp/library/pccip.pdf> (acesso em: 11 jul. 2016).

o Estado não consegue garantir a segurança a todas as pessoas e empresas, logo a contratação de entes privados avança. Uma vez que empresas privadas de segurança acabam se mostrando importantes para a proteção dos recursos materiais e humanos brasileiros e suas infraestruturas críticas, convém que o Poder Público aperfeiçoe a coordenação e a troca de informações entres as forças públicas e as privadas;

- descentralizar a infraestrutura crítica – alguns sistemas críticos, como indústrias de base, tecnologia, estão muito centralizados na Região Sudeste do Brasil. Nações como os EUA vêm aos poucos deslocando, na medida do possível, essas estruturas para outros pontos do seu território;
- identificar quem detém parte da infraestrutura brasileira – é conhecido que algumas nações ou empresas estrangeiras estão comprando terras, empresas, usinas etc. no Brasil. Quem são esses compradores? Não se pode deixar que parte da infraestrutura brasileira se concentre nas mãos de outro governo[9].

5.6. TÁTICAS TERRORISTAS

Com o intuito de defender-se de um ataque terrorista, os organismos de segurança e inteligência do Estado devem ter conhecimento das táticas utilizadas pelas organizações terroristas. O que se pretende expor a seguir pode ser entendido como a tática dentro de uma tática, ou seja, meios e métodos empregados em um ato terrorista que, por sua vez, é uma tática de pressão política ilegal.

Segundo Bolz et al. (2002), em *The Counterterrorism Handbook: tactics, procedures and techiniques*[10], existem quatro importantes táticas utilizadas por terroristas, na seguinte ordem de frequência:

- explosões;
- assassinatos;
- sequestros;
- tomada de reféns em aeronaves, navios, trens etc.

A utilização de explosivos é a tática mais utilizada, chegando a quase 80% de toda a violência relacionada ao terrorismo no mundo. Bombas são populares, relativamente baratas e com alto potencial de lesividade, motivo pelo qual ainda são as preferidas por perpetradores do terror. É a tática favorita de grupos radicais islâmicos, especialmente pelo alto grau de mortalidade e tensão causado.

---

[9] Se um país chega ao ponto em que sua infraestrutura crítica fique em mãos de empresas estrangeiras, o governo central perde controle. Isso facilita a vida das organizações terroristas.
[10] BOLZ JR., Frank. *The counterterrorism handbook. Tactics, procedures and techniques*. CRC Press, 2ª ed., 2002, p. 30.

Diferentemente do uso de explosivos, assassinatos são mais seletivos. Visam a alvos simbólicos, como autoridades, representantes religiosos, artistas etc. São ações que desejam enviar uma mensagem ao Estado ou à sociedade. Foi a tática mais utilizada, por exemplo, pelo grupo ETA, que assassinou diversos representantes do Estado espanhol por 30 anos, entre os quais políticos, juízes, policiais etc. Sequestros também são seletivos, focando, como nos assassinatos, alvos simbólicos do Estado e da sociedade que se quer atingir. São ações que foram muito utilizadas pelas FARC, por exemplo, e por grupos de esquerda no Brasil e na Europa nas décadas de 1960 e 1970.

A tomada de reféns se difere dos sequestros pela não seletividade específica de determinada pessoa como alvo. Visa a um grupo de pessoas que porventura se encontrem a bordo do alvo selecionado, como um avião, um navio etc. Foi tática comum nas décadas de 1960 e 1970, conduzida por grupos radicais separatistas e revolucionários, com destaque, por exemplo, para a Organização para Libertação da Palestina (OLP), que promovia a tomada de reféns para chamar a atenção para a causa palestina.

O terrorismo suicida é, talvez, a forma mais agressiva e violenta de prática de terror. O que o diferencia das outras formas de terrorismo é a disposição do perpetrador em ceifar a própria vida em nome da causa. Por isso, o terror suicida intriga a sociedade mundial por sua lógica (ou falta de lógica) que beira a irracionalidade. A esse respeito, escreveu Robert Pape:

> O terrorismo suicida é agressivo, uma forma distinta de terrorismo. O objetivo não é simplesmente morrer, mas matar. O que distingue um terrorista suicida é que o atacante não espera sobreviver à missão e frequentemente emprega um método de ataque que requer a morte do atacante para ter sucesso (como um carro-bomba, um cinto de explosivos, ou fazer um veículo com explosivos bater num edifício). Em essência, um terrorista suicida mata outros ao mesmo tempo que se mata a si.[11]

O suicida atua de forma incompreensível para a maioria das pessoas, despojando a própria vida com o objetivo de acabar com muitas outras. Entretanto, o suicida opera sob a estratégia de determinada organização, agindo no sentido de auxiliar o plano do grupo. É apenas uma peça em um tabuleiro de xadrez, uma determinada tática dentro de uma guerra. Assim, é importante ter em mente que a lógica de um atentado suicida não é pessoal, individual, mas coletiva. Ainda sobre essa lógica, o elemento da coerção, a tentativa de compelir o governo-alvo a mudar de política, faz-se presente:

> Por princípio, os terroristas suicidas poderiam ser usados para objetivos demonstrativos, isto é, para demonstrar a determinação do grupo, ou poderiam

---

[11] PAPE, Robert A. Terrorismo suicida e democracia: o que aprendemos desde o 11 de setembro. In: BIRKE, Sarah et alii. Islão – guerras sem fim. Cadernos D. Quixote, nº 1. Lisboa: Dom Quixote, 2015, pp. 51-94, p. 58.

estar delimitados ao assassinato de alvos predeterminados. Contudo, na prática, os terroristas suicidas muitas vezes apenas procuram matar o maior número possível de pessoas. Esta característica é importante, porque se o terrorismo suicida fosse essencialmente uma tática usada para promover uma agenda religiosa, matar um grande número de pessoas do público-alvo seria uma forma improdutiva de atingir esta finalidade, porque iria alienar aqueles no público-alvo que poderiam simpatizar com a causa terrorista. Portanto, apesar do fato de ao matar um grande número de pessoas se maximizar a influência coercitiva que pode ser ganha através do terrorismo, esta influência é conseguida com um grande custo no que respeita à base de apoio dos terroristas. Assim, se a coerção é um elemento presente em todas as formas de terrorismo, no terrorismo suicida ela é o objetivo supremo[12].

Não obstante, vários pesquisadores encontraram uma lógica individual no atentado suicida. O agente, observou-se, muitas vezes é enganado, doutrinado no sentido de crer que encontrará uma situação utópica com seu ato, por exemplo, no caso de fundamentalistas islâmicos, uma vida de luxo e prazeres após a morte. Pode acontecer ainda que a família do suicida receba apoio financeiro como retribuição por seu sacrifício (no caso de alguns grupos do Oriente Médio, a família pode receber entre cinco mil e 20 mil dólares americanos como compensação pelo sacrifício do terrorista, o que pode significar uma vida melhor para os seus[13]). São fatores subjetivos e objetivos que influenciam a decisão de se matar.

O terrorismo suicida também tem encontrado campo cada vez mais fértil entre as mulheres. Muitas vezes estas não possuem outra saída além da imolação pessoal e de outros. No caso da Palestina, por exemplo, essas mulheres se veem largadas pelos maridos com os filhos, sem possibilidade de se sustentar, e retornam à casa de seus pais, onerando a família. São consideradas incompetentes, humilhadas, não podendo trabalhar porque nunca puderam estudar ou ter uma profissão. Esses fatores determinam de forma especial a decisão em cometer um atentado suicida, mudando o seu *status* de "uma desgraça para a família" para a de um "mártir". Determinadas sociedades podem sim contribuir para alocação de mulheres para o terror suicida.

O terrorismo suicida possui na visão destes autores os seguintes elementos que o caracterizam e o podem distinguir das demais táticas:

- disposição de matar outros;
- disposição em se matar.

E possui os seguintes fatores que o influenciam:

- fatores culturais – em algumas sociedades é caracterizado o terrorista suicida como mártir ou herói (os fundamentalistas islâmicos falam em um *shahid* ou mártir);

---

[12] PAPE (2015), op. cit., pp. 58-59.
[13] No caso em tela, o governo de Israel costuma, atuando na equação econômica do atentado terrorista, destruir a casa da família do terrorista suicida, tentando reduzir o ganho econômico daquela família.

- doutrinação – processo educativo ensinando a importância da causa aliado ao conforto espiritual ou carismático de um líder, por exemplo, um imã;
- fatores situacionais – se a alternativa ao suicídio é pior que o suicídio (prisão, tortura, banimento de um grupo, vergonha na família etc.);
- fatores de personalidade – raiva, ódio, tristeza, desespero podem ser fatores da personalidade de um terrorista suicida Outro fator que podemos considerar é o histórico de família desestruturada (independentemente de ser de origem humilde ou abastada).

Portanto, o que parece um ato de insanidade é, de fato, uma ação meticulosamente planejada por organizações terroristas. Não são atos religiosos, apesar de essas organizações apelarem para motivos religiosos a fim de convencer seus homens e mulheres-bomba a se imolarem. São atos políticos, com o objetivo de pressionar determinado governo ou sociedade a fazer ou deixar de fazer algo, justificados e levados a cabo por um processo de desumanização das possíveis vítimas, como observa John Horgan no livro *Psicologia del terrorismo*[14].

Segundo Robert Pape[15], entre 1980 e 2001 ocorreram 315 ataques suicidas no planeta, quase todos relacionados a alguma campanha de determinada organização terrorista. Desse total, somente 14 foram atos isolados de indivíduos. A conclusão é que o terrorista suicida faz parte de uma estratégia específica, e sua conduta está compreendida em táticas relacionadas a um plano maior de uma entidade terrorista. Do Marrocos ao Sri Lanka, passando pelo Golfo Pérsico, Índia e Turquia, e ainda em países tão diversos quanto a Rússia e os EUA, inúmeras nações já sofreram com esses atos, normalmente relacionados a um grupo político-religioso que deseja impor algo a um governo ou sociedade.

O terrorismo suicida é uma forma de terror eficiente[16]. O recurso a suicidas envolve a equação econômica já mencionada neste livro, tornando a possibilidade de prisão próxima a zero e ensejando custos a organizações que em verdade inexistem, pois estas prometem ganhos imateriais a seus membros. Raiz Hassan[17] assevera que o terrorismo suicida chega a matar doze vezes mais do que outras formas de terror, bem como, apesar de representar apenas 3,5% dos atentados, são os suicidas responsáveis por quase 30% das mortes derivadas de todas as formas de terrorismo. São formas eficientes para matar e assim já foram percebidas por diversas organizações terroristas.

---

[14] HORGAN, John. *Psicologia del terrorismo*. Gedisa Editorial, 2009, p. 185.
[15] PAPE, Robert A. The strategic logic of suicide terrorism. *American Political Science Review*. v. 97, nº 3, August 2003, pp. 343-361.
[16] Sem embargo, há posição controversa na doutrina, como Jibey ASTHAPPAN na obra *The effectiveness of suicide terrorism* (2010).
[17] THE SYDNEY MORNING HERALD. *Suicide Bombing is effective – so expect more*, reportagem publicada em 15 ago. 2007.

O combate ao terror deve buscar meios de reduzir o número de pessoas dispostas a se suicidar em nome de uma causa, por devoção ou adoração. O terrorismo busca aniquilar o inimigo, mas também busca ganhar apoio de pessoas que podem se tornar instrumentos de aniquilação. Por isso, é uma boa tática reduzir a disponibilidade de pessoas dispostas a tudo por uma causa, como por exemplo:

- retirando o altruísmo dos suicidas;
- reduzindo o suporte das massas para essas ações;
- interferindo na estrutura dessas organizações que utilizam o terrorismo suicida;
- possibilitando alternativas às pessoas recrutadas para essas ações;
- fortalecendo lideranças religiosas e ideológicas que não apoiam essa forma de combate;
- ajudando a reduzir as desigualdades sociais nesses locais de recrutamento;
- investindo em tecnologias de antiterrorismo.

5.7. A UTILIZAÇÃO DE ARMAS DE DESTRUIÇÃO EM MASSA

As armas de destruição em massa têm grande potencial letal, com alcance muito superior a armas convencionais. São capazes de matar e ferir muitas pessoas (podendo chegar a milhões), bem como destruir grandes estruturas físicas de um território. São as armas químicas, biológicas, radiológicas e nucleares. Podem trazer a destruição de milhares de vidas, motivo pelo qual a sociedade internacional tem atuado para monitorar Estados, organizações ou criminosos que possam dispor dessas armas ou de tecnologia para produzi-las.

A história recente mostrou que em alguns conflitos já foram utilizadas armas de destruição em massa contra civis, como na guerra entre Irã e Iraque (1980-1988)[18]. De fato, certos governantes nunca tiveram maiores restrições em utilizar armas químicas e biológicas contra minorias étnicas, inclusive com o apoio de grande parte da população, como no Iraque de Saddam Hussein. Também convém lembrar do atentado terrorista ocorrido no metrô de Tóquio, em 20 de março de 1995, quando foi utilizado o gás *sarin* pela organização Verdade Suprema (*Aum Shinrikyo*)[19].

---

[18] Guerra química. In: *BBC Brasil*, reportagem disponível em: <http://www.bbc.co.uk/portuguese/especial/1314_saddamsiraq2/page3.shtml> (acesso em: 28 jun. 2016).

[19] Japão condena à força mentor de ataque com gás no metrô. Reportagem disponível em: <http://g1.globo.com/Noticias/Mundo/0,,AA1273306-5602,00.html> (acesso em: 28 jun. 2016).

Os EUA possuem legislação e um Escritório de Alerta e Preparação Doméstica (*National Domestic Preparedness Office*) na estrutura do FBI[20], para o caso de ocorrência de atentados terroristas com o uso de armas de destruição em massa. O objetivo desse escritório é facilitar e coordenar os atos de diversas agências que estarão envolvidas no caso desses atentados, como detecção, proteção, análise, descontaminação, reconstrução etc.

No caso específico do Brasil, contar com a sorte significa informar a organizações terroristas que não se estará preparado, que o País é alvo fácil, e que o custo para um atentado em território brasileiro é muito menor do que nos EUA e Europa. Claro que atentados podem ocorrer antes, durante e, inclusive, depois de grandes eventos. O importante é estar preparado para fazer frente ao terrorismo.

Ainda em se tratando de preparação contra ações terroristas, convém observar que a "Doutrina Cheney" (*1% Doctrine*[21]) assevera que se há pouca chance de um ataque terrorista em determinado país, o Estado deverá se preparar como se o ataque fosse ocorrer. É importante que as autoridades brasileiras considerem essa perspectiva e dotem seu aparato de segurança e inteligência com condições para uma pronta reposta a ataques terroristas. É isso, ou amargar os ônus de ser pego despreparado.

5.8. CICLO DE UM ATAQUE TERRORISTA

O terrorismo é hoje e continuará sendo um problema de segurança doméstica e internacional, uma tática à disposição de grupos que desejam pressionar politicamente um ente estatal ou a sociedade internacional. Não importando se o grupo que pratica o terrorismo atua somente dentro do território de determinado Estado (PCC, CV, ETA, FARC, IRA etc.) ou globalmente (*Al Qaeda*), suas ações possuem em comum determinado ciclo: o "Ciclo de Ataque Terrorista".

O Ciclo de Ataque Terrorista envolve três etapas básicas (Figura 5.3):
1. a seleção do alvo;
2. o planejamento da ação; e
3. a execução do atentado.

Na primeira etapa do Ciclo, o grupo realiza a seleção de alvo (ou alvos). Normalmente esses alvos possuem um caráter simbólico que possa afetar a demanda política, como o Parlamento, parlamentares, juízes, tribunais,

---

[20] O FBI promove a formação de forças conjuntas, como se observa no sítio da internet da polícia americana <https://www.fbi.gov/about-us/investigate/terrorism/terrorism_jttfs> (acesso em: 15 jul. 2016).
[21] SUSKIND, Ron. *The one percent doctrine. Deep inside America's pursuit of its enemies since 9/11*. New York: Simon and Schuster, 2006.

delegacias, Ministério Público, empresas estratégicas, laboratórios etc. Os alvos podem ser móveis (como pessoas) ou estáticos, e sua seleção irá determinar o tipo de ataque (com explosivos, armas automáticas, sequestros etc.). É verdade que muitas organizações não possuem capacidade tão grande para selecionar alvos muito sensíveis e protegidos, de modo que a escolha levará em conta os meios de que dispõe a organização. Exemplo disso é a opção por atacar uma estação de metrô a uma base militar ou um edifício governamental.

A segunda etapa do Ciclo envolve o planejamento da ação. Como toda organização relativamente estruturada, há um planejamento com o intuito de minimizar erros e maximizar o emprego dos recursos. O planejamento envolve análise minuciosa do alvo, do ambiente operacional, das condições de segurança, dos recursos disponíveis e do orçamento para a ação, dos meios empregados (materiais e humanos) e do método utilizado. Geralmente, é uma etapa que exige tempo e análise acurada, bem como estruturação detalhada de cada ação da execução do atentado. Nessa fase, a orientação de uma organização-mãe ou um Comando se mostra necessária, seja com ordens diretas sobre como proceder, seja por treinamento da equipe, seja ainda por iniciativas de motivação e segurança. Considerações sobre que técnicas de inteligência serão empregadas (como vigilância, recrutamento e entrada) também são objeto da fase de planejamento.

A execução do atentado é a última etapa do Ciclo. É nesta fase que o Estado encontra a maior dificuldade de combate, especialmente se houve um bom planejamento por parte do grupo terrorista. A execução é a etapa ostensiva e nela se percebe todo o potencial ofensivo da ação terrorista e seus efeitos em termos de influência e atenção à causa. É nesta etapa também que o Estado pode levar vantagem, já que o desenvolvimento da ação terrorista se mostra de forma externa. A educação na segurança da população, ensinando as pessoas a observar fatos e eventos estranhos com a consequente informação a autoridades é uma das medidas simples que podem reduzir o sucesso na fase da execução. O uso de tecnologias de imagens, com a inserção de câmeras nas vias públicas e infraestruturas críticas também são outros meios à disposição das autoridades. O Estado não pode estar em todos os locais, todo tempo, por isso a sociedade e a tecnologia devem colaborar e contribuir com as autoridades estatais na prevenção contra um atentado.

Figura 5.3
O Ciclo de um Ataque Terrorista

- 1. Seleção do alvo
- 2. Planejamento da Ação
- 3. Execução do Atentado — Atentado
- 4. Reclamação da Autoria

PROPAGANDA

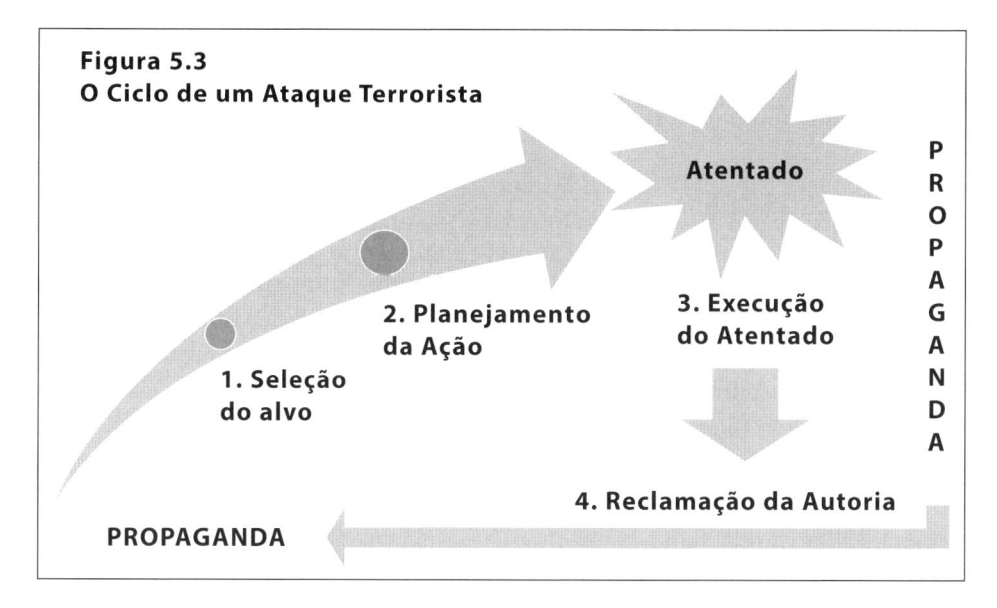

Praticamente, todo atentado terrorista, repita-se, segue o Ciclo aqui apresentado. Haveria ainda uma quarta etapa, após a execução, em que a organização "reclama a autoria" e faz uma avaliação da efetividade da ação – há situações, porém, em que ninguém reclama a autoria (são raras).

Pode ocorrer, dependendo dos objetivos da organização e do tipo de dano que se deseje causar, de se reclamar a autoria mesmo antes do atentado acontecer. Nesses casos, a organização terrorista pode "anunciar" que realizará um atentado, evitando danos desnecessários e indesejados (o que poderia prejudicar uma reinvindicação[22]). O anúncio antecipado pode também ter por objetivo prejudicar a ocorrência de determinado acontecimento (a ameaça de bomba para impedir a realização de um comício, por exemplo) ou, paradoxalmente, causar um dano ainda maior (aviso de que se vai cometer um atentado em determinado lugar, fazê--lo, e depois realizar outro enquanto as forças de resposta cuidam do primeiro).

Ademais, a "propaganda" é fundamental na última etapa e vai permear a fase preparatória no sentido de divulgação das organizações e suas ações para recrutar novos adeptos e planejar novos atentados. Sempre importante ter em mente que o terrorista busca a divulgação mais ampla possível de sua ação, e a mídia costuma ser um recurso interessante para que essas organizações promovam o terror junto a uma comunidade.

De toda maneira, diante do Ciclo, é fundamental que o Estado se mostre mais atuante na prevenção aos ataques, ou seja, agindo nas duas primeiras fases, sobretudo com o emprego dos recursos de Inteligência. Na última fase,

---

[22] Uma das práticas adotadas pelo ETA era avisar onde realizaria um atentado para que o local fosse evacuado. A ação seria desencadeada, danos causados, força demonstrada, mas vidas poupadas (evitando-se, com isso, aumentar a antipatia da opinião pública para a causa nacionalista basca).

pode haver maior dificuldade de atuação por parte dos órgãos de segurança e inteligência, tendo em vista que o ato se encontra em execução, com o risco de êxito do ataque aumentando consideravelmente.

5.9. CONCLUSÕES

O Brasil e o mundo já não podem mais ser indiferentes (e até mesmo inocentes) em relação ao fenômeno do terrorismo. Não podem nem ao menos alegar essa indiferença, pois o terrorismo há muito tempo já é uma realidade no campo internacional. Se existe a possibilidade de que algo saia errado, deve-se estar preparado para isso. Uma percepção comum entre as agências de *law enforcement* pelo planeta é que, se existe um por cento de chance de que um fato negativo venha a ocorrer, deve-se trabalhar como se realmente fosse ocorrer.

Atualmente, qualquer país pode ser alvo do terror – claro que determinadas regiões mais e outras menos, mas ninguém está livre desses eventos. O Brasil não é exceção. Contrariamente ao que alguns podem pregar, é um alvo em potencial (oportunidade pelos grandes eventos, politização de setores do crime organizado, projeção internacional nos setor político-econômico etc.) e essa negação e inação por parte do Estado corrobora para chamar a atenção de organizações terroristas para as facilidades em se obter propaganda para suas demandas em um país que não se prepara adequadamente e não tem a intenção de se preparar para combater essa forma de violência.

Assim, é necessário se estudar o funcionamento das organizações terroristas, sua estrutura, critérios de seleção de alvos, formas de financiamento, procedimentos de recrutamento, modo como atuam no campo de operações. Este capítulo, da Microanálise do Terror, trouxe essas informações, sendo direcionado a todos que desejam se aprofundar no tema e, especialmente, aos agentes estatais responsáveis pelo combate ao terror.

As estruturas selecionadas para a conformação de uma organização dependem de seus objetivos, de sua capacidade e, ainda, da habilidade do Estado-alvo em mitigar a ameaça ou neutralizá-la. Um ente terrorista se mostra de forma explícita (hierarquicamente) ou não (em rede), e a escolha de seus alvos decorrerá dessa estrutura e do objetivo da organização. Alvos estatais normalmente são escolhidos quando se quer combater o governo. Alvos privados, indiscriminados, são os preferidos de organizações que desejam pressionar a sociedade.

Finalmente, ao analisar o ciclo de um ataque terrorista, vimos que muito se sabe sobre a atuação desses grupos. Existe uma certa movimentação padronizada, como em qualquer atividade minimamente organizada, que passa pela escolha do alvo, pela preparação do atentado e pela sua execução. O combate ao terror deve buscar o conhecimento de como atuam essas organizações a fim de ser eficiente e eficaz.

Capítulo 6

PREVENÇÃO E RESPOSTA AO TERRORISMO

> *Terrorism has once again shown it is prepared deliberately to stop at nothing in creating human victims. An end must be put to this. As never before, it is vital to unite forces of the entire world community against terror.*
>
> Vladimir Putin

Diante da ameaça terrorista, existe uma certeza: essas agressões não podem ficar sem resposta. A forma como se dá essa resposta varia de país para país. Cada Estado desenvolve seus mecanismos próprios de resposta, uns dando mais ênfase ao emprego do aparato militar, lidando com o terrorismo como se estivessem em um contexto de guerra, outros respondendo ao terrorismo com a estruturação de sistemas policiais e de segurança pública, percebendo a questão como um problema criminal. Há, ainda, os que desenvolvem um modelo híbrido de resposta ao terrorismo[1].

Independentemente do modelo de resposta adotado, em todos os casos as ações devem tomar como referência três momentos distintos: (1) uma etapa anterior ao incidente terrorista; (2) uma etapa por ocasião do incidente; (3) a situação após o incidente terrorista. Enquanto na primeira fase, o conjunto de ações é entendido como "medidas de antiterrorismo", uma vez ocorrido um ataque ou atentado (ou mesmo a tentativa deles), passa-se a falar de ações de "contraterrorismo". Permeando todos esses momentos está a atividade de inteligência.

O objetivo do presente Capítulo é tratar das formas de resposta ao terrorismo. Serão primeiramente vistos alguns aspectos teóricos para, em seguida,

---

[1] A título de exemplo, o terrorismo tem ocupado grande espaço na agenda política norte-americana nos últimos 15 anos, com diversas agências de aplicação da lei para o combate ao terror. O modelo dos EUA de resposta é híbrido, com a participação das Forças Armadas e das forças de segurança interna no contraterrorismo. Nesse país, podemos perceber a distinção entre duas formas de resposta: por intermédio da guerra e por intermédio do sistema criminal comum.

ser proposto um modelo de Plano de Prevenção ao terrorismo no contexto de um Plano de Resposta. Observe-se que a adoção de um Plano de Resposta por parte dos órgãos estatais, mas também de entes privados, é de extrema importância, pois sem ele as organizações e pessoas se tornam tremendamente vulneráveis a um ataque terrorista e, uma vez ocorrido, estarão perdidas em lidar com os desdobramentos do atentado.

6.1. TERRORISMO E ESCALA DA VIOLÊNCIA

Na definição de terrorismo, a componente da violência (física ou psicológica, ou ameaça de violência) está sempre presente[2]. Mostra-se como uma forma de pressão extrema sobre a sociedade e sobre o Estado, com a utilização de meios ilegais e que extrapolam a moral de determinado grupo social.

Em uma escala de violência, em que se considere, de um lado, a criminalidade comum e, do outro, a forma mais extrema de violência, ou seja, a guerra, o terrorismo encontra-se no ponto médio. Isso é importante para se identificar que meios e métodos e que forças serão utilizados para se contrapor ao terrorismo. Afinal, crime se combate com polícia; guerra se combate com exércitos. Mas, e o terrorismo?

Conforme a Figura 6.1, na escala de violência de conflitos, o terrorismo situa-se, portanto, entre o crime e a guerra, motivo pelo qual distintos são os mecanismos adotados para a resposta. Se a ameaça terrorista for entendida como algo mais próximo da criminalidade, é natural que a tendência das autoridades públicas seja tratar o problema como crime. E quem tem competência para lidar com o crime são as polícias dentro de um sistema judicial que leve esses criminosos a julgamento e os puna.

O terrorismo também pode ser percebido como algo muito mais grave que qualquer delito, mesmo os mais hediondos. Aí o recurso se dá à força militar, como o emprego das Forças Armadas e táticas de guerra. Normalmente, nações utilizam este meio quando sofrem com o terrorismo internacional ou o terrorismo é empregado internamente por grupos insurgentes, em um cenário que beira a guerra civil, afetando de forma significativa a segurança interna e a estabilidade social e institucional.

---

[2] Relembre-se a ideia de que o terrorismo pode ser entendido como o uso da violência, ou da ameaça desta, por uma organização estruturada, de forma planejada, para alcançar fins políticos.

FIGURA 6.1
ESCALA DE VIOLÊNCIA E MECANISMOS DE RESPOSTAS

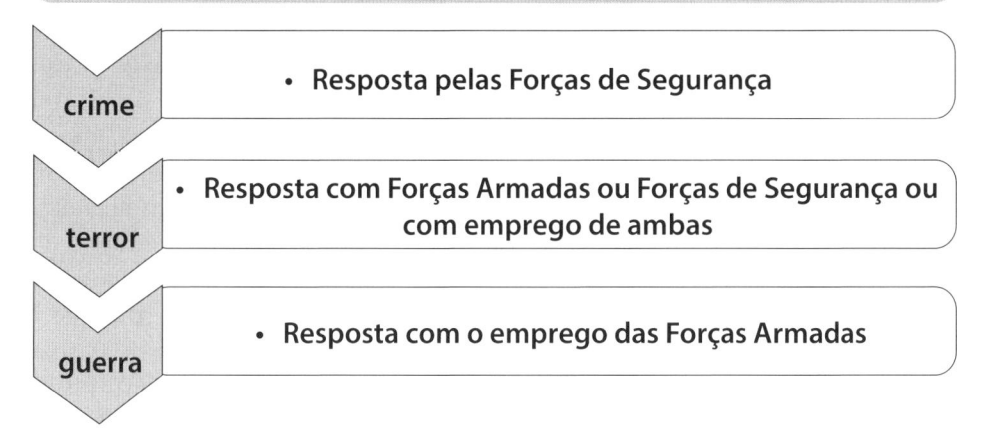

- crime → Resposta pelas Forças de Segurança
- terror → Resposta com Forças Armadas ou Forças de Segurança ou com emprego de ambas
- guerra → Resposta com o emprego das Forças Armadas

Assim, ao se analisar o grau de violência de diversos conflitos armados, posiciona-se o terrorismo exatamente entre o crime e a guerra. É mais complexo que a criminalidade comum (mesmo em contextos em que se tem forte atuação de organizações criminosas e bandos armados controlando determinadas regiões do território), a qual é combatida com o emprego das forças de segurança (particularmente as polícias). Não obstante, normalmente, encontra-se o terrorismo em etapa preliminar à guerra, ou seja, ao emprego generalizado da violência para o alcance de determinado fim.

Observe-se que a escala apresentada, entretanto, não é absoluta no que diz respeito à maneira como respondem os diferentes Estados à agressão terrorista. Pelo globo, há distintas formas de resposta ao terrorismo, desde a utilização do modelo de justiça criminal, que é aplicado aos fatos criminosos, até o modelo de guerra.

Portanto, de acordo com a escala de violência, há três modelos de resposta ao terrorismo:
- o modelo da guerra;
- o modelo da justiça criminal;
- o modelo misto.

Há países, então, que mantêm sistemas de resposta ao terrorismo com base tanto na utilização das Forças Armadas quanto das forças de segurança interna (modelo misto). Outros, normalmente nações com problemas domésticos, sem consequências que extravasam as fronteiras do seu território, nem que ameacem em grande medida a segurança nacional, utilizam o sistema da Justiça Criminal.

Há, ainda, nações com grande projeção no mundo, vítimas do terrorismo internacional, ou onde haja violação severa à segurança nacional, e que tendem a adotar o modelo da guerra na resposta ao terrorismo.

A resposta ao terrorismo está bastante relacionada, portanto, à maneira como a ameaça é percebida em cada Estado. Peter Sederberg[3] assinala três perspectivas distintas sobre o terrorismo. Um primeiro enfoque, de caráter militar, entende o terrorismo como um conjunto de medidas tomadas em um contexto de conflito armado, de modo que a resposta deve envolver o recurso às Forças Armadas e a meios e métodos de combate como se em uma guerra se estivesse, tendo como objetivo a vitória sobre o inimigo. Se o enfrentamento ocorrer dentro do território nacional, será privilegiado o que se chama neste livro de "modelo da guerra" para responder à ameaça terrorista – é o que a Colômbia tem feito com relação às FARC ou o recurso do Governo de Bashar Al Assad, na Síria, para lidar com os insurgentes. Se a luta contra o terror tiver caráter transnacional ou internacional, o Estado (sozinho ou associado a outros Estados e organizações internacionais) adotará medidas políticas e diplomáticas, inclusive com o uso da força, recorrendo a represálias, retaliações, preempção ou revide[4]. Exemplo disso foram as ações dos EUA no Afeganistão e no Iraque, após o 11 de setembro de 2001.

A segunda percepção assinalada por Sederberg entende o terrorismo como crime. Nesse caso, o enfrentamento se dará com o emprego do aparato de segurança pública, com a polícia ocupando um papel central. Adotar-se-á o que neste livro chamamos de "modelo da justiça criminal", por meio do qual se entende que medidas de longo prazo devem ser tomadas para lidar com o problema, tanto no que concerne à prevenção quanto em se tratando de resposta (por exemplo, com a abertura de inquérito policial e processo criminal para tratar dos delitos de terrorismo). Nesse sentido, convém ter claro que o terrorismo, assim como a criminalidade, dificilmente pode ser extirpado em definitivo, devendo as autoridades públicas se preocupar em diminuir as possibilidades de sua ocorrência, antecipando-se a elas e, uma vez ocorrido, atuar com vistas a punir os culpados e permitir à sociedade continuar suas atividades quotidianas.

Como terceiro enfoque do terrorismo, tem-se a consideração do fenômeno como uma doença, em que devem ser entendidos suas causas e sintomas para que se proponha adequado tratamento a elas. De certo modo, é o que se buscou fazer nos capítulos anteriores deste livro: apresentar um diagnóstico do terrorismo, fazendo uma macroanálise e uma microanálise do fenômeno.

---

[3] SEDERBERG, Peter C. Global terrorism: problems of challenge and response. In: Charles W. Kegley Jr. (ed.), *The new global terrorism:* characteristics, causes, controls. Upper Saddle River, NJ: Prentice Hall, 2003, pp. 267-284.
[4] Foge ao escopo desta obra tratar desses modelos de resposta. Sobre o assunto, *vide* Sederberg (op. cit.) e Degaut (op. cit.).

Ao comentar Sederberg, Degaut observa que as três perspectivas não são mutuamente excludentes e que, de fato, "representam pontos de vista dominantes acerca da natureza do fenômeno, os quais darão origem às distintas formas e estratégias para combatê-los"[5]. Nesse sentido, observamos que o objetivo deste capítulo é tratar de mecanismos para fazer frente ao terrorismo em um contexto que não é o de guerra, de modo que serão feitos breves comentários a respeito desta forma de resposta, passando-se, em seguida, ao combate ao terrorismo dentro de um sistema de segurança de país que não esteja em guerra. Vale lembrar, entretanto, que, em todos os contextos, o emprego da inteligência é fundamental para a resposta mais efetiva ao terror. Reiteramos, ainda, que a ênfase deste livro é em medidas de prevenção, com a resposta e o combate propriamente ditos sendo objeto de publicação futura.

6.2. O MODELO DA GUERRA

A guerra é a forma mais extrema de uso da violência nas relações humanas. Trata-se, de fato, da prática mais ancestral da humanidade, daí alguns entenderem que a guerra faz parte da natureza humana e, para alguns estudiosos do assunto, um fenômeno de extrema importância para o desenvolvimento da civilização[6]. Não se pretende aqui tecer maiores considerações sobre o fenômeno da guerra, cuja definição não é unívoca e pode ser estudada sob diferentes perspectivas (política, militar, sociológica, histórica, internacionalista, jurídica, psicológica, antropológica etc.).

Norberto Bobbio *et alii* citam Wright ao definir a guerra como "um violento contato de entidades distintas, mas semelhantes", e Bouthoul, segundo o qual pode ser entendida como "luta armada cruenta entre grupos organizados"[7]. Característica importante da guerra é o recurso à força armada.

Em última instância, pode o terrorismo ser combatido por um modelo de resposta caracterizado pela guerra. Neste, as Forças Armadas de um Estado possuem o papel dominante no combate ao terror: não só comandam as operações como empregam suas tropas diretamente como forças combatentes. Considerando a força da resposta a ser dada neste modelo, sua utilização pode ocorrer em alguns casos:

- quando os terroristas possuem armamento muito superior às forças policiais, inclusive armas de destruição em massa;
- quando a polícia é inapta, incapaz de combater a ameaça;

---

[5] Degaut, op. cit..
[6] Considerações muito interessantes são feitas por Ian MORRIS em *Guerra! Para que serve? O papel do conflito na civilização, dos primatas aos robôs* (Lisboa: Bertrand Editora, 2016. Há uma edição brasileira, lançada também em 2016 pela Editora Leya e com o título *Guerra. O Horror da Guerra e seu legado para a humanidade*).
[7] BOBBIO, Norberto; MATTEUCCI, Nicola; PASQUINO, Gianfranco. *Dicionário de Política*, 3ª ed. Brasília: Ed. UnB, 1991, v. I, pp. 571-577.

- quando o evento terrorista é patrocinado ou apoiado por um Estado estrangeiro.

Levando-se em consideração a força da resposta, este modelo possui vários riscos, entre eles a possibilidade de a reação ser excessiva, de ocorrerem violações a direitos humanos, do estabelecimento de um estado de exceção constitucional. Ademais, em razão do nível de estresse a que é submetida a sociedade e dos danos causados pela ameaça terrorista, bem como pela fragilidade político-institucional do país, são grandes os riscos de polarização da sociedade, do incremento de ressentimentos sociais e, em última instância, do estabelecimento de regimes de exceção.

Como vantagens deste modelo, é possível citar o forte apoio popular (a guerra une uma nação), o apoio da mídia (pelo menos no início), a robustez na resposta por parte do Estado, o abrandamento da coragem de outros grupos e o enfraquecimento de lideranças terroristas. Entretanto, há que se questionar se esses benefícios são justificativa para medidas tão severas que possam ameaçar direitos fundamentais e a própria existência do Estado democrático de direito. A experiência internacional demonstra que as vezes em que o aparato militar foi empregado no combate ao terrorismo no âmbito interno de um Estado, as consequências foram severas para a ordem constitucional e para os direitos humanos.

Claro que, quando a ameaça terrorista é externa ou transnacional, os Estados podem acabar optando pelo recurso ao modelo da guerra, tanto com retaliações, revides, preempções e represálias contra organizações terroristas (e também Estados que as subsidiem) quanto com ações militares em seu próprio território ou em áreas sob ocupação. Exemplo são as iniciativas de Israel em resposta a ataques feitos pelo Hezbollah a partir do Líbano (que envolvem mesmo operações militares de invasão do território libanês), e o controle militar norte-americano no Iraque após a queda de Saddam Hussein.

Assim, o recurso às Forças Armadas no combate ao terrorismo constitui forma extrema de reação e deve ser empreendido somente em último caso, quando há o perigo de desaparecimento do Estado pela força das ações terroristas. A resposta militar ao terror deve ser, portanto, a última linha de defesa de um país e seu emprego deve-se dar sob os mais rígidos controles.

6.3. O MODELO DA JUSTIÇA CRIMINAL

As Forças Armadas permanecem, naturalmente, como último recurso de emprego contra o terrorismo no território nacional e como garantia da segurança doméstica diante de ameaças de proporções contra as quais o aparato de segurança pública não possa fazer frente. São elas a última linha de defesa da democracia, quando há crise aguda das instituições e o perigo de desaparecimento do Estado[8]. Não devem ser utilizadas, portanto, a todo o momento.

Assim, o sistema de defesa nacional pode participar da resposta ao terrorismo em casos extremos, quando a polícia for inapta e ineficaz no combate aos grupos terroristas, bem como quando há a participação de Estados estrangeiros nos atentados[9]. Em outras situações, as autoridades de segurança (particularmente o aparato policial) é que devem ser acionadas: é o que denominamos aqui de "Modelo da Justiça Criminal".

No modelo da justiça criminal, ao contrário do modelo da guerra, o objetivo é deter, julgar os terroristas e puni-los como criminosos de alta monta. É uma forma de combate que utiliza a força policial e o aparato de segurança e de persecução penal do Estado, desde a fase de prevenção do delito até a repressão (prisão e julgamento). A investigação criminal para identificar a autoria e a materialidade dos delitos relacionados ao terrorismo também é parte deste modelo.

É função dos organismos policiais (preventivos e repressivos) o combate ao terrorismo no modelo da justiça criminal. Por isso, devem as polícias estar preparadas para atuar, necessitando de especialistas em armas e explosivos, negociadores com conhecimento especializado (por exemplo, em relações internacionais, cultura, religião), relações com a mídia, equipe com psicólogos, intérpretes, polícia científica especializada e equipada etc. Além disso, uma estrutura de inteligência policial e de segurança pública é fundamental, a qual deve operar com os órgãos de inteligência estratégica – tanto de inteligência externa quanto de inteligência interna.

As vantagens deste modelo são várias. É o modelo tradicional de combate ao crime, já utilizado na sociedade contemporânea, evitando regimes ou estados de exceção (que podem ocorrer no modelo da guerra). Nesta forma de combate, há a atenção especial e a preocupação constante em se operar estritamente de acordo com princípios balizadores do Estado democrático, como respeito a direitos humanos, controle, transparência, legalidade e defesa incondicional da democracia e do Estado de direito. Também, pela atuação da polícia e do sistema de investigação e de justiça criminal, há a ênfase da ideia de que os terroristas são

---

[8] Exemplo disso foi o estado de emergência estabelecido na França em razão dos ataques terroristas em Paris no dia 13 de novembro de 2015. No caso, dez mil homens das Forças Armadas francesas foram mobilizados para atuar no território da França metropolitana. Os militares também foram acionados em Oslo quando, em 22 de julho de 2011, o terrorista norueguês Anders Behring Breivik explodiu um carro bomba no centro da cidade e atirou contra pessoas na ilha de Utøya, resultando em 77 mortos.

[9] Outro caso em que há a necessidade de intervenção das Forças Armadas é aquele cenário em que há a utilização de armas de destruição em massa.

criminosos, retirando a visão romântica que pode haver no modelo de guerra – em que terroristas se identificam, muitas vezes, com "combatentes da liberdade".

Portanto, é o modelo de justiça criminal o mais recomendável a ser utilizado em sociedades democráticas, por evitar o uso de medidas de exceção. É este o modelo que o Brasil adotou em sua legislação antiterror, reforçando o papel das autoridades policiais no combate ao terrorismo. No que concerne ao Departamento de Polícia Federal, o órgão já dispõe, em sua estrutura, da Divisão de Antiterrorismo (DAT), que desempenha de forma hercúlea seu trabalho, merecendo mais recursos e a confiança das autoridades para o incremento de suas ações. Algumas polícias estaduais (tanto civis quanto militares) também têm organizado unidades antiterror. Registre-se, ademais, o Departamento de Contraterrorismo da Agência Brasileira de Inteligência (Abin) que, apesar do nome, tem como missão reunir dados e produzir conhecimento para assessorar o Presidente da República e cooperar com os demais órgãos do Sistema Brasileiro de Inteligência (Sisbin) com inteligência para a antecipação da ameaça terrorista[10].

6.4. O MODELO MISTO

Como assinalado no próprio nome, o Modelo Misto emprega tanto forças de segurança do Estado (com destaque para o aparato policial), quanto as Forças Armadas. Esse emprego varia tanto no tempo quanto em razão da intensidade da ameaça terrorista e, ainda, conforme a orientação política do governo estabelecido. Ademais, nesse tipo de situação, é importante ter claro qual a função de cada segmento estatal, os mecanismos de cooperação entre eles e, sobretudo, a cadeia de comando no sistema.

Se não for bem estruturado, o modelo misto pode levar ao cometimento, por parte dos agentes estatais, de arbitrariedades e violações a direitos fundamentais. Além disso, não havendo clareza sobre a missão específica de cada órgão, pode ocorrer choque entre eles, chegando-se, inclusive, ao chamado "fogo amigo" ou a não cumprimento de ordens emanadas de autoridades não reconhecidas pelos distintos grupos.

Nas sociedades democráticas, é bastante complexa a adoção do modelo misto por tempo prolongado. Afinal, as Forças Armadas só devem ser empregadas no âmbito interno em situações excepcionais (com áreas de emprego e períodos definidos, tarefas bem delimitadas e um mandato estabelecido pela autoridade civil). Na França, por exemplo, em razão dos atentados de 2015 e 2016, as Forças Armadas foram acionadas para atuar dentro do território francês, mas em um contexto de declarado "estado de emergência ou exceção", com regras

---

[10] Sobre o SISBIN e a ABIN, bem como o emprego da inteligência no Brasil, vide, de Joanisval Brito Gonçalves, *Atividade de Inteligência e Legislação Correlata*, 4ª edição (Niterói: Impetus, 2016).

específicas para essa atuação. Em regimes autoritários, por outro lado, é comum a confusão entre a missão das autoridades policiais e das forças militares: em última instância, ambas existem para controlar e reprimir as pessoas dentro do território (sobretudo os oponentes ao regime).

6.5. DEMOCRACIA E COMBATE AO TERROR

São inquestionáveis as vantagens do regime democrático para as sociedades contemporâneas. Entretanto, a democracia possui vulnerabilidades[11], sobretudo quando entra em cena a dicotomia liberdade *versus* segurança. É fundamental que se conheça e se entenda sobre essas vulnerabilidades, de modo a preservar a democracia e aperfeiçoar suas instituições.

Democracia, nas palavras de Amanda Jacoby[12], significa "abertura, respeito pelos direitos individuais e liberdades, bem como obediência à regra da lei". Já Ekaterina Lapshina destaca que, no regime democrático, estão inseridos valores como "soberania do povo, regra da maioria, direitos protetores das minorias, igualdade diante da lei, limites constitucionais impostos aos governos e liberdades civis"[13].

O regime democrático requer, portanto, a prevalência do estado de direito, com um governo que respeite as regras estabelecidas a todos, e que atue dentro de limites legais. Consoante o professor Elias Diaz, o estado de direito necessita da obediência às leis pelo próprio Estado, bem como a separação de Poderes – de modo que seja possível o controle independente de um sobre o outro (*checks and balances*) –, e uma carta de direitos fundamentais protetora do direito das minorias[14].

Importante assinalar, também, que o conceito de democracia não é unívoco, e que democracia pode ter diversos entendimentos. O que para a sociedade ocidental é um regime democrático, pode não o ser para outras sociedades e vice-versa[15]. Entretanto, esse relativismo (que, para alguns autores, deveria ser somente cultural, não político-jurídico) necessita de limites e, atualmente, há consenso na utilização do termo "democracia" para designar os regimes em que estão presentes determinadas características: alternância no Poder pelos governantes eleitos pelo povo; sufrágio universal e voto direto e

---

[11] LAPSHINA, Ekaterina. The vulnerability of democracies. In: *Foresight*. v. 6, issue 4, pp. 218-222.
[12] JACOBY, Tami Amanda. Terrorism versus liberal democracy: Canadian democracy and the campaign against global terrorism. In: *Canadian Foreign Policy*, Spring 2004; 11,3.
[13] LAPSHINA, op. cit., pp. 218-222.
[14] DIAZ, Elias. *Estado de derecho y sociedad democratica*. Ed. Taurus, Madrid, 1998, pp. 44-56.
[15] O século XX testemunhou o debate sobre distintas percepções de democracia, com, por exemplo, os países ocidentais entendendo como elemento fundamental a primazia do indivíduo e as nações ditas socialista defendendo que essa primazia deveria ser da coletividade.

secreto; divisão de poderes e a existência de uma carta de direitos fundamentais que garanta ao cidadão a proteção efetiva a seus direitos[16].

Berkowitz[17], ao analisar os argumentos do jurista Ronald Dworkin, na obra *Is democracy possible here? Principles for a new political debate*, destaca a fragilidade dos regimes democráticos baseados numa definição simplista do termo como, apenas, "vontade da maioria", deixando de lado o fato que essas decisões da maioria devem estar de acordo com princípios morais e de razoabilidade da sociedade. Esta tese reforça a definição proposta por Gilmar Mendes[18], segundo a qual a democracia deve ter entre seus componentes o respeito a direitos fundamentais inalienáveis e intocáveis, ainda que pela maioria[19].

As peculiaridades do regime democrático influenciam o comportamento dos indivíduos e, naturalmente, dos grupos terroristas. São princípios que moldam a sociedade ocidental, protegem cidadãos, estabelecem uma imprensa livre, garantem liberdade às pessoas em sua vida quotidiana, permitem o livre acesso à informação. Entretanto, essas vantagens inegociáveis da democracia podem beneficiar também organizações criminosas, permitindo-lhes maior permeabilidade nas estruturas sociais e econômicas e liberdade para agir (quando há fragilidade dos mecanismos de imposição da lei), proporcionando vantagens comparativas em relação a outros regimes[20].

Em um Estado que garante a liberdade e respeita direitos fundamentais, há o ambiente propício para o estabelecimento de comportamentos racionais por parte de grupos terroristas. Estes analisarão se é vantajoso ou não promover ações ilegais, se seus atos terão a divulgação necessária pelos meios de comunicação, se existirá facilidade no recrutamento de membros, se serão estabelecidos canais de negociação com o governo, se haverá repercussão internacional acerca de suas ações. Os terroristas considerarão, ainda, quais as dificuldades legais que os organismos estatais de segurança enfrentariam ao lidar com o terror, e levarão em conta se o excesso de mecanismos judiciais de proteção dos indivíduos pode favorecê-los. Esses são apenas exemplos de variáveis presentes nos cálculos de organizações terroristas que planejem executar atentados em países democráticos.

---

[16] MENDES, Gilmar Ferreira et al. *Curso de direito constitucional*. Ed. Saraiva, 2ª ed. 2008.
[17] BERKOWITZ, Peter. Liberal liberalism. In: *First Things*, April 2007, p. 50.
[18] MENDES, op. cit.
[19] A proteção aos direitos humanos é fundamental em um regime democrático. Essa garantia surge com a transição do Estado absoluto para o Estado liberal pós-Revolução Francesa, em que os indivíduos passaram a ter direitos frente ao Estado.
[20] Inquestionável que, em regimes autoritários estabelecidos, os índices de criminalidades são mais baixos que em democracias com níveis semelhantes de desenvolvimento. A título de exemplo, o único regime que conseguiu reprimir com eficácia a máfia italiana até o advento da "operação mãos-limpas" foi exatamente o regime fascista comandado por Benito Mussolini.

O terrorismo explora, portanto, alguns dilemas do regime democrático, especialmente a necessidade de equilíbrio entre a proteção existente a direitos e liberdades individuais e a imposição de restrições a direitos por motivos de segurança. Parece haver um conflito em que as democracias se vejam obrigadas a enfrentar com rigor, mas sem desconsiderar a necessidade e a obrigação do Estado em protegerem aqueles que estão em seu território e seus nacionais do exterior, mas sempre respeitando os direitos individuais conquistados nos últimos 200 anos.

Mas, e se, diante de uma situação de extrema gravidade, a necessidade de segurança se sobrepuser a um direito individual? A "guerra ao terror" (*War on Terror*), anunciada e conduzida pelo Governo de George Walker Bush em resposta aos atentados de 11 de setembro de 2001, seguramente levou a sociedade norte-americana a enfrentar esse dilema. Com o "Ato Patriótico" (*Patriot Act*), a legislação adotada para a "guerra ao terror", medidas extremas de supressão de liberdades civis foram adotadas, "afetaram o *status* norte-americano de democracia e enfraqueceram este modelo".[21]

Kenneth Anderson[22] destaca que o combate ao terrorismo encontra vicissitudes na democracia estadunidense por causa de dificuldades na relação entre os Poderes e o excesso de mecanismos de proteção aos cidadãos, que devem ser mitigados ou flexibilizados nos casos de terroristas. Jacoby[23], por sua vez, ao analisar o caso da democracia canadense, ressalta que o combate ao terrorismo é diferente nos Estados democráticos e não democráticos: o uso da força naqueles Estados é muito mais controlado nas democracias que nos regimes não democráticos.

De fato, a própria essência do regime democrático lhe impõe limites ao lidar com o terrorismo, sobretudo no que diz respeito à intensidade da resposta a uma agressão terrorista. São limites morais e legais e que, se forem desconsiderados, podem macular o próprio sistema democrático. A esse respeito, assinala Degaut:

> Medidas extremas como a utilização de polícias secretas, supressão dos direitos à liberdade de circulação, expressão e de reunião podem ser relativamente eficazes, mas são polêmicas e de difícil aceitação em democracias, sobretudo em locais onde a ameaça terrorista não é constante, mas esporádica. Considerando-se que avaliar a gravidade da ameaça terrorista envolve determinado grau de subjetividade, assim como todo julgamento humano, as sociedades democráticas se deparam com o problema de como justificar moralmente contramedidas para conter atrocidades terroristas, sem violar os próprios princípios elementares e padrões fundamentais de conduta civilizada de sua sociedade.[24]

---

[21] CAROTHERS, Thomas. Democracy's sobering state. In: *Current history*, december 2004, p. 412.
[22] ANDERSON, Kenneth. Law and terror. In: *Policy Review*, oct.-nov. 2006, p. 3.
[23] JACOBY, op. cit., p. 11.
[24] DEGAUT, op. cit.

E completa:

> A maneira como um governo dito democrático reage às ameaças a suas instituições e a sua população deve estar em consonância com os valores que se busca proteger e preservar, e que não podem ser sacrificados em nome de uma "guerra santa" contra o terrorismo. A resposta mais adequada ao terrorismo indiscriminado não pode ser a repressão indiscriminada. As necessárias contramedidas deveriam ser levadas a cabo de forma tal que não pareçam ser as únicas e exclusivas armas no arsenal das democracias[25].

No que concerne ao combate ao terrorismo, portanto, as democracias ver-se-ão diante da possibilidade de emprego tanto do modelo da guerra quanto do modelo de justiça criminal. Ademais, não importa qual seja a resposta adotada, as sociedades democráticas irão encontrar mais dificuldades do que sociedades sob regimes autoritários. Nesse sentido, devem as democracias melhor se preparar para o combate ao terror, o que requer o desenvolvimento de tecnologias e métodos que compensem a abundância de garantias e liberdades à disposição de pessoas e organizações.

6.6. A FASE PRÉ-INCIDENTE DE UM PLANO DE RESPOSTA AO TERRORISMO

O que se pretende apresentar nas próximas páginas é uma proposta de estruturação da fase pré-incidente de um Plano de Resposta ao terrorismo que possa ser adotado em democracias, levando-se em conta o modelo de justiça criminal. Repita-se que o modelo da guerra foge ao escopo deste livro. A estruturação de um Plano de Resposta completo, considerando-se as outras fases, será objeto de publicação futura.

Para lidar com a ameaça terrorista, convém o desenvolvimento, portanto, do Plano de Resposta. Segundo Bolz, Dudonis e Schulz[26], esse Plano de Resposta pode ser desenvolvido tanto por entes públicos quanto em organizações privadas, inclusive empresas que possam ser percebidas como alvos ou palcos para a atuação dos terroristas. Assim, o Plano de Resposta deve ser dividido em três fases elementares:

1. pré-incidente;
2. incidente;
3. pós-incidente.

A elaboração de um plano preventivo (para a fase pré-incidente) envolve a reunião de dados e produção de conhecimento de inteligência para a antecipação a agressões promovidas por terroristas. Fundamental que se busque considerar

---
[25] DEGAUT, op. cit.
[26] BOLZ JR., Frank; DUDONIS, Kenneth J.; SCHULZ, David P. *The counterterrorism handbook:* tactics, procedures and techniques, 4ª ed. Boca Raton: CRC Press, 2012, p. 50.

as diversas hipóteses de ação terrorista que podem acontecer (fazendo-se uma escala do que se considere mais plausível, mas sem desconsiderar as menos prováveis), pensando-se, como assinalam Bolz, Dudonis e Schulz[27], "fora da caixa". Nesse contexto, a cooperação entre autoridades estatais (particularmente as polícias e os órgãos de inteligência) com o setor privado é de extrema importância, uma vez que "informação e inteligência podem ser compartilhadas, bem como os recursos podem ser utilizados de maneira mais eficiente" [28]. Exemplo disso, no caso do Brasil, está no estabelecimento de parcerias e convênios entre órgãos públicos e companhias aéreas, bancos, empresas de cartão de crédito e até entidades promotoras de concursos públicos, com vistas ao compartilhamento de informações e acesso a banco de dados.

Já o planejamento da fase incidental (fase incidente) compreende a elaboração de uma sequência de procedimentos a serem seguidos no caso da ocorrência da ação terrorista, ou se houver a forte suspeita de ocorrência de um atentado ou mesmo da ameaça deste[29]. Assim, deve estar previsto o estabelecimento de tarefas claras para o pessoal de cada organização envolvida na resposta (como as polícias militar e civil, corpo de bombeiros, Forças Armadas, bem como aparato de defesa civil, de sistemas de controle de tráfego, hospitais e outros serviços essenciais). Medidas de "primeira resposta" (*first responder*) têm que constar no planejamento dessa fase com a designação clara das missões e da cadeia de comando, controle e comunicações. Também nessa fase é essencial a cooperação entre o setor privado (uma vez que empresas, indústrias e outras organizações sensíveis podem ser alvos de ataques terroristas) e as autoridades públicas.

Na fase pós-incidente, o planejamento fundamenta-se nas medidas de resposta ao terrorismo dos dias, semanas e meses subsequentes à ocorrência do atentado. Envolve as medidas de emergência, a avaliação dos danos diretos e colaterais, a persecução aos autores e partícipes dessas ações, bem como de pessoas e organizações a eles relacionadas e, sobretudo, as medidas a serem tomadas para que a vida retorne à normalidade de maneira rápida e segura possível. Também aqui a cooperação público-privada é essencial.

A figura 6.2 apresenta o esquema do Plano de Resposta com suas fases. Em cada uma delas há etapas, que compreendem: na fase pré-incidente, análise de risco, medidas gerais de antiterrorismo e a organização de um plano pré--incidente; na fase incidente, quando ocorre o atentado ou ataque terrorista, medidas de primeira resposta e outras ações de contraterrorismo; na fase pós--incidente, quando se buscará adotar medidas de contraterrorismo, mas também

---

[27] BOLZ JR., DUDONIS & SCHULZ, op. cit., p. 50.
[28] BOLZ JR., DUDONIS & SCHULZ, op. cit., p. 50.
[29] Lembre-se que a Lei Antiterror brasileira admite a investigação e persecução criminal por "atos preparatórios" de terrorismo.

iniciativas para se lidar, da melhor forma possível, com as consequências do ataque, permitindo a continuidade da vida social (resiliência). Ademais, na fase pós-incidente deve ser conduzida a investigação para identificação de autoria e materialidade dos atentados, bem como para a reunião de dados sobre a organização, meios e métodos e os autores.

FIGURA 6.2
PLANO DE RESPOSTA AO TERRORISMO
ETAPAS

Atividade de Inteligência

1. **PRÉ-INCIDENTE**
   ANÁLISE DE RISCO
   ANTITERRORISMO
   ORGANIZAÇÃO DA SEGURANÇA

2. **INCIDENTE**
   PRIMEIRA RESPOSTA
   ANTITERRORISMO

3. **PÓS-INCIDENTE**
   CONTRATERRORISMO
   RESILIÊNCIA
   INVESTIGAÇÃO

Atividade de Inteligência

Atividade de Inteligência (laterais)

Assim, a resposta ao terrorismo engloba medidas preventivas (denominadas antiterrorismo) e ofensivas ou de ataque (chamadas contraterrorismo), e, ainda, ações de gestão das consequências ou de resiliência. Repita-se, a atividade de inteligência permeará todas essas fases.

A **atividade de inteligência** é essencial para o combate ao crime e ao terrorismo[30]. A reunião (por coleta ou busca) de dados e informação, a produção do conhecimento e a difusão desse conhecimento são atividades críticas na luta contra o terror. Não existe qualquer possibilidade de qualquer organismo

---
[30] Sobre atividade de inteligência, *vide* GONÇALVES (2016), op. cit.

policial ou de segurança ser bem-sucedido em sua atividade sem o emprego da inteligência. Seja da forma mais simples ou da mais sofisticada, o Estado não pode se dar ao luxo de combater o terror sem ações de inteligência.

O **Antiterrorismo** pode ser definido como a "atividade que engloba as medidas defensivas de prevenção, a fim de minimizar as vulnerabilidades dos indivíduos e das propriedades aos atentados terroristas"[31]. Envolve, portanto, ações para evitar ou deter a atividade terrorista. Engloba medidas de proteção de alvos, melhoria dos sistemas de proteção e segurança, cooperação entre empresas privadas e órgãos de segurança governamentais, preparação de policiais e outros profissionais de segurança, campanhas de prevenção etc.

Contraterrorismo é "a atividade que engloba as medidas ofensivas de caráter eminentemente repressivo, a fim de impedir, dissuadir, antecipar e responder aos atentados terroristas"[32]. Refere-se, assim, a ações de ataque, normalmente levadas a cabo por forças especiais do Estado (policiais e militares) treinadas para lidar com situações extremas, como sequestros, ataques com explosivos, assassinatos, crises institucionais etc.

Ademais, toda prevenção a ataques terroristas deve considerar a possibilidade de serem esses ataques bem-sucedidos. Isso exige das autoridades públicas medidas de continuidade ou de resiliência. Não há como evitar todo e qualquer atentado terrorista. É humanamente impossível que forças de segurança estejam em todos os locais, que protejam qualquer estrutura crítica de um país, motivo pelo qual os governos devem preocupar-se em manter uma estrutura para a continuação da vida social, ainda após um atentado de grandes proporções.

A economia, a vida social, a vida política, o funcionamento dos transportes etc. devem voltar ao normal no menor prazo possível. Isso faz parte da resposta do Estado ao terrorismo, em possibilitar que a sociedade continue sua vida. Isso é **resiliência**.

Passa-se agora à análise mais detalhada das etapas para a elaboração do Plano de Resposta, na fase pré-incidente. Para fins didáticos, a produção de conhecimento de Inteligência será disposta como Etapa 1 do Plano, ou seja, na fase pré-incidente, junto com o antiterrorismo. Entretanto, convém ter em mente, repita-se, que a Inteligência permeia todas as etapas e fases, uma vez que sem ela o tomador de decisões ficará limitado em suas escolhas.

---

[31] PINHEIRO, Álvaro de Souza. *A prevenção e o combate ao terrorismo no século XXI*. Escola de Comando e Estado-Maior do Exército (ECEME). *Apud* DEGAUT, op. cit.
[32] PINHEIRO, op. cit.

6.7. PLANO DE PREVENÇÃO – ETAPA 1: PRODUÇÃO DE CONHECIMENTO DE INTELIGÊNCIA

Todo Plano de Resposta ao terrorismo deve começar com um levantamento de dados e informações e produção de conhecimentos acerca da ameaça e dos impactos de eventuais ações terroristas sobre a sociedade e o Estado. Isso é atividade de inteligência, definida pela Política Nacional de Inteligência (PNI), fixada pelo Decreto nº 8.793, de 29 de junho de 2016, como o "exercício permanente de ações especializadas, voltadas para a produção e difusão de conhecimentos, com vistas ao assessoramento das autoridades governamentais nos respectivos níveis e áreas de atribuição, para o planejamento, a execução, o acompanhamento e a avaliação das políticas de Estado"[33].

De acordo com a PNI, a atividade de Inteligência divide-se, fundamentalmente, em dois grandes ramos:

I – inteligência: entendida como "atividade que objetiva produzir e difundir conhecimentos às autoridades competentes, relativos a fatos e situações que ocorram dentro e fora do território nacional, de imediata ou potencial influência sobre o processo decisório, a ação governamental e a salvaguarda da sociedade e do Estado"; e

II – contrainteligência: indissociável da inteligência e compreendida como a "atividade que objetiva prevenir, detectar, obstruir e neutralizar a Inteligência adversa e as ações que constituam ameaça à salvaguarda de dados, conhecimentos, pessoas, áreas e instalações de interesse da sociedade e do Estado"[34].

A inteligência busca identificar quem está ou quer fazer algo, com quem, mantendo o foco nas relações entre pessoas e organizações. Difere da atividade de análise criminal porque esta mantém o foco em determinado fato criminoso passado, na tentativa de levantamento de provas para o processo penal. Para o Plano de Resposta, a inteligência não deve se preocupar com determinado processo, mas sim tentar vislumbrar todo o cenário, no qual podem existir diversos ilícitos (cuja investigação seja de competência de distintas autoridades policiais), bem como atividades a princípio não criminosas, mas que podem constituir atos preparatórios para uma ação terrorista (por exemplo, a compra de uma passagem aérea ou o aluguel de um apartamento). Inteligência preocupa-se

---

[33] É o que dispõe o Decreto nº 8.793, de 29 de junho de 2016, que *fixa a Política Nacional de Inteligência* (PNI).
[34] Uma crítica a essa conceituação brasileira é que nela se considerou apenas a inteligência como atividade ou processo, deixando-se de levar em conta a definição trina de Sherman Kent, segundo a qual inteligência é também "produto" (conhecimento) e "organização". Sobre o assunto e para a análise da legislação brasileira de inteligência, vide *Atividade de Inteligência e Legislação Correlata*, de Joanisval Brito Gonçalves, um dos autores do presente livro (op. cit.).

mais com o futuro, com prospectiva, com montagem de cenários, devendo buscar antever situações para se antecipar a elas.

Os dados e informações para produção de conhecimento (inteligência) podem ser reunidos de diversas maneiras. Primeiramente, a partir de "fontes abertas", ou seja, relacionadas a dados e informações que estão disponíveis a quem deseje acessá-los, ainda que a algum custo. Em oposição às fontes abertas estão aqueles dados protegidos, chamados dados negados, os quais só podem ser obtidos recorrendo-se a técnicas operacionais.

Outra classificação comum à inteligência é aquela relacionada aos meios de obtenção de dados e informação. Dois tipos gerais de inteligência podem ser assinalados: a inteligência proveniente das chamadas "fontes humanas", entendidas pessoas que colaboram, conscientemente ou não, com os serviços de inteligência; e a inteligência produzida precipuamente a partir de dados e informações reunidos por "meios técnicos ou tecnológicos", chamada inteligência técnica ou tecnológica. Observe-se que as duas categorias são complementares, pois o analista para produzir o conhecimento vai considerar tanto dados e informações provenientes de fontes humanas, quanto aqueles reunidos a partir de meios tecnológicos.

A doutrina anglo-saxônica usa alguns acrônimos para designar os diversos tipos de inteligência (com base no tipo de fonte ou no meio empregado). Por exemplo, inteligência proveniente de fontes abertas é chamada de OSINT (*open source intelligence*), enquanto aquela relacionada a fontes humanas é identificada como HUMINT (*human intelligence*), em contraposição à inteligência técnica ou tecnológica, a TECHINT (*technical intelligence*). Em que pese o fato de não serem esses acrônimos utilizados pela comunidade brasileira de inteligência, apresentamos aqui, a título ilustrativo, alguns deles:

- OSINT (*open sources intelligence*) – inteligência proveniente de fontes abertas, (dados e informações não protegidos, como os oriundos da imprensa, internet, literatura etc.);
- HUMINT (*human intelligence*) – inteligência obtida a partir de fontes humanas, a mais antiga forma de inteligência;
- TECHINT (*technical intelligence*) – inteligência técnica, na qual os dados e informações são reunidos com o emprego precipuamente de meios técnicos ou tecnológicos.

A TECHINT é dividida em vários ramos, cuja designação toma por base o principal meio técnico ou a tecnologia empregados. Como exemplo, citamos:

- COMMINT (*communication intelligence*) – a inteligência de comunicações, realiza a obtenção de dados por meio da interceptação de comunicações;

- ELINT (*eletronic intelligence*) – inteligência eletrônica, a qual usa meios eletrônicos (como escutas ambientais) para acesso aos dados negados;
- IMINT (*imagery intelligence*) – inteligência de imagens, analisa dados e informações a partir de fotos, vídeos, imagens de satélites;
- MASINT (*measurements and signatures intelligence*) – inteligência de medidas e assinaturas, relacionada à interpretação de ondas e sinais eletromagnéticos ou assinaturas físicas, assinaturas ou marcas deixadas por veículos, geradores, pessoas, animais;
- PHOTINT (*photographic intelligence*) – inteligência fotográfica, proveniente do recurso à técnica mais antiga depois das fontes humanas: a fotografia.
- SIGINT (*signals intelligence*) – inteligência de sinais, que reúne dados e informação a partir de sinais de comunicação, rádios, celulares;
- TELINT (*telemetry intelligence*) – a inteligência telemétrica, um tipo de inteligência de sinais relacionada aos sinais enviados por mísseis e outros equipamentos que deixam "rastro". Tem estreita relação com a MASINT.

Todas essas técnicas fazem parte da atividade de coletar e buscar dados e informações para a produção de conhecimento, necessário à gestão e decisão de ações para o combate ao terrorismo. São indispensáveis, como o é a própria inteligência, para a produção de um Plano de Resposta efetivo para lidar com a ameaça. Assim, repita-se, todo Plano deve tomar por base um conhecimento (ou conhecimentos) produzido(s) ou recebido(s) pelo setor de inteligência.

Ademais, o conhecimento do fenômeno do terrorismo é essencial para o analista de inteligência, pois esse profissional terá que responder a determinadas questões, como:

- informações sobre o grupo terrorista, espaço de ação, capacidades, vida pregressa de seus membros, objetivos, estratégias, táticas, motivações, ideologias etc.;
- informações sobre o ambiente social, político, econômico do teatro de operações;
- informações sobre os alvos, simbologia, capacidade de resistência, vulnerabilidades.

São informações que somadas aos dados já reunidos pelos meios disponíveis e processados pela inteligência tornarão disponível um conhecimento capaz de auxiliar o tomador de decisão a dar a melhor resposta a determinado evento.

Nos dias atuais a infinidade de informações que se pode coletar e buscar sobre determinado fato ou pessoa é uma vantagem e uma desvantagem.

Vantagem porque nunca foi tão fácil conseguir dados sobre algo ou alguém[35], e desvantagem porque são tantos esses dados que muitas vezes é muito difícil (se não impossível) distinguir o que é importante de maneira oportuna.

A inteligência deve, então, reunir dados e informações para a produção do conhecimento necessário ao planejamento pré-incidente, minimizando o risco de governos tomarem decisões excessivamente duras ou não tomarem decisões necessárias.

Entre esses dados, deve o profissional de inteligência e de segurança saber sobre:

- **Grupos terroristas** (sociais, anárquicos, religiosos, políticos, separatistas, ambientalistas etc.) e seus membros. Aqui será necessário estabelecer a origem do grupo, ideologias, métodos e táticas de ação, objetivos, capacidade, associações, estrutura, localização, datas simbólicas, demandas etc. Também, devem ser conhecidos dados importantes sobre seus membros como função na organização, qualificação, ficha policial, características pessoais, ideologia, formação, treinamentos etc.

- **Alvos potenciais**. Devem as autoridades públicas saber quais são os alvos, ativos que podem ser atacados por organizações que praticam o terrorismo. Assim, recursos humanos, autoridades, estruturas críticas (energia, transporte, comunicações, abastecimento etc.), monumentos simbólicos, prédios públicos, sedes de empresas, entre outros, são alvos. Não basta saber quais alvos, mas também as vulnerabilidades de cada um para que haja uma proteção efetiva destes. Seguros de que os grupos terroristas selecionam alvos de acordo com seus objetivos e capacidade de gerar propaganda, também os profissionais de segurança e inteligência devem perceber quais são esses alvos antes dos terroristas e diminuir as vulnerabilidades dos mesmos.

- **Oportunidades**. Os operadores de segurança e inteligência devem estar conscientes de que grupos terroristas aproveitam fatos e eventos que podem precipitar suas ações. Por exemplo, uma Copa do Mundo de Futebol é um evento global, onde canais de televisão de todo o planeta estarão presentes e que pode ser o precipitante de uma ação de um grupo indígena que tentará chamar a atenção para sua causa. O mesmo ocorre com uma Olimpíada e outros grandes eventos. De fato, quaisquer oportunidades (como crises econômicas, grandes eventos, protestos etc.) podem servir de precipitantes para ações terroristas e devem ser previamente analisadas por profissionais ligados à segurança e inteligência com o intuito de verificar o risco.

A missão da inteligência é antecipar a ação de um grupo terrorista ou que pratique atos de terror. Assim, a não previsão de um ato terrorista pode significar

---

[35] A internet se tornou uma grande aliada da segurança (e também do crime), disponibilizando excessivo número de dados sobre o que se quer saber.

uma tragédia, bem como um gasto significativo com ações de recuperação, indenização e reconstrução. Ademais, os traumas e efeitos psicológicos de um ataque terrorista são excessivamente danosos, tanto para as vítimas diretas do ataque quanto para a comunidade ou sociedade na qual ele foi perpetrado.

Todo grupo ou organização terrorista possui características específicas que permitem ao analista identificá-lo e diferenciá-lo de outros grupos, o que possibilita ao profissional de inteligência dispor de recursos que o auxiliarão a prever as ações dos terroristas. A resposta ao terrorismo necessita de informação adequada sobre os possíveis grupos que atentem contra o Estado e a sociedade.

O analista deve, portanto, dispor de um banco de dados contendo informações sobre grupos, organizações e indivíduos que já cometeram atentados, o que auxiliará na antecipação de futuras ações. Deve, ainda, conhecer as organizações que atuam dentro do seu território e que possam cometer atos de terror, produzir e alimentar um banco de dados sobre grupos internacionais que também possam atuar dentro da sua esfera de competência.

A título de exemplo, em um país que venha a sediar grandes eventos, as autoridades públicas devem estar atentas a grupos terroristas internacionais (fundamentalistas religiosos, anarquistas, sociais, ecológicos etc.), que porventura tenham interesse em chamar a atenção mundial para suas causas. O analista de informações, repita-se, precisa ter consciência de que seu país pode ser o ambiente operacional propício a determinados grupos terroristas (inclusive os que não têm operado naquele ambiente), devendo conhecer cada um deles para o auxílio na tomada de decisão que possibilite evitar a ação dessas organizações.

Michael R. Ronczkowski[36] assevera que certas informações devem ser reunidas para a determinação do *modus operandi* de um grupo específico, possibilitando a previsão e antecipação de suas ações. Essas informações são as seguintes:

- capacidades do grupo (presentes e futuras);
- história de formação, criação;
- discurso do grupo, publicações, textos, demandas;
- quem dá suporte, os apoiadores do grupo;
- causas, motivações, intenções;
- vulnerabilidades da organização (falta de recursos, treinamento deficiente, falta de consenso etc.);
- locais de ações do grupo;
- datas significantes e simbólicas para o grupo;

---

[36] RONCZKOWSKI, Michael R. *Terrorism and organized hate crime. Intelligence Gathering, Analysis and Investigations*. CRC Press, 2ª ed., 2006, p. 130.

- filiados conhecidos;
- lideranças conhecidas;
- ataques realizados;
- financiamento e ajuda;
- fotos e documentos sobre a organização e seus membros;
- outras julgadas úteis.

São dados básicos sobre qualquer grupo que podem auxiliar o analista de inteligência a identificar e prever ações futuras, ajudando o tomador de decisão a decidir de forma a minimizar a possibilidade de ações desses grupos. Nesse sentido, pode-se montar uma tabela que formará parte de um banco de dados do órgão de segurança ou de inteligência com o intuito de conhecer possíveis grupos que porventura atuem ou venham a atuar em seu território. Um modelo pode ser o que mostramos a seguir, na Tabela 6.1, tomando como exemplo uma organização fictícia, o "Primeiro Comando Revolucionário (PCR)".

TABELA 6.1. ORGANIZAÇÃO DE DADOS SOBRE UMA ORGANIZAÇÃO TERRORISTA*		
ÚLTIMA ATUALIZAÇÃO DA TABELA		13/05/2010
ORGANIZAÇÃO	Qual o nome da organização?	Primeiro Comando Revolucionário (PCR)**.
HISTÓRIA	Pequena história de criação e gênese da organização	Primeiro Comando Revolucionário (PCR) é uma organização criminosa paulistana criada com o objetivo manifesto de "defender os direitos de pessoas encarceradas no país". Surgiu no início da década de 2000, no Centro de Reabilitação Penitenciária Paulista.
DECLARAÇÕES	Pronunciamentos, textos, declarações, demandas, ditos da organização e seus líderes	"O PCR é uma organização de defesa dos presos e de suas famílias". "Defendemos a Constituição e o cumprimento dos direitos fundamentais dos presos no Brasil".
CAUSAS E MOTIVAÇÕES	O que motiva essa organização? Religião, separatismo, raça, proteção ambiental etc.	A motivação principal é financeira, atuando com o crime organizado. Atua também na defesa dos presos e suas famílias (discurso atual).

CAPACIDADES	Quais as capacidades que possui? Armas, treinamento, equipamentos.	Grande capacidade operacional. Treinamento policial, armamento diversificado (pistolas 9mm, fuzis M16, AR15, granadas).
VULNERABILIDADES	Quais as fraquezas da organização? Falta de comando, financiamento, apoio, estrutura etc.	Falta de organização e de liderança pacífica. Disputas internas e violência exercida sobre seus membros.
SEDE	Local de sede ou de base da organização.	São Paulo, mas já se estendeu por mais de 15 Estados o alcance do grupo, tendo em vista a movimentação de líderes para MT, BA, DF e RS.
DATAS SIMBÓLICAS	Quais as datas simbólicas para essa organização?	1º de agosto de 2000 (data de fundação), e 2 de outubro de 1992 (massacre do Carandiru).
MEMBROS CONHECIDOS	Quem pertence a essa organização?	Fulano, Beltrano, Sicrano.
LIDERANÇA	Quais seus líderes?	Marcello Yugosth Silva, o Marugo.
ESTRUTURA	Qual a estrutura da organização (hierárquica, em rede, células etc.)?	Estrutura hierarquizada, com a lidcrança conhccida c uma cadeia de comando bem determinada.
ATAQUES, LOCAIS E DATAS	Quais os ataques conhecidos? Onde foram perpetrados e em que datas?	Ataques em SP em 1º de maio de 2000 a delegacias e sede do MP de SP. Sequestro de jornalistas da rede de TV Brasiliana em fevereiro de 2006.
FINANCIAMENTO	Quais as fontes de recursos? Como arrecada dinheiro (doações, governos estrangeiros, vendas, comércio, empresas legais e ilegais etc.)?	Roubos a bancos, doações dos membros (obrigatórias), extorsão, desvio de dinheiro público.
OUTRAS INFORMAÇÕES CONSIDERADAS ÚTEIS	Vínculos com outras organizações, idade média dos membros, identidade de perfis.	Laços com as Brigadas de Libertação Revolucionária (Marrocos). Laços com o Comando de Libertação Carcerária Nacional. Membros majoritariamente do sexo masculino, sem distinção de raça ou religião. Idade média dos membros: 28 anos.

*Tabela elaborada pelos autores.
** O exemplo utilizado do PCR é fictício, não existe essa organização.

Uma vez construída a caracterização da organização que possa atuar no território acompanhado pelo analista, deverá este formar também um arquivo, se possível, para os membros da organização. Busca-se, assim, caracterizar o melhor possível os componentes do grupo por meio das seguintes informações:

- nome e alcunha;
- organização a que pertence;
- filiação;
- data de nascimento;
- local de nascimento;
- religião;
- raça;
- formação acadêmica;
- escolas que frequentou;
- ideologia e formação política;
- função na organização;
- treinamentos e capacidades;
- armamento que utiliza;
- tatuagens e simbologias que adota;
- base de operação;
- histórico de atuação;
- componente pessoal (situação marital, identificação do companheiro ou companheira, orientação sexual, nível de inteligência, problemas psicológicos etc.);
- ficha policial;
- outras informações consideradas úteis.

Assim, é possível construir uma tabela com as informações dos membros de um grupo, nos moldes daquelas que identificam a organização. Exemplo, também fictício, encontra-se na Tabela 6.2.

TABELA 6.2. IDENTIFICAÇÃO DE MEMBRO DE ORGANIZAÇÃO TERRORISTA*		
ÚLTIMA ATUALIZAÇÃO DA TABELA		13/05/2010
NOME E ALCUNHA	Qual o nome do membro e alcunha?	Marcello Yuguvisho, vulgo **Marcusho** *
ORGANIZAÇÃO	A qual organização pertence?	Primeiro Comando Revolucionário (PCR).

FILIAÇÃO	Nome dos pais	Von Dish Youguvisho (falecido) e Dinah Youguvisho.
DATA DE NASCIMENTO	Quando nasceu? Em que data?	22/09/1972.
LOCAL DE NASCIMENTO	Onde nasceu?	São Paulo, SP.
RELIGIÃO	Qual a religião?	Católico.
RAÇA	Qual a raça, etnia?	Caucasiano, de origem russa.
FORMAÇÃO ACADÊMICA E ESCOLAS	Histórico da formação acadêmica, em especial universitária, bem como as escolas e outras instituições de ensino que frequentou	Graduado em Ciência Política na Universidade de los Aires, Bogotá, Colômbia. Doutorado em Filosofia, UAP, São Paulo.
IDEOLOGIA	Qual a ideologia pregada pelo sujeito?	Marxista-leninista.
FUNÇÃO NA ORGANIZAÇÃO	Qual a função na organização?	Doutrinador e recrutador.
TREINAMENTOS E CAPACIDADES	Qual o treinamento e capacidade do sujeito?	Conhecido treinamento em campos terroristas no norte da África em combate insurgente. Fluente em árabe, inglês e russo.
ARMAMENTO QUE UTILIZA	Qual o armamento que utiliza?	Não é conhecido por utilizar armamentos.
TATUAGENS E SÍMBOLOS QUE UTILIZA	Quais as tatuagens e símbolos que utiliza?	Tatuagem de Che Guevara na perna direita. Utiliza símbolos comunistas nos locais de trabalho, como bandeiras de movimentos sociais.
BASE DE OPERAÇÃO	Qual a base de operação?	São Paulo, SP.

HISTÓRICO PESSOAL	Qual o histórico de atuação pessoal?	1993 – apoio aos Sem-Terra em SP. 1994 – apoio aos Sem-Teto em Pindamonhangaba. 1996 – preso no protesto contra a pena de morte em São Paulo. 2001 – identificado com o sequestro do embaixador italiano no Chile, promovido pelas Brigadas Revolucionárias Che Guevara. 2006 – Condenado a 120 anos por latrocínio e homicídio qualificado. 2006-presente – cumpre pena no Presídio de Presidente Figueiredo.
COMPONENTE PESSOAL	Situação marital, nome do companheiro ou companheira, orientação sexual, nível de inteligência, problemas psicológicos etc.	Solteiro, heterossexual, filho único. Conhecido envolvimento com prostitutas da região de Imbu, SP. Diagnosticado como superdotado em SP, na Escola Municipal de Pingagoiá. Comportamento antissocial, segundo colegas de escola. Percebido como liderança firme e objetiva e de significativa frieza pelos membros do PCR.
OUTRAS INFORMAÇÕES CONSIDERADAS ÚTEIS	Qualquer dado ou informação que o analista considere útil para a composição do perfil.	Encontros periódicos com membros das Brigadas de Libertação Revolucionária (Marrocos) e das Brigadas Revolucionárias Che Guevara (Chile). Atuou na aproximação do PCR com o Comando de Libertação Carcerária Nacional. O pai foi morto pela PMSP quando Marcusho tinha 8 anos de idade. "Devoção" à mãe, que vive atualmente em Carazinho/RS.

*Tabela elaborada pelos autores.
** O exemplo utilizado é fictício.

Com a construção de um banco de dados de cada organização e de seus membros, a Inteligência terá uma ferramenta essencial na previsão e diagnóstico de situações que possam desencadear atos terroristas no território sob sua jurisdição. Essas informações serão importantíssimas na análise de determinado evento ou na previsão de eventos indesejáveis, subsidiando o profissional de inteligência em suas atividades de produção de conhecimento.

Bancos de dados são de extrema importância, portanto, bem como sistemas que permitam rápido acesso a eles. Nesse sentido, é fundamental que as organizações de segurança e inteligência invistam no estabelecimento de bancos de dados e na capacitação de seus profissionais para bem utilizá-los. Um banco de dados robusto pode ser de grande valia para se antecipar a ameaças e mesmo impedir ataques terroristas[37].

No processo de prevenção contra o terrorismo, a Inteligência tem, assim, um papel fundamental. É a Inteligência que fornecerá os subsídios adequados para a tomada de decisões, sejam elas sobre como melhor se prevenir de ataques, sejam elas relacionadas as alternativas de reposta em caso de agressão. A primeira linha de proteção é exatamente a Inteligência[38]. Conhecimento é poder, e um poder importantíssimo nas mãos do Estado para a eficiência em antever e neutralizar atos violentos contra suas instituições e contra a sociedade.

6.8. PLANO DE PREVENÇÃO – ETAPA 2: MEDIDAS DE ANTITERRORISMO

Para a composição de um Plano de Resposta em sua fase preventiva, além do recurso à atividade de inteligência para se ter um diagnóstico da ameaça, outras medidas de antiterrorismo (as quais, relembre-se, têm caráter preventivo) devem ser tomadas: ações dissuasórias, o estabelecimento de legislação apropriada, monitoramento de pessoas e organizações suspeitas, proteção aos possíveis alvos. Acrescente-se, ainda, o fomento a uma cultura de segurança junto à sociedade e aos tomadores de decisão.

6.8.1. Legislação Apropriada

A prevenção passa pela dissuasão. Portanto, a certeza da punição e a previsão de leis duras para o julgamento de terroristas são fatores dissuasivos

---

[37] Imaginemos uma ameaça ao Congresso Nacional, às vésperas da votação de um projeto de lei que permita o tratamento mais duro para presos. O analista imediatamente poderá percorrer seu banco de dados e verificar quais as organizações que defendem o direito dos presidiários e já tiveram atuação violenta nesse sentido. Poderá subsidiar de forma mais adequada o tomador de decisão no caso de estabelecer barreiras à entrada e circulação de pessoas, ou se deve evacuar ou não o Congresso, por exemplo. Poderá ajudar as investigações, fornecendo dados importantes aos investigadores para que esses iniciem a apuração a partir de determinado ponto, certamente mais avançado do que aquele que seria no caso de não se ter dado algum.

[38] De fato, a prevenção ao terror é baseada na estimativa das intenções do grupo terrorista e de sua capacidade, motivo pelo qual cabe sempre assinalar a importância da atividade de inteligência, que determinará a efetividade de qualquer ação antiterror, por ser baseada no conhecimento produzido anteriormente.

essenciais no combate ao terrorismo. Organismos estatais com alta capacidade de resposta, policiais treinados, equipamentos modernos etc. são também elementos que reforçam a prevenção por seu caráter dissuasório.

Medida antiterror importante nos Estados democráticos de direito é, assim, o estabelecimento de legislação pertinente à prevenção e resposta ao terrorismo. A legislação deve determinar competências, mandatos e responsabilidades de todos os órgãos que operarão para prevenir um atentado terrorista e, também, no caso de ocorrência deste. A norma deve ter o escopo de evitar influências políticas, quando necessário, e privilegiar as ações técnicas (ser eficiente e eficaz).

Assim, devem ser elencados os órgãos responsáveis pela resposta a um incidente terrorista. Estabelecidos os órgãos, é determinada a cooperação entre eles e a cadeia de comando e responsabilidade. Essa cadeia de comando deve ser a mais simples e curta possível, evitando muitos níveis de decisão e buscando agilidade e rapidez.

6.8.2. Acompanhamento de Possíveis Ameaças

O monitoramento de grupos que possam se tornar possíveis ameaças reais também é componente do antiterrorismo. Assim, movimentos sociais, sindicatos, organizações não governamentais, minorias com ações afirmativas, entre outros, devem ser monitorados. Não se trata aqui de acompanhar essas organizações em razão de seus interesses legítimos, mas sim quando tais grupos (ou facções suas) optem por recorrer a meios ilegítimos/ilegais para defender seus direitos – como o recurso à violência ou a condutas contrárias à lei e ofensivas à ordem democrática estabelecida.

Monitorar pessoas e organizações suspeitas de terrorismo envolve o levantamento de dados e o acompanhamento dessas organizações e de seus membros em suas ações quotidianas, mas também em situações de evidência (como encontros e convenções) e, ainda, quando estabelecerem vínculos com outros grupos. Deve-se estar atento para sua forma de atuação, compras que realizem (como aquisição de materiais de capacidade letal), treinamento que façam ou promovam, ideologias defendidas, campanhas desencadeadas.

Extremamente importante é o conhecimento das demandas e interesses dos grupos a serem monitorados, até para que se tenha uma avaliação adequada sobre sua legitimidade. Não foram poucas as organizações terroristas que começaram com movimentos legítimos de defesa de uma determinada causa, como a independência nacional ou as conquistas sociais. Também há registros de organizações terroristas que, depois de anos de atuação violenta, optaram por operar dentro do regime democrático, estruturando partidos políticos ou movimentos legais para a defesa de seus interesses. É importante manter canais de negociação com tais grupos, portanto, nunca retirando sua legitimidade ou capacidade de demanda, pois isso pode diminuir o custo para que esses entes se envolvam em atividades ilegais no sentido de realizarem seus objetivos.

6.8.3. Proteção a Alvos Potenciais

A prevenção passa certamente pela proteção aos possíveis alvos, em especial as infraestruturas críticas do Estado. A intenção desta etapa é diminuir o risco, a probabilidade de esse alvo ser atacado, o que envolve técnicas de análise de ameaças, ativos e vulnerabilidades. Determinado o risco de certo alvo, pode o Estado protegê-lo de forma eficiente (custo-efetivo). O risco, assim, reflete a probabilidade de perda de um ativo, alvo ou bem crítico que deveria ter sido protegido. Essa perda implica custos diretos, indiretos e o custo de substituição, descontada a compensação de seguro, se houver. Portanto, devem as autoridades públicas lidar sempre com essa relação matemática na proteção de alvos, sob pena de se gastar demasiado na segurança de estruturas não essenciais, e dispender poucos recursos nas essenciais.

Observe-se, ainda, que essas medidas de proteção de alvos potenciais envolvem tanto a análise de risco quanto o desenvolvimento de atividades de esclarecimento sobre organizações terroristas e sobre a condição sensível do alvo. Importante que se promova uma cultura de segurança entre a população e junto aos alvos em potencial (por exemplo, companhias aéreas, concessionárias de serviços essenciais, *shopping centers*, altos executivos, autoridades públicas). Campanhas educativas relacionadas a ameaças devem ser pensadas de maneira a orientar a população sem gerar pânico ou preocupações sem fundamento.

6.8.4. Análise de Risco

A segurança, seja pública, seja privada, é um campo do conhecimento que busca a proteção para o estilo de vida das pessoas. Seria impossível a vida em sociedade sem a noção de segurança. Seria impossível a manutenção do patrimônio, a criação dos filhos, e mesmo gozo do lazer, sem um ambiente de respeito que o Estado deve garantir a todos.

Entretanto, em nenhuma sociedade a segurança é absoluta. Existem atividades ilegais e eventos naturais que afetam a paz social, que afetam a vida dos indivíduos, em maior ou menor grau, dependendo do país em que se encontrem. A esse respeito, convém observar que a segurança está relacionada à sensação de tranquilidade, sensação esta influenciada tanto por fatores internos à pessoa ou organização (estado emocional, domínio de técnicas de defesa pessoal, posse de armamentos ou certeza de proteção) quanto em razão do ambiente em que a pessoa se encontra (certamente a sensação de segurança em Copenhagen é diferente daquela no centro do Rio de Janeiro, ou de um subúrbio de Paris).

Em se tratando de fatores externos que influenciem a sensação de segurança, a prevenção contra o crime e a atuação do Estado na garantia da paz social e na persecução e punição de criminosos são de grande relevância para que as pessoas se sintam mais seguras. Em outras palavras, o crime vai sempre existir (pois sempre haverá indivíduos que não se integram à sociedade), mas deve estar dentro de níveis aceitáveis que não perturbem a regularidade da vida social. Com o terrorismo não é diferente.

É na tentativa de reduzir os eventos ilegais que aumentem a sensação de insegurança que o Estado deve procurar analisar o risco existente em uma comunidade para reduzi-lo. Também as empresas deveriam analisar o risco a que estão sujeitas, buscando reduzir situações que atentem contra seus ativos. Para isso, recorre-se a técnicas da chamada "análise de riscos", aplicável a entes privados e também ao setor público e para proteger diferentes tipos de ativos. É cabível, assim, tanto para um condomínio que queira se prevenir contra acidentes ou sinistros em suas áreas comuns quanto para órgãos de segurança que precisem mitigar a atuação criminosa em sua região e, ainda, como medida de antiterrorismo.

Analisa-se riscos para se buscar soluções inteligentes, efetivas e menos custosas. Eis aí tarefa importante em órgãos de segurança pública e em empresas privadas no sentido de estabelecer ambientes mais seguros para a sociedade e para a economia. Mas o que vem a ser risco?

Segundo James Broder e Eugene Tucker, risco é "a possibilidade de que um evento indesejável ocorra" [39]. Logo, é importante que se conheça sobre essa probabilidade para se poder agir. Em outras palavras, sabendo-se a probabilidade de que um evento indesejável ocorra torna possível que sejam buscadas soluções mais eficazes e eficientes, sobretudo quando não se dispõe de recursos financeiros ilimitados. Se isso se aplica a pessoas e a entes privados, não é diferente com o Estados.

Para se avaliar o risco a que se está sujeito, é fundamental que primeiramente sejam identificados os ativos (bens, valores, inclusive a vida) que necessitam de proteção. Em seguida, deve-se conhecer quais os perigos a que esses ativos estão sujeitos (terrorismo, maremotos, incêndios, roubos, homicídios etc.). Por fim, é importante que se tenha clareza sobre suas fraquezas e vulnerabilidades (deficiência no número de policiais, ausência de iluminação pública, procedimentos de segurança antiquados, sistema de acesso falho etc.). A partir desses dados é possível determinar então qual a probabilidade de que

---

[39] BRODER, James F.; TUCKER, Eugene. *Risk analysis and the security survey*. Butterworth-Heinemann, 4ª ed., 2012, p. 3.

um evento indesejável ocorra, analisando-se a probabilidade do risco, inclusive com avaliação financeira de cada evento indesejável que poderia ocorrer.

Os órgãos de segurança pública deveriam recorrer à análise de risco como ferramenta essencial para maior efetividade de suas ações. Não são muitos que o fazem, porém, o que significa dinheiro jogado fora em ações inúteis e desnecessárias. As empresas também deveriam ter setores de segurança corporativa ou recorrer a consultorias especializadas para que fosse feita a análise do risco de suas atividades – isso economizaria dinheiro também em ações desnecessárias, como excesso de câmeras, vigilantes, equipamentos etc.

Em se tratando de antiterrorismo, em um Plano de Resposta deve-se avaliar quais as ameaças possíveis, o que se quer proteger (ativos) e quais as vulnerabilidades existentes na proteção desses ativos. Com o conhecimento desses três elementos é possível avaliar determinado risco, tomando-se a decisão necessária para mitigá-lo.

A título de exemplo, considere-se que o ativo que se deseja proteger seja um edifício público, a sede de um Tribunal. Serão buscadas, primeiramente, as possíveis ameaças a essa estrutura. Em se tratando de pessoas que desejem atacar o Tribunal, podem ser ex-condenados, funcionários insatisfeitos, organizações criminosas ou organizações sociais que tiveram seus direitos não atendidos em determinada demanda judicial. Podem ser, ainda, organizações terroristas. Convém que se faça um levantamento sobre essas pessoas ou organizações que porventura tenham interesse em danificar as instalações da Corte – isso será tarefa da Inteligência do órgão, e convém que se recorra aos bancos de dados da instituição e de parceiros. Devem ser produzidas as tabelas de acordo com os modelos apresentados no item anterior (Tabelas 6.1 e 6.2).

Sabendo que o alvo é o tribunal, deve-se então conhecê-lo melhor, bem como os problemas a ele relacionados. Algumas perguntas são relevantes:

- Por que seria um alvo?
- Existem muitas pessoas e/ou organizações desejosas de cometer um ato contra o Tribunal?
- Quais entes poderiam tentar tais atos?
- Quais seriam as prováveis táticas dessas organizações?
- Como atuaram no passado?

Passa-se, em seguida, à análise das vulnerabilidades. O trabalho de análise de vulnerabilidades deve ser o mais minucioso possível, buscando verificar todas as fraquezas do local a ser protegido. No caso do Tribunal, portas, janelas, entradas, controle de acesso, iluminação, presença de seguranças, presença de juízes ameaçados, presença de servidores e funcionários com problemas de dívidas, com drogas e álcool, defeitos estruturais, ausência de planos de evacuação, deficiência de treinamentos para evacuação, falta de alarmes e de sistema de monitoramento por câmeras etc. Quanto mais acurado o diagnóstico das vulnerabilidades, mais recursos haverá para o estabelecimento de mecanismos de proteção.

Para a análise das vulnerabilidades, importante que se recorra, além do estudo minucioso do local, a entrevistas com pessoas que por ali circulem ou trabalhem e, se possível, a colaboradores externos. Diversos países utilizam ex--terroristas ou ex-criminosos para descobrir fraquezas nas estruturas físicas e virtuais de determinado edifício ou sistema computacional. O Tribunal Superior Eleitoral (TSE) em Brasília convocou, muito sabiamente, *hackers* para descobrir vulnerabilidades no sistema de voto eletrônico. Afinal, ninguém melhor do que alguém com o perfil semelhante ao do perpetrador da ameaça para se avaliar as fraquezas e enxergar vulnerabilidades, sob uma perspectiva que seria difícil sem a ajuda dessas pessoas.

Determinados esses elementos, passa-se então para a definição do risco, com a confecção de uma matriz (análise qualitativa) ou de uma fórmula matemática (análise quantitativa) que agregue ameaças, ativos e vulnerabilidades, bem como o impacto da ocorrência do evento indesejável. Existem muitos programas computacionais e métodos mais simples que podem auxiliar a definir o nível de risco a que se está submetido. A Polícia do Senado Federal, por exemplo, já desenvolveu uma metodologia própria para a avaliação de riscos em prédios públicos e de autoridades. É um bom modelo que permite saber quais medidas devem ser tomadas para a mitigação desse risco de forma custo-efetivo.

6.9. PLANO DE PREVENÇÃO – ETAPA 3: ORGANIZAÇÃO DA SEGURANÇA (ELABORAÇÃO DO PLANO PRÉ-INCIDENTE)

A organização do Plano Pré-Incidente é de extrema importância para o enfrentamento de ameaças terroristas. Envolve, de fato, a preparação para a ocorrência de eventos que se espera nunca venham a ocorrer. Trata--se de um processo complexo que envolve reunião de dados e produção de conhecimentos (inteligência), análise de risco, organização de uma estrutura preventiva, treinamento, determinação de necessidades logísticas, e obtenção de equipamentos, tecnologias e conhecimentos necessários para se lidar com um evento de caráter extraordinário[40].

Organizar a Segurança, portanto, significa preparar-se de forma eficiente (custos e benefícios) e eficaz (visando a resultados). A organização necessita de uma regra que defina as linhas gerais do plano de resposta. O propósito de um Plano Pré-Incidente é estabelecer o nível do risco potencial ao qual uma

---

[40] BOLZ JR., DUDONIS & SCHULZ, op. cit., p. 52.

comunidade, corporação, entidade governamental, propriedade, instalação física ou uma pessoa, individualmente ou em grupo, esteja exposta a uma ação terrorista[41].

Uma vez avaliado o risco, devem ser elaboradas políticas, estratégias e desencadeadas ações para estruturar planos e procedimentos de prevenção e resposta. Também convém ter em mente que um Plano é um "documento vivo", devendo ser atualizado e revisado sempre que mudarem as circunstâncias. Essas circunstâncias envolvem, entre outras, mudanças nas instalações físicas, no quadro de pessoal (particularmente os citados no documento), inclusive ascensões e mudanças de postos, e mudanças em fatores externos (como na política, economia, relações exteriores ou acontecimentos internacionais)[42]. A título de exemplo, um plano preventivo de resposta ao terrorismo elaborado no Brasil em 2010 daria pouca atenção a ameaças provenientes de grupos fundamentalistas islâmicos como o Estado Islâmico (que, de fato, nem existia na sua atual configuração) ou "lobos solitários". Hoje, a atuação em âmbito internacional de uma organização como o *Daesh* e a proliferação dos "lobos solitários" não pode deixar de ser considerada em qualquer Plano Pré-Incidente antiterror, mesmo no Brasil.

No Plano Pré-Incidente considerar-se-á o conjunto de dados e conhecimentos produzidos pela inteligência, a legislação referente a terrorismo, os alvos em potencial e as medidas a serem tomadas para prevenção contra esses ataques, aí incluídos os procedimentos de cooperação, comando, controle e comunicações entre as várias organizações, públicas e privadas, envolvidas na prevenção. Nesse sentido, fundamental que se tenha o diagnóstico das vulnerabilidades e também os protocolos de resposta em diversos segmentos. O Quadro 6.1 sintetiza a estrutura básica de um Plano Pré-Incidente.

O Plano Pré-Incidente é iniciado com a reunião do conhecimento produzido (Inteligência) para compor o cenário onde pode ocorrer um atentado (ou atentados) terrorista. Diagnóstico do ambiente operacional, vulnerabilidades, características dos alvos, bem como recursos disponíveis (e daqueles a serem obtidos) são informações fundamentais. Também o são os conhecimentos sobre pessoas e organizações que possam vir a perpetrar atos de terror que se busca prevenir.

Reunida a Inteligência (processo esse que não se encerra na produção do Plano, pois deve ser permanentemente realimentado), passa-se à fundamentação legal do Plano. Ali devem constar não só as normas nas quais as ações antiterror serão baseadas, mas também o arcabouço jurídico que permite a cooperação com outros entes públicos e privados, domésticos, estrangeiros e internacionais. É importante que as equipes que venham operar com base no Plano tenham a

---

[41] BOLZ JR., DUDONIS & SCHULZ, op. cit., p. 52.
[42] BOLZ JR., DUDONIS & SCHULZ, op. cit., p. 52.

segurança de que estão a atuar de acordo com as normas vigentes e sem violar direitos e garantias fundamentais.

FIGURA 6.1.
Plano Pré-Incidente – Estrutura Básica

1. Conhecimentos disponíveis
2. Fundamentação legal
3. Setores e organizações envolvidas
4. Ameaças
5. Alvos
6. Análise de risco
7. Respostas
    a. Protocolos
    b. Missões e tarefas
    c. Logística e suprimentos
    d. Primeira Resposta
    e. Comando e Controle
    f. Comunicações
8. Necessidades
9. Treinamento
10. Dotação orçamentária
11. Medidas de Resiliência
12. Outras ações relevantes

Um item no Plano com as organizações envolvidas na prevenção é fundamental. Importante que se tenha clareza sobre quais as competências de cada uma delas, dirigentes, efetivos empregáveis e mecanismos de contato célere entre si. Observe-se aqui que não se trata apenas de um rol de entes estatais, devendo-se também ter um perfil claro de quais os setores e entes privados que estão envolvidos na prevenção (e que serão acionados em caso de incidente). Ademais, a cooperação com entes estrangeiros e internacionais faz parte do Plano, daí a referência a quais organizações desse tipo estarão envolvidas.

Passa-se, em seguida, ao rol das ameaças. Para isso, a partir do perfil das pessoas e organizações que possam vir a cometer atentados, suas motivações e *modus operandi*, antecedentes, vínculos, entre outras informações, busca-se relacionar quais as condutas mais típicas por elas adotadas: explosões, ações com armas de fogo, sequestros, assassinatos individuais, tomada de reféns, ataques a áreas e instalações, interrupção de serviços públicos, terrorismo cibernético. Nesses casos, convém assinalar onde seriam áreas propícias a atuação dessas pessoas e organizações (*hot spots*), bem como se operariam em grupo ou como lobos solitários. Tudo que for possível reunir a respeito é relevante, inclusive informações sobre a inexistência de atuação daquelas pessoas ou organizações na área que se deseja proteger.

Sobre a identificação das ameaças, Bolz, Dudonis e Schulz assinalam algumas questões que devem ser respondidas por aqueles que elaboram um Plano Pré-Incidente: Quais são a atuais tendências do terrorismo, e como elas podem afetar a operacionalidade das ações de segurança? Quais grupos terroristas, radicais ou organizações precipitantes, se houver, são atuantes na região?[43] E destacam a abrangência das organizações terroristas e radicais e suas motivações, lembrando que não é porque um grupo não aparece constantemente nas primeiras páginas dos jornais em determinado local, que não seja capaz ou não tenha interesse em perpetrar um ato terrorista. Nesse sentido, apesar de não haver a tradição do terrorismo fundamentalista islâmico no território brasileiro, é importante que as autoridades de segurança estejam atentas ao fundamentalismo islâmico e às organizações terroristas relacionadas. Afinal, cada vez mais essa ameaça alcança lugares fora do eixo América do Norte-Europa-Oriente Médio, e têm aumentado as notícias do desenvolvimento de grupos radicais no Brasil.

Identificadas as ameaças e assinalado quais indivíduos ou grupos possam vir a perpetrá-las, passa-se à identificação dos potenciais alvos. Aqui há que se considerar três categorias de alvos: pessoas, lugares e instalações físicas, e alvos informacionais.

Pessoas são alvos constantes do terrorismo. Nesse sentido, devem ser consideradas como alvos grupais ou individuais. Uma comunidade étnica ou religiosa, um grupo social, político ou uma comunidade específica, ou mesmo os funcionários de uma empresa ou organização, em todos os casos se têm alvos potenciais. Nos ataques em Paris, em novembro de 2015, os terroristas que fizeram o massacre na Boate Bataclan tinham como alvo aquele conjunto de pessoas que, apesar da heterogeneidade étnica, social e até religiosa, havia ido à casa noturna com o fim de se divertir. Ataques a comunidades xiitas por terroristas sunitas no Iraque têm sido frequentes e já fizeram milhares de vítimas. Assim, importante que conste no Plano a relação de grupos de indivíduos que sejam potenciais alvos, com as mais diversas informações a respeito (como se organizam, eventuais lideranças, locais que frequentam, atividades que exercem etc.). No campo preventivo, pode-se estabelecer um trabalho específico junto a essas pessoas para aumentar sua segurança.

Individualmente, os alvos podem ser autoridades públicas, mas também altos executivos de empresas nacionais ou estrangeiras, bem como viajantes, profissionais de determinada categoria com acesso privilegiado (como

---

[43] BOLZ JR., DUDONIS & SCHULZ, op. cit., p. 57.

gerentes de bancos ou jornalistas). Policiais e militares, individualmente ou por pertencerem a uma categoria profissional, também podem ser alvos. A título de exemplo, em 2006 o repórter da Rede Globo Guilherme Portanova foi sequestrado por integrantes do Primeiro Comando da Capital (PCC) e mantido em cativeiro por 40 horas até que a emissora concordou em transmitir um vídeo da facção criminosa no qual o PCC criticava o sistema penitenciário e fazia exigências perante as autoridades públicas[44]. Tem sido frequente o sequestro de estrangeiros pelas forças do Estado Islâmico no Iraque e na Síria para uso em propaganda pela organização terrorista.

Os terroristas também elegem como alvo instalações físicas e lugares considerados simbólicos. Esses lugares podem estar relacionados a governos ou organizações que sejam alvos (como embaixadas e consulados, edifícios de empresas, prédios públicos onde funcione determinado órgão, como o Ministério da Agricultura). Podem ser escolhidos por reunir grande quantidade de pessoas para um fim específico (estádios, casas noturnas, aeroportos, igrejas, bares) ou por ali circular muita gente (como estações de trem ou metrô, rodoviárias). Podem ser, ainda, lugares de grande simbolismo (um monumento como o Cristo Redentor, a Casa Branca ou o Capitólio, as Torres Gêmeas em Nova York, lugares de peregrinação). Vias de transmissão, refinarias e centrais de energia devem ser lembradas, assim como todas as infraestruturas críticas. Em um Plano de Prevenção, todos esses lugares devem ser relacionados e analisados, estabelecendo-se uma pontuação para os alvos prioritários, mas sem descartar áreas de risco por sua própria natureza (como bares e *shopping centers*). É importante, ademais, que as pessoas que trabalhem ou transitem nesses lugares sejam envolvidas no Plano e, se possível, treinadas e orientadas sobre procedimentos de prevenção e resposta.

Registre-se que quase todo lugar pode ser alvo de um atentado, e que pode ser classificado como "brando" (*soft*) qualquer alvo que seja frequentado pelo público, mas não disponha de medida especial de proteção. Atacando esses lugares, os terroristas não almejam destruir alguma instalação-chave, mas sim matar o maior número de pessoas possível. Ataques desse tipo são opção de terroristas que queiram operar "embaixo do radar" das autoridades, por serem de difícil previsão ou de previsão quase impossível[45].

Há, finalmente, uma terceira categoria de alvos que aqui se optou por chamar de "alvos informacionais": são os bancos de dados e sistemas que podem ser atacados por terroristas cibernéticos. Nesse sentido, cabe assinalar tanto os bancos de dados atacados por sua própria natureza, para se obter informações

---

[44] FOLHA DE SÃO PAULO. Repórter da Globo é libertado após 40 horas sequestrado. Publicado em 14/08/2006 e disponível em: <http://www1.folha.uol.com.br/folha/cotidiano/ult95u125003.shtml> (acesso em: 30 jul. 2016).
[45] BOLZ JR., DUDONIS & SCHULZ, op. cit., p. 56.

do interesse de terroristas (como os arquivos de uma organização policial ou de inteligência, ou as contas dos clientes de determinado banco), quanto aqueles sistemas que são atacados para causar dano e pânico junto à população (o sistema de tráfego aéreo de determinada localidade, ou o sistema de controle de semáforos ou, ainda, de fornecimento de gás e energia elétrica). Cada vez mais a sociedade contemporânea depende desses sistemas informacionais e um ataque terrorista a eles pode ser tremendamente danoso.

Ao se estabelecer o perfil dos alvos, é fundamental o uso de ferramentas de análise de risco. Uma vez que já se tratou do assunto no presente capítulo, cabe acrescentar que o estabelecimento dos perfis dos potenciais alvos (*target profiles*) deve se basear não só nas tendências de ataques terroristas, mas também nos atentados precedentes. Por exemplo, a segurança em aeroportos tem sido reforçada tanto porque terroristas têm usado constantemente aeronaves para perpetrar atentados, como também porque tem aumentado a tendência de ações ainda na área do aeroporto, antes mesmo do embarque (como aconteceu em Bruxelas e em Istambul, em 2016). Nesses casos, convém considerar, ainda, o nível de interesse que podem despertar na mídia e o dano indireto causado (depois do 11 de setembro, houve um pânico generalizado entre pessoas que viajavam de avião, mesmo em lugares do mundo com baixa possibilidade de atentados semelhantes, como era o caso do Brasil).

Funcionários públicos ou de empresas privadas, e também agentes políticos, devem ser avaliados por seu simbolismo ou importância estratégica como alvo. Desde os primórdios do terrorismo contemporâneo, chefes de Estado e de governo, líderes políticos, e pessoas influentes foram vítimas de ataques terroristas por sua própria condição na sociedade (vale lembrar o assassinato do Arquiduque Francisco Ferdinando da Áustria e sua esposa, por um terrorista dos Balcãs, que acabou sendo precipitante da I Guerra Mundial). Mas também altos funcionários de corporações não podem ser desconsiderados, tampouco funcionários que estejam em áreas de risco. Uma empresa que elabore um Plano Pré-Incidente deve ter claro quem são seus funcionários-alvo e propor procedimentos para protegê-los (exemplo disso são empresas como a Petrobras que têm funcionários em áreas de risco pelo mundo).

Observação importante sobre o perfil dos alvos é que, mesmo que a decisão seja de não empregar recursos na proteção do alvo, deve haver uma justificativa (ainda que de custo) para fundamentar essa decisão. Não pode, porém, faltar a referência ao alvo no Plano.

Identificados os alvos e as ameaças, procede-se ao estabelecimento dos mecanismos de resposta. Apesar de muitas dessas ações se darem na Fase

Incidente (por ocasião do atentado), optou-se por assinalar aqui alguns pontos a respeito, uma vez que devem constar do Plano Pré-Incidente.

Protocolos de resposta a atentados devem estar expressamente previstos no Plano Pré-Incidente. Nesses protocolos estão incluídas as ações a serem desencadeadas em caso de atentado (muitas vezes, distintas ações para distintas formas de ataque), por quem, de que maneira, quando e por quanto tempo. Cada procedimento deve ser pensado, registrado e conhecido das forças de segurança e demais envolvidos na resposta a um ataque, especialmente aqueles que atuarão na Primeira Resposta (*First Responder*). Procedimentos elementares como isolamento da área, contato com a cadeia de comando, acionamento das equipes de salvamento, estabelecimento de um centro de comunicações, mobilização das perícias, tudo isso deve constar nos protocolos.

Missões e tarefas de cada organização e seus agentes devem estar previstas no Plano. Uma vez estabelecidas, não podem ser questionadas, mas sim seguidas. Quaisquer dúvidas e questionamentos sobre o papel de cada organização devem ser resolvidos na fase de elaboração do Plano. Não se pode esquecer, tampouco, da logística e dos suprimentos para que se cumpra a contento as missões no Plano de Resposta (por exemplo, deve constar no Plano Pré-Incidente a aquisição de equipamentos e roupas especiais para desativação/detonação de explosivos, armamento especial para as forças de segurança que responderão a uma eventual tomada de reféns por terroristas ou, ainda, o investimento em leitos especializados nos hospitais de determinada região).

A pessoa ou o grupo de pessoas responsáveis pelo primeiro atendimento em caso de atentado terrorista são chamados Primeira Resposta. São muito importantes na fase posterior a um atentado terrorista. Podem ser seguranças privados, brigadistas ou membros das forças públicas de defesa e segurança. São esses profissionais que avaliarão primeiro o atentado, buscando informações sobre vítimas, extensão dos danos, bloqueio de vias, visibilidade, perigos, estruturas etc. Eles fornecerão as primeiras informações para as equipes de resgate e de investigação.

Outra função importante da equipe que dará a primeira resposta é contribuir para a preservação do local do atentado. É essencial a salvaguarda desse local, em especial proibindo a entrada de pessoas estranhas à operação. Para isso, deve ser definida a área do crime, que corresponde ao espaço entre a localização do centro da explosão (epicentro[46]) e o objeto mais longínquo

---

[46] O epicentro da explosão é o local onde se localizava o explosivo, onde existem vestígios de objetos sendo lançados em uma forma de circunferência, ou seja, em 360º. A partir desse ponto os fragmentos são dispersados em todas as direções. Muitas vezes é difícil a determinação desse ponto por causa da violência da explosão, vaporizando objetos próximos.

encontrado em decorrência da explosão. A metade dessa área, ou seja, entre o epicentro e o objeto mais distante, é a área restrita ou área de busca.

Protocolos de primeira resposta devem constar no Plano Pré-Incidente, e seu detalhamento se dará na Fase Incidente do Plano de Resposta. Também não podem faltar regras claras sobre competências e procedimentos relacionados a comando e controle, bem como a comunicações. É isso que permitirá que as várias equipes operem, de forma coordenada e eficiente, no caso de um sinistro. Quem comanda a prevenção e a resposta (não necessariamente a mesma autoridade) deve estar expresso no Plano Pré-Incidente, assim como os distintos mecanismos de controle. Para comunicações, devem ser previstos canais e meios alternativos para as autoridades de segurança e defesa civil. Protocolos de comunicação com instituições como hospitais, centrais de controle de tráfego e companhias telefônicas fazem parte do Plano.

Uma vez previsto o que fazer, é essencial que os elaboradores do Plano de Resposta disponham, já no Plano Pré-Incidente, de um diagnóstico claro de suas necessidades tanto para a prevenção quanto para a resposta a ações terroristas. Recursos financeiros devem ser empregados em tecnologia e na aquisição de equipamentos, levando-se em consideração o tipo de ameaça e as possiblidades de atentados. Unidades especiais antiterror devem ser criadas, bem como treinados os profissionais que lidarão com esse fenômeno.

Treinamento é imprescindível. Os elaboradores do Plano Pré-Incidente devem ter em mente que a diferença entre uma missão cumprida a contento e um desastre total na resposta à ação terrorista passa em larga escala pelo treinamento das equipes e por equipamentos de qualidade. O episódio de Munique 1972, quando as forças de segurança da Alemanha Ocidental fracassaram em responder adequadamente ao sequestro dos atletas israelenses, culminando no massacre de todos os reféns, é um triste exemplo de quão nefasto pode ser o despreparo das forças de segurança diante de uma ameaça particular como o terrorismo[47].

O treinamento deve incluir a explicação completa do Plano de Resposta, a teoria envolvida e o detalhamento das ações a serem empreendidas, de modo a possibilitar capacitação operacional a todos os envolvidos. As simulações devem ser feitas com periodicidade e com o maior realismo possível, cada protocolo deve ser aplicado, testes serem feitos e avaliações que considerem os mínimos detalhes. Treinamentos variam em níveis de complexidade de acordo com cada segmento envolvido.

No Plano Pré-Incidente deve haver ainda um espaço destinado à dotação orçamentária e ao planejamento para o emprego dos recursos na prevenção e na resposta. Sem recursos financeiros, fica muito difícil uma preparação adequada

---

[47] Não havia qualquer preparo e tampouco treinamento das forças alemãs para fazer frente àquele tipo de ação desencadeada pelo Setembro Negro durante os Jogos Olímpicos de 1972.

para fazer frente ao terrorismo. A justificativa para essa dotação é de que as perdas causadas com um atentado são absurdamente maiores.

Finalmente, já no Plano Pré-Incidente devem ser assinaladas medidas de resiliência, que serão desenvolvidas no Plano Pós-Incidente. Importante assinalar quais organizações estarão diretamente envolvidas nessa etapa. Acrescente-se ao Plano preventivo um campo para outras ações consideradas relevantes.

Tem-se, portanto, um roteiro para a elaboração de um Plano Pré-Incidente. O restante do Plano de Resposta será objeto de publicação futura.

6.10. CONCLUSÕES

Fundamental que qualquer organização, de uma empresa privada a um órgão estatal, desenvolva mecanismos de prevenção e resposta ao terrorismo. Nesse contexto, as etapas de um plano devem ser consideradas de maneira atenta, com a inteligência permeando todas elas.

Inteligência é muito específica no combate ao terrorismo e deve fornecer às forças de segurança informações sobre quem pretende promover um atentado, seus vínculos e potenciais alvos. A atividade antiterrorista busca prevenir a sociedade e o Estado de ataques. Ações de contraterrorismo e de resiliência são voltadas para a crise e para o pós-crise.

O Plano de Resposta engloba todas as fases, envolvendo, então, a preparação para a ocorrência, inteligência, análise de risco, organização, treinamento, logística, estabelecimento de mandatos claros para cada agência ou órgão envolvidos, estruturação de um gabinete de crise, investigação, socorro às vítimas, reconstrução de estruturas afetadas etc. Sua elaboração deve ser meticulosa, considerando-se os mínimos detalhes.

Por mais custosa que seja, a resposta ao terrorismo justifica todos os recursos empregados. Afinal, os danos causados por um atentado são, geralmente, muito superiores ao que se dispendeu em sua prevenção, sobretudo quando vidas são perdidas.

Capítulo 7

CONSIDERAÇÕES FINAIS: PERSPECTIVAS

> *In a world with no systems, with chaos, everything becomes a guerilla struggle, and this predictability is not there. And it becomes almost impossible to save lives, educate kids, develop economies, whatever.*
>
> Bill Clinton

Este livro carece de uma Conclusão estática, como ocorre na maioria dos textos. O terrorismo é dinâmico por natureza, não pode ser analisado de forma imóvel e nunca o Estado pode pecar em concluir definitivamente sobre esse fenômeno criminoso. Por isso o último capítulo deste livro é dedicado não propriamente a conclusões, mas às considerações dos autores sobre as perspectivas relacionadas ao terrorismo. Pretende-se destacar os "temas quentes", atuais e possíveis no futuro, os quais acreditam estes autores serão objeto de preocupação das autoridades públicas pelo mundo ao lidar com o problema do terrorismo.

De nenhuma maneira trata-se, portanto, este último capítulo, de uma conclusão. Serão assinalados tendências e temas para discussões futuras. Afinal, o terror se adapta às configurações sociais, tecnológicas, jurídicas e políticas, e por isso esse fenômeno sempre terá que ser analisado de forma fluída e contínua.

7.1. A *JIHAD* GLOBAL

Aspecto ainda presente por muitos anos nas discussões sobre terrorismo diz respeito ao que se optou por chamar aqui de "a *Jihad* global". O século XX foi marcado pela atuação de diversos movimentos insurgentes. Alguns conseguiram formar o contra Estado desejado, um novo regime, como na Rússia, China, Cuba e no Vietnã. No caso dos povos árabes, diversos grupos insurgentes tiveram sua atuação iniciada naquele século, primeiro em defesa dos palestinos, na tentativa de formação do Estado palestino, depois em defesa do Islã, o que se conhece hoje como a *Jihad* global, ou Guerra Santa global em defesa da religião islâmica.

Em 1967, teve início a campanha da Frente Popular para Libertação da Palestina (FPLP), atuando principalmente como sequestradores de aviões com o intuito de chamar a atenção da grande mídia mundial para a causa palestina. Com a tomada do poder por Kadafi na Líbia, em 1969, este governante começou a apoiar diversos grupos insurgentes na prática do terrorismo ao redor do mundo.

A década seguinte iniciou-se com a atuação do Setembro Negro (vinculado ao *Al-Fatah*, o braço armado da Organização para a Libertação da Palestina – OLP), que se tornou conhecido pelo sequestro e assassinato de atletas israelenses nas Olimpíadas de Munique, em 1972. Naquele momento, era a causa palestina o motivo de união dos povos muçulmanos pelo mundo[1]. Dos palestinos se aproximaram organizações de esquerda europeias e asiáticas, de ideologia marxista[2].

Em 1973, Yasser Arafat encerrou as atividades do grupo Setembro Negro vislumbrando grande possibilidade de sucesso, caso seguisse pela via da negociação junto à comunidade internacional. Em 1974, Arafat foi recebido como Chefe de Estado na ONU e trouxe a causa palestina para a legalidade junto àquela organização internacional. Essa via de paz mostrou-se ineficaz nos anos seguintes, especialmente pela real impossibilidade de que Israel abdicasse de seus territórios conquistados após as guerras de independência e dos Seis Dias.

O ano de 1975 marcou o início da guerra civil no Líbano. O conflito estendeu-se até 1983, sendo palco para ações de diversos grupos insurgentes, em especial apoiando a OLP, que se organizou naquele país. Israel, em 1982, na chamada *Operação Paz na Galileia*, tentou destruir a OLP. Surgiu então um grupo de resistência chamado *Hezbollah* (Partido de Deus), apoiado pelos xiitas do Irã. O conflito no Líbano, com a participação de Israel, serviu para tornar ainda mais grave a relação entre judeus e muçulmanos, crescendo a difusão da ideia de uma *Jihad* global, uma guerra santa para a defesa do Islã (a causa palestina, laica, confundia-se cada vez mais com os argumentos étnicos e religiosos, compondo um conflito que, de fato, repousava em razões políticas e econômicas).

Conforme assinalado no Capítulo 2, diversos grupos organizaram-se durante a década de 1980 para atuar não somente em defesa da causa palestina, mas também do Islã. No Egito, a Irmandade Muçulmana difundiu a doutrina ou

---

[1] A chamada injustiça contra os palestinos, após a formação do Estado de Israel, em 1948, quando aproximadamente um milhão de palestinos foram deslocados de suas terras, serve como forma de união de diversos Estados com maioria muçulmana em torno de uma agenda comum: a destruição do Estado judeu.

[2] Em 1972, três militantes das Brigadas Vermelhas Japonesas desembarcaram no aeroporto de Lod, em Israel, e mataram 26 pessoas, alegando apoio à causa palestina.

ideologia da pureza do Islã, que justificava ações radicais (inclusive o terrorismo) tanto contra civis de todo o globo, considerados infiéis, quanto contra os próprios muçulmanos, muitas vezes taxados de apóstatas, tudo em nome do Islã. A esses grupos se juntariam combatentes que lutaram contra os soviéticos no Afeganistão, entre 1979 e 1989, e que se revoltaram com a presença ocidental no "solo sagrado" da Arábia Saudita, por ocasião da I Guerra do Golfo (1990-1991). Entre esses combatentes, um antigo aliado dos EUA no conflito afegão passaria a promover a *Jihad* global, levando o terrorismo islâmico ao Ocidente: Osama bin Laden, criador da primeira grande franquia internacional do terror, a *Al Qaeda*.

Os atentados de 11 de setembro de 2001 constituíram outro marco para a *Jihad* global, pois as ações dos EUA e de seus aliados foram entendidas por alguns no mundo islâmico como uma guerra ao Islã e não ao terror, pela associação confusa de muçulmanos com terroristas. A falta de conhecimento e percepção do governo Bush em separar terroristas de muçulmanos serviu para que grupos como *Al Qaeda* e outros obtivessem a simpatia de grande parte do mundo islâmico. E a primeira década do século XXI testemunhou o fortalecimento do terrorismo fundamentalista e a proliferação de células da *Al Qaeda* e suas subsidiárias, com atentados cometidos em diversas partes do planeta e provocando a morte de milhares de pessoas (em sua maioria muçulmanos).

Com a chegada à Presidência dos EUA de Barack Hussein Obama, e sua nova política externa para o Oriente Médio, o cenário de conflito na região se tornou ainda mais complexo. No Iraque, a retirada precipitada das tropas norte-americanas do país outrora controlado pela minoria sunita, permitindo que os xiitas chegassem ao poder, provocou um grave conflito interno, desestabilizando ainda mais o Iraque e contribuindo para o surgimento do Estado Islâmico. Na Síria, o apoio inicial dos EUA às forças contrárias ao governo de Bashar al-Assad contribuiu para o esfacelamento do país e o fortalecimento de grupos insurgentes, alguns dos quais fundamentalistas que logo se associaram ao Estado Islâmico em uma guerra civil que provocou o colapso do Estado sírio, a fuga de centenas de milhares de refugiados sobretudo para a Europa Ocidental e, em razão das ações militares contra os combatentes do Estado Islâmico, o recrudescimento do terrorismo no Ocidente.

Em 2016, o cenário é de grupos radicais se desenvolvendo e buscando atuar cada vez mais além dos limites territoriais do Oriente Médio. A *jihad* está mais forte do que nunca e, infelizmente, cada vez menos visível, com a inserção de combatentes individuais espalhados pelo mundo dispostos a matar e a morrer em nome de uma causa.

Nos próximos anos, portanto, o Ocidente terá que enfrentar essa *Jihad* global, com o terrorismo chegando cada vez mais próximo de cidades como Paris, Londres, Madri, Bruxelas, Ancara, Nova York e, por que não, Rio de Janeiro e Brasília. O que parece ainda ser uma perspectiva bastante distante do Brasil, pode se tornar realidade nos 20 anos que seguem: a presença cada vez maior de fundamentalistas no território brasileiro e o risco de ataques terroristas em nome da *Jihad* global. Convém estar preparado e encarar o terrorismo com seriedade por aqui.

7.2. SUPERTERRORISMO E TERRORISMO CATASTRÓFICO

O superterrorismo ou terrorismo catastrófico está sempre presente no imaginário das pessoas, especialmente após os atentados de 11 de setembro de 2001. A utilização de armas de destruição em massa, como agentes químicos, biológicos, radiológicos e nucleares, é a forma de ataque presente no superterrorismo, com a possibilidade de se atingir centenas, milhares ou mesmo milhões de vítimas. Essa forma de terror encontra-se na escala do conflito próxima à guerra, com grande probabilidade de ameaçar a estabilidade e a soberania de um Estado. Não será um problema meramente policial, mas principalmente de defesa nacional, ficando a cargo das Forças Armadas.

Alguns autores consideram o superterrorismo ainda longe da realidade na sociedade internacional, seja pelo custo na obtenção de insumos (a maioria armas de destruição em massa), seja pela grande probabilidade de não serem utilizadas para atingir grande número de pessoas[3]. Entretanto, ainda que seja difícil a produção ou a obtenção de armas de destruição em massa por organizações terroristas, deve haver um princípio norteador da atividade do Estado para o caso: *o princípio da precaução*. O Estado tem que estar preparado para agir no caso da utilização desses artefatos, ainda que a probabilidade seja pequena[4].

O princípio da precaução decorre da necessidade de continuidade da sociedade, da resiliência. Se não se estiver preparado em razão da baixa probabilidade de ocorrência de um evento, pode-se colocar em risco toda a vida social em um país: se, por infelicidade, o evento ocorrer, não haverá instrumentos para superar essa desgraça[5].

---

[3] Nesse sentido, recomenda-se o excelente trabalho de Eugênio Diniz, *Terrorismo catastrófico:* inimigo real ou imaginário (DINIZ, Eugênio. Terrorismo catastrófico: inimigo real ou imaginário. In: JOBIN, Nelson A. et al. *Segurança nacional:* perspectiva brasileira. FGV/Ministério da Defesa do Brasil, Rio de Janeiro, 2010, pp. 205-221).
[4] Se há a chance de que ocorra, deve o Estado tomar medidas como se fosse ocorrer o evento.
[5] A título de exemplo, vale destacar que o acidente nuclear causado pelo tsunami no Japão, em 2011, não era esperado, e esse evento possuía baixa probabilidade de ocorrência. Assim também ocorreu com o gás Sarin no metrô de Tóquio. O que teria passado se o governo japonês não estivesse preparado para esses eventos de baixa probabilidade de ocorrência? Certamente milhares de vidas teriam sido desperdiçadas por falta de previsibilidade e responsabilidade do Estado.

7.3. LOBOS SOLITÁRIOS E TERRORISMO

"Lobo solitário" é uma expressão usada para denominar assassinos, sem vínculos com alguma organização (ou com vínculos muito etéreos), que praticam atos de violência em nome de uma determinada causa ou ideologia. É um termo que surgiu nos anos 1990 pela necessidade da extrema direita norte-americana, de cunho racista, atacar seus alvos de forma descentralizada sem ser detectada pelas forças de segurança daquele país. Era uma forma de insurgência violenta contra o Estado, e sem cadeia de comando. Um dos criadores desta expressão foi o ex-integrante de uma facção afiliada à Klu Klux Klan, Alex Curtis, defensor da luta individual, fora de uma organização, contra o governo multiétnico dos EUA.

Com o crescente monitoramento de organizações criminosas e terroristas pelas polícias e serviços secretos de todo o mundo, cada vez parece mais eficiente o recurso a ações individuais por parte dos que querem promover o terror. Assim já havia percebido a *Al Qaeda* com a divulgação de mensagens sobre o dever de todo muçulmano de atacar alvos de infiéis em todo o mundo. E assim percebeu o Estado Islâmico ou *Daesh*.

A tática do lobo solitário foi pregada também por Mustafá Setmarian, sírio-espanhol que escreveu *A Chamada da Resistência Islâmica Global*, obra que incentiva a criação de uma rede mundial de lobos solitários para a defesa do Islã. Segundo ele, é mais difícil monitorar indivíduos, onde não há comunicação ou divisão de informação, do que controlar organizações complexas, que necessitam transmitir informações e possuem muitos membros, alguns deles passíveis de serem recrutados como informantes ou colaboradores pelas forças de segurança e serviços de inteligência. Recentemente, Setmarian teria abandonado a rede *Al Qaeda* e encontrar-se-ia chefiando o aparato militar do Estado Islâmico[6].

Apesar de agirem de forma individual, investigações policiais e relatórios de inteligência têm assinalado que esses lobos solitários não são tão solitários assim. Suas ideias e ações são discutidas e acompanhadas por muitas pessoas pela internet e em outros fóruns. Em verdade, representam essas pessoas o desejo de muitas outras que compartilham da mesma visão distorcida e doente do mundo e da sociedade. Preconceitos, intolerância, baixa autoestima, inveja, ódio são algumas características dos lobos solitários e de seus simpatizantes. E o pior, as ações desses loucos podem motivar diversos outros que se encontram adormecidos ou no limiar de comportamentos violentos contra o que julgam seus inimigos.

Portanto, os lobos solitários não são tão solitários quanto podem parecer. Representam o pensamento e a ideologia de muitas pessoas e podem vir a ser utilizados de forma indireta por diversas organizações criminosas e terroristas pelo mundo. Apesar de não representarem uma ameaça espetacular, como a de

---

[6] El País, disponível em: <http://brasil.elpais.com/brasil/2015/03/13/internacional/1426256165_460174.html>.

uma organização terrorista, praticam ações fáceis de serem executadas e muito difíceis de serem evitadas, o que mostra o desafio que os órgãos de segurança e inteligência de todo o mundo enfrentarão nos próximos anos. Os recentes casos na França, Bélgica, EUA e Arábia Saudita reforçam a tese de que a utilização de lobos solitários é eficiente e possui capacidade de assustar e de pressionar a comunidade internacional. Deve-se, portanto, estar cada vez mais atento a essa modalidade de terrorismo.

7.4. A TERCEIRIZAÇÃO DO TERROR

A sociedade internacional, apesar de ainda inexistir tratado definindo e tipificando o crime de terrorismo, já possui diversos instrumentos para tentar conter essa prática hedionda. São acordos garantindo a inviolabilidade de aeronaves, embarcações, autoridades, bem como o controle de material nuclear e químico, passando também pelo monitoramento financeiro de divisas que podem estar patrocinando organizações que praticam o terror.

A fiscalização de portos, estradas e aeroportos aumentou muito nas últimas décadas. O terrorismo já não é mais novidade nos treinamentos policiais e militares pelo mundo. Organizações que praticaram e praticam o terror têm sido estudadas por órgãos de segurança e inteligência de governos do Ocidente. Padrões de comportamentos, físicos e psicológicos, já estão catalogados e inseridos em bancos de dados governamentais, possibilitando a identificação de terroristas. Portanto, está cada vez mais difícil cometer um ato terrorista pela forma tradicional, pela forma conhecida, nos grandes centros mundiais. Isso significa que os terroristas terão que buscar nova forma de perpetrar suas ações (como era difícil admitir que alguns homens empunhando estiletes e talheres de bordo conseguiriam tomar de assalto aeronaves e utilizá-las como mísseis em setembro de 2001).

Outro movimento interessante está acontecendo pelo mundo: a disponibilidade cada vez maior de mão de obra qualificada nos campos policial e militar, ex-forças especiais (FEs) que foram dispensados e entram no mercado privado da segurança (e por que não do crime?). Governos têm absorvido essa mão de obra de forma intensa, contratando firmas em segurança nas diversas partes do mundo, como os *Blackwaters* no Iraque e Afeganistão e os ex-FEs colombianos, recrutados em empresas de segurança privada naquele país.

Esses ex-combatentes possuem treinamento policial e militar de qualidade, sabendo lidar com explosivos e armamentos. São treinados em técnicas operacionais, noções de inteligência e conhecem equipamentos usados por governos. Cada vez mais, grupos terroristas têm dificuldades em cometer atentados por serem seus "soldados" tradicionais fanáticos e inexperientes. Assim, por que não contratar mão de obra de primeira qualidade para promover o terror? Por que não aproveitar essa força de trabalho especializada e treinada para ser utilizada em suas ações? Infelizmente, parece evidenciar-se cada vez mais um cenário em que organizações terroristas utilizarão essa enorme mão de obra disponível e bem treinada.

7.5. TERRORISMO E CRIME ORGANIZADO

As motivações de organizações terroristas e de organizações criminosas são diferentes. Enquanto o surgimento de grupos terroristas pode estar relacionado à ideologia, bem como a problemas sociais, econômicos, políticos, religiosos, a associação para o lucro financeiro está na gênese de grupos criminosos. Entretanto, isso não significa que essas organizações não tenham algo em comum. Possuem, na verdade, muitos interesses complementares e por isso há a necessidade de os Estados acompanharem com atenção tanto criminosos quanto terroristas[7].

Esses interesses complementares entre as organizações terroristas e as organizações criminosas levam ao surgimento do fenômeno da convergência. Segundo Celina Realuyo[8], "em anos recentes, grupos terroristas têm-se envolvido em atividades criminosas com o fim de patrocinar suas atividades, considerando que as doações e ajudas de Estados desapareceram". E cita como exemplos as FARC, na Colômbia, e o Sendero Luminoso, no Peru, que são organizações que se envolveram com o narcotráfico para arrecadar recursos para suas operações terroristas.

Convergência, portanto, nas palavras de Realuyo[9], é "o processo em que organizações criminosas e terroristas atuam de forma conjunta, por terem interesses, propósitos ou metas comuns". Aquelas desejam ganhar dinheiro; estes, praticar seus atos de violência política. O fenômeno da convergência permite essa conjugação de interesses entre os dois entes.

Ainda que seus caminhos possam se cruzar, e se cruzam, terroristas e os membros de organizações criminosas têm perfis essencialmente distintos. Devem, porém, repita-se, ser estudados de forma conjunta, tendo em vista que uma organização pode utilizar-se da outra para a consecução de seus objetivos.

---

[7] Nesse sentido, vide o Relatório do Congressional Research Service (CRS), intitulado *International Terrorism and Transnational Crime: Security Threats, U.S. Policy, and Considerations for Congress*. 18 de março de 2010.
[8] REALUYO, B. Celina, em audiência pública na Câmara dos Deputados dos EUA (*US House of Representatives*) intitulada *A Dangerous Nexus: Terrorism, Crime and Corruption*, ocorrida em 21 de maio de 2015. Disponível em: <http://financialservices.house.gov/uploadedfiles/hhrg-114-ba00-wstate-crealuyo-20150521.pdf> (acesso em: 15 jul. 2016).
[9] REALUYO, B. Celina. *Hezbollah's global facilitators in Latin America*. Terrorist Groups in Latin America: The Changing Landscape: testimony before the Subcommittee on Terrorism, Non-Proliferation, and Trade, House Committee on Foreign Affairs, U.S. House of Representatives. 4 de fevereiro de 2014, disponível em: <http://docs.house.gov/meetings/FA/FA18/20140204/101702/HHRG-113-FA18-Wstate-RealuyoC20140204.pdf> (acesso em: 15 ago. 2016).

Um dos motivos dessa associação, como visto, é a necessidade atual de arrecadação de fundos com a utilização de alguma atividade criminosa pela organização terrorista, como o narcotráfico, o tráfico de pessoas, a falsificação de bens, entre outros. Outro motivo é a dependência operacional que pode ocorrer entre um grupo terrorista e uma organização criminosa para, por exemplo, o fornecimento de documentos falsos, transporte, comunicação, armas, explosivos, munição e outros bens e serviços. A existência da demanda por bens e serviços ilegais estimula o aparecimento de grupos dispostos a suprir tais necessidades, em especial pelos vultosos ganhos existentes nesse mercado.

Muitas vezes, as organizações terroristas mantêm contatos com grupos do crime organizado para a arrecadação de fundos destinados aos atentados. As FARC[10], por exemplo, até assumirem o controle de grande parte da atividade de tráfico de drogas na Colômbia, eram conhecidas por dar proteção aos traficantes e receber dinheiro por esse serviço, utilizado no planejamento e obtenção de meios em atentados terroristas. Autoridades colombianas também reportaram a associação que existiu entre o Cartel de Medelín e o Exército de Libertação Nacional (ELN), um grupo terrorista que se inspirava na Revolução Cubana, quando estes contrataram o Cartel para a inserção de carros-bomba em 1993 naquele país[11].

O grupo Talibã, no Afeganistão, atua de forma similar[12]. Grupos radicais islâmicos ali operam no comércio ilegal de ópio[13], arrecadando fundos para suas ações. Outro exemplo são as organizações criminosas responsáveis pelo tráfico de pessoas e imigração ilegal, assim como tráfico de armas que atuam nos Balcãs, onde grupos de traficantes de armamentos e pequenos explosivos negociam seus produtos com organizações terroristas, como o Exército Republicano Irlandês, Exército de Liberação de Kosovo, a Legião Estrangeira em Skopje e Anarquistas Gregos[14]. Essas organizações criminosas podem, ainda, prover explosivos e armas a grupos terroristas (como acontece com os cartéis russos, que são tradicionais fornecedores de armas às FARC).

---

[10] Grupo insurgente criado com o objetivo de promover pela luta armada a mudança do regime político colombiano para a formação de um Estado comunista. Atualmente, as FARC adquiriram nova roupagem, e são muito mais uma organização criminosa que um grupo insurgente.

[11] MAKARENKO, Tamara. The crime-terror continuum: tracing the interplay between transnational organized crime and terrorism. In: *Global crime*, v. 6, nº 6, February 2004, pp. 133.

[12] CNN.com, U.S.: Afghan drug trade funds Taliban (February 29, 2008). Disponível em: <http://www.cnn.com/2008/WORLD/asiapcf/02/29/narcotics.report/index.html> (acesso em: 12 jul. 2009); *Vide* também LABROUSSE, Alain, The FARC and the Taliban's connection to drugs, *Journal of Drug Issues*, 35 (2005), 169-184.

[13] Informação disponível em: <http://www.trackingterrorism.org/article/transnational-crime-and-terrorism-organized-crime> (acesso em: 12 set. 2013).

[14] ARSOVSKA, Jana e KOSTAKOS, Panos. *Illicit arms trafficking and the limits of rational choice theory:* the case of the Balkans, *trends in organized crime*. 11 (2008): 352-378.

7.6. QUAL O FUTURO COM O TERRORISMO?

Conta Homero que a bela Cassandra, filha de Príamo, rei de Troia, havia recebido de Apolo o dom da profecia. Ao se recusar a dormir com o deus, este ter-lhe-ia jogado uma maldição segundo a qual nada do que profetizasse seria ouvido pelos seus. Assim, mesmo prevendo o desfecho da Guerra de Troia, Cassandra não conseguiu evitar que os troianos levassem o famoso cavalo de madeira para dentro de suas muralhas, o que culminaria na vitória dos gregos sobre aquele povo e na destruição da cidade. A maldição de Cassandra parece seguir a todos aqueles que tentam prever o futuro.

Não se ousará aqui desafiar os desígnios dos deuses. Entretanto, se perguntados sobre qual é o futuro da humanidade no que concerne ao terrorismo, estes autores dirão que, infelizmente, esse flagelo ainda estará presente por gerações e em diferentes partes do mundo. Acabar com ele é impossível; mitigá-lo, talvez viável; prevenir-se contra ele, mandatório.

Enquanto houver grandes diferenças entre os povos e imperar a intolerância, o preconceito e a ignorância, o terrorismo terá campo fértil. É um fenômeno muito relacionado aos desequilíbrios na sociedade internacional e às distintas interpretações sobre o futuro que se quer para a humanidade. De fato, e aí vem novamente a maldição de Cassandra, alta é a probabilidade de recrudescimento do terrorismo pelo mundo, sobretudo o de vertente fundamentalista, de modo que mais e mais serão vistas ações terroristas em lugares onde se acreditava que haveria poucas chances de que ocorressem. Nesse contexto, o Brasil não pode ficar alheio à ameaça terrorista e os brasileiros precisam desenvolver sua capacidade de prevenção e resposta.

O Brasil deve inserir-se no sistema internacional mais e mais ao longo do século XXI. Dessa maneira, beneficiando-se dos bônus dessa inserção, terá que arcar também com os ônus. Um desses ônus é entrar no circuito do terror, seja como base, alvo ou mesmo palco de ações terroristas.

Desafiando Apolo, estes autores afirmam que a questão não diz respeito a se acontecerá um atentado terrorista no Brasil, mas quando ele ocorrerá. Portanto, fundamental que se esteja preparado, que medidas de prevenção sejam tomadas. Fundamental que se invista em segurança e inteligência, que as forças de proteção do Estado e da sociedade estejam realmente treinadas, preparadas para evitar um atentado e, no infortúnio de sua ocorrência, para responder a ele com eficiência. Fundamental que se estruture no País um aparato de resposta voltado à resiliência. Fundamental, por último, que se difunda na sociedade brasileira uma cultura de segurança e inteligência, para que a população e os setores público e privado não sejam pegos de surpresa.

Para lidar com o terrorismo, a grande arma das democracias é o conhecimento. Só assim se poderá travar o bom combate.

REFERÊNCIAS

ALVANOU, Maria. *Antiterrorism legislation issues in spa terrorism offences and incommunicado procedures*, RIEAS (Research Institute for European and American Studies), Greece. Disponível em: <http://rieas.gr/index.php?option=com_content&task=view&id=405&Itemid=41> (acesso em: 10 nov. 2013).

ANDERSON, Kenneth. Law and terror. *Policy Review*, oct.-nov. 2006, p. 3.

ANDERSON, Sean; SLOAN, Stephen. *Historical dictionary of terrorism*. Metuchen, NJ: Transaction Press, 1995.

ARSOVSKA, Jana e KOSTAKOS, Panos. Illicit arms trafficking and the limits of rational choice theory: the case of the Balkans. *Trends in Organized Crime*. 11 (2008): 352-378.

ASTHAPPAN., Jibey. The effectiveness of suicide terrorism. *Journal of the Washington Institute of China Studies*, Summer 2010, v. 5, nº 1, pp. 16-25.

AULETE, Caldas. *Dicionário escolar da língua portuguesa*. Rio de Janeiro: Lexicon, 2012.

BAKUNIN, Mikhail e NECHAYEV, Sergey. *El catecismo revolucionario*. Disponível em: <http://www.christiebooks.com/PDFs/Bakunin-Netchaiev.El%20Catecismo%20Revolucionario.pdf> (acesso em: 10 jan. 2014).

BARBER, Victoria. The evolution of Al Qaeda's global network and Al Qaeda core's position within it: a network analysis. *Perspectives on Terrorism*. v. 9, nº 6, 2015.

BECK, Ulrich. *Sobre el terrorismo y la guerra*. Paidós Editora, 2003.

BECKER, Gary. *Crime and punishment:* an economic approach. Columbia University, 1968.

BERKOWITZ, Peter. Iliberal liberalism. *First Things*, April 2007, p. 50.

BIN LADEN, Osama, *Military studies in the Jihad against the tyrants*, disponível em: <http://www.fas.org/irp/world/para/aqmanual.pdf>.

BIRKE, Sarah et al. *Islão – guerras sem fim. Cadernos D. Quixote*, nº 1. Lisboa: Dom Quixote, 2015.

BIRKE, Sarah. How al-Qaeda changed the syrian war. *The New York Review of Books*, December 27, 2013. Disponível em: <http://www.nybooks.com/daily/2013 dez. 27/how-al-qaeda-changed-syrian-war/> (acesso em: 30 jul. 2016).

BOBBIO, Norberto; MATTEUCCI, Nicola; PASQUINO, Gianfranco. *Dicionário de política*, 3ª ed. Brasília: Ed. UnB, 1991. v. I, pp. 571-577.

BOLZ JR., Frank; DUDONIS, Kenneth J.; SCHULZ, David P.. *The counterterrorism handbook:* tactics, procedures and techniques, 4th ed. Boca Raton: CRC Press, 2012.

BRANT, Leonardo Nemer Caldeira (Coord.). *Terrorismo e direito:* os impactos do terrorismo na comunidade internacional e no Brasil. Rio de Janeiro: Forense, 2003.

BRASIL. COAF. 20 casos coletados pelo Grupo de Egmont e pelo GAFI/FATF. Disponível em: <http://www.coaf.fazenda.gov.br/menu/pld-ft/publicacoes/financiamento-do-terrorismo> (acesso em: 01 jun. 2016).

BRASIL. Ministério Público Federal. MPF de Curitiba – Nota à imprensa sobre a Operação Hashtag. Disponível em: <http://oestadobrasileiro.com.br/mpf-de-curitiba-nota-a-imprensa-sobre-a-operacao-hashtag/> (acesso em: 28 jul. 2016).

BRASIL. Supremo Tribunal Federal. *Jurisprudência: Extradição nº 855*. Relator: Ministro Celso de Mello. Julgamento em 26/08/2004.

BRAUER, Jürgen. On the economics of terrorism. *Phi Kappa Forum*. v. 82, nº 2 (Spring 2002), pp. 38-41.

BRODER, James F.; TUCKER, Eugene. *Risk analysis and the security survey.* Butterworth-Heinemann, 4ª ed. 2012.

BURR, j. Millard e COLLINS, Robert O. *Alms for Jihad*. Cambridge University Press, 2006.

CALDUCH, Rafael. Una revisión crítica del terrorismo a finales del siglo XX. In: REINARES, F. (ed.) *State and societal reactions to terrorism*. Oñati, 1997.

CAROTHERS, Thomas. Democracy's sobering state. Current History, December 2004, p. 412.

CHE GUEVARA, Ernesto. *A guerra de guerrilhas*, 10ª ed. São Paulo: Edições Populares, 1987.

CRENSHAW, Martha. The causes of terrorism. *Comparative Politics*. v. 13, nº 4 (jul. 1981), pp. 379-399.

CRENSHAW, Martha. The psichology of terrorism. *Political Psychology* 21:2 (2000), p. 406.

CUNHA, Antônio Geraldo da, *Dicionário etimológico da língua portuguesa*, 4ª edição. Rio de Janeiro: Lexikon, 2010.

DEGAUT, Marcos. *O desafio global do terrorismo: política e segurança internacional em tempos de instabilidade*. Brasília, 2014. (Edição eletrônica)

DELLA PORTA, Donatella. Left wing terrorism in Italy. *Terrorism in context*. Pennsylvania State University Press, 1995, pp. 105-159.

DEUTSCHEN INSTITUT FÜR MENSCHENRECHTE. *Menschenrechte – Innere Sicherheit – Rechtsstaat*. Konferenz des Deutschen Instituts für Menschenrechte Berlin, 27 Jun. 2005.

DIAZ, Elias. *Estado de derecho y sociedad democratica*. Ed. Taurus, Madrid, 1998.

DINIZ, Eugênio. Compreendendo o Fenômeno do Terrorismo. BRIGADÃO, C.; PROENÇA JR., D. *Paz e Terrorismo*. São Paulo: Ed. Hucitec, 2004.

DINIZ, Eugênio. Terrorismo catastrófico: inimigo real ou imaginário. JOBIN, Nelson et al. *Segurança nacional: perspectiva brasileira*. FGV/Ministério da Defesa do Brasil, Rio de Janeiro, 2010.

DUARTE, João Paulo. *Terrorismo:* caos, controle e segurança. São Paulo: Desatino, 2014.

DYSON, William E.. *Terrorism:* An investigator's handbook. Anderson Publishing: Waltham, MA: 2012.

FERNANDES, Antonio S.; ZILLI, Marcos (Orgs.). *Terrorismo e justiça penal:* reflexões sobre a eficiência e o garantismo. Belo Horizonte: Editora Forum, 2014.

FERREIRA, Aurélio Buarque de Hollanda. *Dicionário aurélio da língua portuguesa*. Curitiba: Positivo, 2012.

FORST, Brian. *Terrorism, crime, and public policy*. New York: Cambridge University Press, 2009.

GOLD, David. *Economics of terrorism*. New School University, 2004. Disponível em: <http://www.ciaonet.org/casestudy/God01/God01.pdf> (acesso em: 15 jan. 2013).

GONÇALVES, Joanisval Brito. *Atividade de inteligência e legislação correlata*, 4ª ed. Niterói: Impetus, 2016.

GRIVAS, George. *Guerrilla warfare and EOKA's struggle:* a political-military study. London: Longmans, 1964.

GUIMARÃES, Marcelo Ovídio Lopes. *Tratamento penal do terrorismo*. São Paulo: Quartier Latin, 2007.

HERZ, Mônica; AMARAL, Arthur Bernardes do (Orgs). *Terrorismo e relações internacionais:* perspectivas e desafios para o século XXI. Rio de Janeiro: PUC-Rio e Edições Loyola, 2010.

HOFFMAN, Bruce. *Inside terrorism*. Columbia University Press, 1998.

HOLMES, Frank. U.S. Global Investors, The global cost of terrorism is at an all-time high. *Business Insider*, 28/03/2016, disponível em: <http://www.businessinsider.com/global-cost-of-terrorism-at-all-time-high-2016-3>.

HORGAN, John. *Psicologia del terrorismo*. Gedisa Editorial, 2009.

IGNATIUS, David. Al-Qaeda affiliate playing larger role in Syria rebellion. *The Washington Post*, edição digital, 30 nov. 2012, acesso em: 12 mai. 2016.

INSTITUTE FOR ECONOMICS & PEACE, *Global terrorism index 2015*. Disponível em: <http://economicsandpeace.org/wp-content/uploads/2015 nov. Global-Terrorism-Index-2015.pdf.>.

JACOBY, Tami Amanda. Terrorism versus liberal democracy: canadian democracy and the campaign against global terrorism. *Canadian Foreign Policy*, Spring 2004; 11,3.

JAMAI, Aboubkar et al. *Terrorismo e relações internacionais*. Lisboa: Fundação Calouste Gulbenkian/ Gradiva, 2006.

JENKINS, Brian M. International terrorism: the other world war. In: Charles W. Kegley, Jr. (ed.), *The new global terrorism:* characteristics, causes, and controls. Upper Saddle River, NJ: Prentice Hall, 2003

JENKINS, Brian. *The study of terrorism:* definitional problems. Santa Monica, CA: The Rand Paper Series, December 1980.

KILCULLEN, David J. Three pillars of counterinsurgency. Conferência do Governo dos EUA sobre contrainsurgência. Washington DC, 28 de setembro de 2006.

KILCULLEN, David. *The accidental guerrilla: fighting small wars in the midst of a big one*, Oxford University Press, 2009.

KILLCULEN, David. *Countering global insurgency*, 2004, edição eletrônica.

KYDD, Andrew H.; WALTER, Barbara F. The strategies of terrorism. *International Security*. v. 31, nº 1 (*Summer* 2006), pp. 49-80.

LABROUSSE, Alain, The FARC and the Taliban's connection to drugs. *Journal of Drug Issues*, 35 (2005), 169-184.

LACEY, Robert. *Inside the kingdom: kings, clerics, modernists, terrorists, and the struggle for Saudi Arabia*. New York: Viking, 2009.

LAPSHINA, Ekaterina. The vulnerability of democracies. *Foresight*. v. 6, issue 4, pp. 218-222.

LAQUEUR, Walter. *Terrorism*. Boston: Little Brown, 1977.

LUTZ, James M., LUTZ, Brenda J. *Global terrorism*, 2 ed. Lindon: Routledge, 2008.

MACIEL, Lício; NASCIMENTO, José Conegundes. *Orvil: tentativas de tomada do poder*. Itu: Editora Schoba, 2014.

MAKARENKO, Tamara. The crime-terror continuum: tracing the interplay between transnational organised crime and terrorism. *Global Crime*, v. 6, nº 6, February 2004.

MARIGHELLA, Carlos, *Minimanual do guerrilheiro urbano*, 1969, disponível em: <http://www.marxists.org/portugues/marighella/1969/manual/index.htm> (acesso em: 20 dez. 2013).

MARKS, Tom. Insurgency in a time of terrorism. *Journal of Counterterrorism and Homeland Security International*. v. 11, nº 2, 2005.

MENDES, Gilmar Ferreira et al. *Curso de direito constitucional*. Ed. Saraiva, 2ª ed. 2008.

MORRIS, Ian. *Guerra! Para que serve? O papel do conflito na civilização, dos primatas aos robôs*. Lisboa: Bertrand Editora, 2016.

MUCHELLI, Roger. *A subversão*. São Paulo: Mundo Cultural, 1979.

NANCE, Malcom W. *Terrorist recognition handbook*, 2 ed. New Yok: CRC Press, 2008.

NAPOLEONI, Loretta. *A fênix islamista:* o estado islâmico e a reconfiguração do Oriente Médio. Rio de Janeiro: Bertrand Brasil, 2015.

NOIVO, Diogo; SEABRA, Pedro. Combate ao terrorismo na União Europeia: construção de uma abordagem comum. In: *Segurança & Defesa*, nº 14, jun.-set. 2010.

O'NEILL, Bard E. *Insurgency and terrorism:* from revolution to apocalypse. Potomac Books Inc., 2ª ed., 2005.

PAPE, Robert A. Terrorismo suicida e democracia: o que aprendemos desde o 11 de setembro. BIRKE, Sarah et al. *Islão – guerras sem fim. Cadernos D. Quixote*, nº 1. Lisboa: Dom Quixote, 2015. pp. 51-94

PAPE, Robert A. The strategic logic of suicide terrorism. *American Political Science Review*. v. 97, nº 3, August 2003.

PERU. *Comisión de la verdad y reconciliación. Informe Final*: (Peru: 1980-2000). Lima: UNMSM; PUCP, 2004, disponível em: <http://cverdad.org.pe/ifinal/> (acesso em: 33 set. 2013), particularmente o Tomo VI, item 1.8. La violencia contra los niños y niñas.

PILLAR, Paul R. The dimensions of terrorism and counterterrorism. *Terrorism and the United States foreign policy*. The Brookings Institution, 2001, pp. 12-29.

PINHEIRO, Álvaro de Souza. A prevenção e o combate ao terrorismo no século XXI. Escola de Comando e Estado-Maior do Exército (ECEME).

RAPOPORT, David C. Fear and Trembling: Terrorism in Three Religious Traditions. *American Political Science Review* 78:3 (1984), pp. 658-677.

RAPOPORT, David C. The Four Waves of Rebel Terror and September 11. *Anthropoetics*, v. 8, nº 1 (Spring/Summer 2002).

RAYMOND, Gregory A. The Evolving Strategies of Political Terrorism. In: KEGLEY Jr., Charles W. (ed.) *The new global terrorism:* characteristics, causes, and controls. Upper Saddle River, NJ: Prentice Hall, 2003.

REALUYO, B. Celina. A dangerous nexus: terrorism, crime and corruption, participação em audiência na pública na Câmara dos Deputados dos EUA (*US House of Representatives*), ocorrida em 21 de maio de 2015. Disponível em: <http://financialservices.house.gov/uploadedfiles/hhrg-114-ba00-wstate-crealuyo-20150521.pdf> (acesso em: 15 jul. 2016).

REALUYO, B. Celina. Hezbollah's global Facilitators in Latin America. *Terrorist groups in Latin America:* the changing landscape: testimony before the Subcommittee on Terrorism, *Non-Proliferation, and Trade, House Committee on Foreign Affairs, U.S. House of Representatives*. 4 de fevereiro de 2014, disponível em: <http://docs.house.gov/meetings/FA/FA18/20140204/101702/HHRG-113-FA18-Wstate-RealuyoC20140204.pdf> (acesso em: 15 jul. 2016).

REIS, Marcus Vinícius. Direito a desobedecer ao estado, publicado em 17 jul. 2011. Disponível em: <http://www.marcusreis.com.br/2011 jul. o-direito-de-desobedecer-o-estado.html> (acesso em: 31 jul. 2016).

RÉPUBLIQUE FRANÇAISE. *Code pénal*. Disponível em: <https://www.legifrance.gouv.fr/affichCode.do?cidTexte=LEGITEXT000006070719> (acesso em: 01 mai. 2016).

RÉPUBLIQUE FRANÇAISE. Sénat. *Rapport nº 117*, disponível em: <https://www.senat.fr/rap/l05-117/l05-1171.pdf> (acesso em: 30 jul. 2015).

RONCZKOWSKI, Michael R. *Terrorism and organized hate crime. Intelligence gathering, Analysis and investigations*. CRC Press, 2ª ed., 2006.

ROTBERT, Robert I. The failure and collapse of nation-states. *When states fail:* causes and consequences. Princeton Press, 2003.

SCHULTZ JR, Richard; DEW, Andrea. *Insurgents, terrorists, and militias – the warriors of contemporary combat*. New York: Columbia Press University, 2006.

SEDERBERG, Peter C. Global terrorism: problems of challenge and response. In: Charles W. Kegley Jr. (ed.), *The new global terrorism:* characteristics, causes, controls. Upper Saddle River, NJ: Prentice Hall, 2003, pp. 267-284.

SENADO FEDERAL. Consultoria Legislativa. *Nota Informativa nº 245, de 2014*, da Consultoria Legislativa do Senado Federal, de autoria de Tiago Ivo Odon.

SHULTZ, Richard H.; DEW, Andrea. *Insurgents, terrorists and militias:* the warriors of contemporary combat. New York: Columbia University Press, 2006.

SINAI, Joshua. How to define terrorism. In: *Perspectives on terrorism*, v. II, issue 4, February 2008.

SNODGRASS, Thomas E. Know your enemy. *Air and Space Power Journal*. Fall 2008, 22.

SNOW, Donald M.. September 11, 2001, The New Face of War? New York: Longman, 2002.

SPENCER, David. Lessons from Colombia Road to Recovery: 1982-2010, *Center for Hemispheric Defense Studies, CHDS Occasional Paper*, v. 2, nº 1, mai. 2012, disponível em: <http://chds.dodlive.mil/files/2013 dez. pub-OP-spencer.pdf> (acesso em: 15 ago. 2016).

STEPNIAK, Sergey. *Underground Russia: revolutionary profiles and sketches from life*. Cornell University Library, 2009 (reprodução do original de 1883).

STERN, Jessica; BERGER, J.M. *Estado Islâmico:* estado de terror. Amadora: Vogais, 2015.

SUSKIND, Ron. *The one percent doctrine. Deep inside America's pursuit of its enemies since 9/11*. New York: Simon and Schuster, 2006.

THE SOUFAN GROUP. *Foreign Fighters – An Updated Assessment of the Flow of Foreign Fighters into Syria and Iraq*, December 2015. Disponível em: <http://soufangroup.com/wp-content/uploads/2015 dez. TSG_ForeignFightersUpdate3.pdf (acesso em: 05 mai. 2016)

THOREAU, Henry David. *Civil desobedience*. Amazon Digital Services Inc. Digital Book, 2012.

TROFIMOV, Yaroslav. *The siege of Mecca:* the 1979 uprising at Islam's holiest shrine. New York: Penguin, 2008.

UNITED STATES. CONGRESSIONAL RESEARCH SERVICE (CRS). International Terrorism and Transnational Crime: Security Threats, U.S. Policy, and Considerations for Congress. 18 mar. 2010.

UNITED STATES. DEPARTMENT OF DEFESE. *Dictionary of military and associated terms*, 2010, disponível em: <http://www.dtic.mil/doctrine/new_pubs/jp1_02.pdf>.

UNITED STATES. DEPARTMENT OF STATE. *Patterns of global terrorism*, 2003, disponível em: <http://www.state.gov/documents/organization/31932.pdf>.

UNITED STATES. USA President's Commission. *The report of the president's commission on critical infrastructure protection*. US Government, 1997, p. ix, disponível em: <https://www.fas.org/sgp/library/pccip.pdf> (acesso em: 11 jul. 2016).

USTRA, Carlos Alberto Brilhante. *A verdade sufocada – a história que a esquerda não quer contar*. Brasília: Editora Ser, 10ª ed., 2014.

USTRA, Carlos Alberto Brilhante. *Rompendo o Silêncio: OBAN DOI/CODI 29 Set 70 – 23 Jan 74*, 3ª ed.. Brasília: Editerra Editorial, 1987.

VIAPIANA, Luiz Tadeu. *Economia do crime. Uma explicação para a formação do criminoso*. Porto Alegre: AGE Assessoria Gráfica e Editorial Ltda., 2006.

WEINBERG, Leonard. *Global terrorism: a beginner's guide*. Oxford: Oneworld Publications, 2005.

WEISS, Michael; HASSAN, Hassan. *Estado Islâmico:* desvendando o exército do terror. São Paulo: Seoman, 2015.

WELBY, Peter What is ISIS?. Publicado em 16 nov. 2015 no sítio da *Tony Blair Faith Foundation*. Disponível em: <http://tonyblairfaithfoundation.org/religion-geopolitics/commentaries/backgrounder/what-isis> (acesso em: 31 jul. 2016).

WHITAKKER, David J. *The terrorist reader*. Routledge Readers. 4ª ed. 2010, edição eletrônica.

WHITTAKER, David J.. *Terrorists and terrorism in the contemporary world*. London and New York: Routledge, 2004.

WILLIAMS, Anne; HEAD, Vivian. *Ataques terroristas:* a face oculta da vulnerabilidade. São Paulo: Larousse do Brasil, 2010.

YOUNG, Reuven. Defining terrorism: the evolution of terrorism as a legal concept in international law and its Influence on definitions in domestic legislation. In: *Boston College International & Comparative Law Review* 29: 23 (2006), disponível em: <http://lawdigitalcommons.bc.edu/iclr/vol29/iss1/3>.

MATÉRIAS DE JORNAIS E DE SÍTIOS NA INTERNET CITADAS

Alvos da operação antiterror estão em prisão de segurança máxima. *O Estado de São Paulo*, 22 jul. 2016, disponível em: <http://politica.estadao.com.br/blogs/fausto-macedo/suspeitos-de-terrorismo-estao-em-presidio-federal-em-campo-grande/> (acesso em: 22 jul. 2016).

Cronologia: o Iraque de Saddam. *BBC Brasil*, disponível em: <http://www.bbc.co.uk/portuguese/especial/1314_saddamsiraq2/page3.shtml> (acesso em: 28 jun. 2016).

Guerra Química. *BBC Brasil*, disponível em: <http://www.bbc.co.uk/portuguese/especial/1314_saddamsiraq2/page3.shtml> (acesso em: 28 jun. 2016).

Japão condena à forca mentor de ataque com gás no metrô. *G1*, 15/09/2006, disponível em: <http://g1.globo.com/Noticias/Mundo/0,,AA1273306-5602,00.html> (acesso em: 28 jun. 2016).

O último abraço em Osama bin Laden nas cavernas de Tora Bora. *El País*, 13 mar. 2015, disponível em: <http://brasil.elpais.com/brasil/2015/03/13/internacional/1426256165_460174.html> (acesso em: 20 mai. 2016).

Repórter da Globo é libertado após 40 horas sequestrado. Folha de São Paulo, 14/08/2006, disponível em <http://www1.folha.uol.com.br/folha/cotidiano/ult95u125003.shtml (acesso em: 30 jul. 2016).

Suicide Bombing is effective – so expect more. *The Sydney Morning Herald*, 15 ago. 2007, disponível em: <http://www.smh.com.au/news/national/suicide-bombings-are-effective--so-expect-more/2007/08/14/1186857512096.html> (acesso em: 30 jun. 2016).

U.S.: Afghan Drug Trade Funds Taliban. *CNN.com*, 29 fev. 2008, disponível em <http://www.cnn.com/2008/WORLD/asiapcf fev. 29/narcotics.report/index.html> (acesso em: 12 jul. 2009);

LEGISLAÇÃO CITADA

BRASIL. Constituição da República Federativa do Brasil, de 5 de outubro de 1988 (CF 88).

BRASIL. Lei nº 8.072, de 25 de julho de 1990 (Lei dos Crimes Hediondos).

BRASIL. Lei nº 7.170, de 14 de dezembro de 1983 (Lei de Segurança Nacional – LSN).

BRASIL. Lei nº 12.850, de 2 de agosto de 2013 (Organizações Criminosas).

BRASIL. Lei nº 13.260, de 16 de março de 2016 (Lei Antiterrorismo – LAT)

BRASIL. Decreto nº 3.976, de 18 de outubro de 2001.

BRASIL. Decreto nº 8.793, de 29 de junho de 2016 (Fixa a Política Nacional de Inteligência – PNI).

INSTRUMENTOS INTERNACIONAIS SOBRE TERRORISMO

CONSELHO DA EUROPA. *Convenção Europeia para Prevenção do Terrorismo*, celebrada em Varsóvia, em 16 de maio de 2005. Disponível em: <http://conventions.coe.int/Treaty/EN/Treaties/Html/196.htm> (acesso em: 10 jan. 2014).

CONSELHO DA EUROPA. *Convenção Europeia para Repressão do Terrorismo*, celebrada em Estrasburgo, em 27 de janeiro de 1977. Disponível em: <http://conventions.coe.int/Treaty/en/Treaties/Html/090.htm> (acesso em: 10 jan. 2014).

CONSELHO DA EUROPA. *Decisão-Quadro 2002/475/JAI do Conselho, de 13 de Junho de 2002, relativa à luta contra o terrorismo*. Disponível em: <http://eur-lex.europa.eu/LexUriServ/LexUriServ.do?uri=CELEX:32002F0475:PT:NOT>.

LEAGUE OF ARAB STATES. *The Arab Convention on the Suppression of Terrorism, signed at Cairo, on 22 April 1998*. Disponível em: https://www.unodc.org/tldb/pdf/conv_arab_terrorism.en.pdf> (acesso em: 17 fev. 2014).

ORGANIZAÇÃO DOS ESTADOS AMERICANOS. Assembleia Geral. *AG/RES. 1840 (XXXII-O/02)*, aprovada na primeira sessão plenária, realizada em 3 de junho de 2002. Disponível em: <http://www.cicte.oas.org/Rev/En/Documents/Conventions/AG%20RES%201840%202002%20portugues.pdf> (acesso em: 1º dez. 2013).

SOCIÉTÉ DES NATIONS. *Convention pour la Prévention et la Répression du Terrorisme*. Genève, 16 novembre 1937. Disponível em: <http://www.wdl.org/pt/item/11579/> (acesso em: 10 jul. 2016).

UNITED NATIONS. *Amendments to the Convention on the Physical Protection of Nuclear Material*, Vienna, 8 July 2005. Disponível em: <http://www.un.org/en/sc/ctc/docs/conventions/Conv6amd.pdf> (acesso em: 1º jul. 2014).

UNITED NATIONS. *Convention for the Suppression of Unlawful Acts against the Safety of Civil Aviation, Montreal, 23 September 1971*. Disponível em: <http://www.un.org/en/sc/ctc/docs/conventions/Conv3.pdf> (acesso em: 1º jul. 2014).

UNITED NATIONS. *Convention for the Suppression of Unlawful Acts against the Safety of Maritime Navigation, Rome, 10 March 1988*. Disponível em: <http://www.un.org/en/sc/ctc/docs/conventions/Conv8.pdf> (acesso em: 1º jul. 2014).

UNITED NATIONS. *Convention for the Suppression of Unlawful Seizure of Aircraft, The Hague, 16 December 1970*. Disponível em: <http://www.un.org/en/sc/ctc/docs/conventions/Conv2.pdf> (acesso em: 1º jul. 2014).

UNITED NATIONS. *Convention on Offences and Certain Other Acts Committed On Board Aircraft, Tokyo, 14 September 1963. Disponível em: <http://www.un.org/en/sc/ctc/docs/conventions/Conv1.pdf> (acesso em: 1º jul. 2014)*

UNITED NATIONS. *Convention on the Marking of Plastic Explosives for the Purpose of Detection*, Montreal, 1 March 1991. Disponível em: <http://www.un.org/en/sc/ctc/docs/conventions/Conv10.pdf> (acesso em: 1º jul. 2014).

UNITED NATIONS. *Convention on the Physical Protection of Nuclear Material*, Vienna, 03 March 1980. Disponível em: <http://www.un.org/en/sc/ctc/docs/conventions/Conv6.pdf (acesso em: 1º jul. 2014).

UNITED NATIONS. *Convention on the Prevention and Punishment of Crimes against Internationally Protected Persons, including Diplomatic Agents*, New York 14 December 1973. Disponível em: <http://www.un.org/en/sc/ctc/docs/conventions/Conv4.pdf> (acesso em: 1º jul. 2014).

UNITED NATIONS. *Convention on the Suppression of Unlawful Acts Relating to International Civil Aviation*, Beijing, 10 September 2010. Disponível em: <https://www.unodc.org/tldb/pdf/Universal_Tools/2010_Convention_Civil_Aviation.pdf> (acesso em: 1º jul. 2014).

UNITED NATIONS. General Assembly. *Resolution 49/60, 9 December 1994* (A/RES/49/60). Disponível em: <http://www.un.org/documents/ga/res/49/a49r060.htm> (acesso em: 10 ago. 2014).

UNITED NATIONS. General Assembly. *Resolution 51/210, 17 December 1996* (A/RES/51/210). Disponível em: <http://www.un.org/documents/ga/res/51/a51r210.htm> (acesso em: 10 ago. 2014).

UNITED NATIONS. General Assembly. *Resolution 53/108, 8 December 1998* (A/RES/53/108). Disponível em: <http://www.un.org/en/ga/search/view_doc.asp?symbol=A/RES/53/108&Lang=E> (acesso em: 10 ago. 2014).

UNITED NATIONS. *International Convention Against the Taking of Hostages*, New York, 17 December 1979. Disponível em: <http://www.un.org/en/sc/ctc/docs/conventions/Conv5.pdf> (acesso em: 1º jul. 2014).

UNITED NATIONS. *International Convention for the Suppression of Acts of Nuclear Terrorism*, New York, 13 April 2005. Disponível em: <http://www.un.org/en/sc/ctc/docs/conventions/Conv13.pdf> (acesso em: 1º jul. 2014).

UNITED NATIONS. *International Convention for the Suppression of Terrorist Bombings*, New York, 15 December 1997. Disponível em: <http://www.un.org/en/sc/ctc/docs/conventions/Conv11.pdf> (acesso em: 1º jul. 2014).

UNITED NATIONS. *International Convention for the Suppression of the Financing of Terrorism*, New York, 9 December 1999. Disponível em: <http://www.un.org/en/sc/ctc/docs/conventions/Conv12.pdf> (acesso em: 1º jul. 2014).

UNITED NATIONS. *Protocol for the Suppression of Unlawful Acts Against the Safety of Fixed Platforms Located on the Continental Shelf*, Rome, 10 March 1988. Disponível em: <http://www.un.org/en/sc/ctc/docs/conventions/Conv9.pdf> (acesso em: 1º jul. 2014).

UNITED NATIONS. *Protocol for the Suppression of Unlawful Acts of Violence at Airports Serving International Civil Aviation, Supplementary to the Convention for the Suppression of Unlawful Acts against the Safety of Civil Aviation*, done at Montreal on 23 September 1971, Montreal, 24 February 1988. Disponível em: <http://www.un.org/en/sc/ctc/docs/conventions/Conv7.pdf> (acesso em: 1º jul. 2014).

UNITED NATIONS. *Protocol of 2005 to the Convention for the Suppression of Unlawful Acts Against the Safety of Maritime Navigation*, London, 1º nov. 2005. Disponível em: <https://www.unodc.org/tldb/en/2005_Protocol2Convention_Maritime%20Navigation.html> (acesso em: 1º jul. 2014).

UNITED NATIONS. *Protocol Supplementary to the Convention for the Suppression of Unlawful Seizure of Aircraft*, Beijing, 10 September 2010. Disponível em: <https://www.unodc.org/tldb/en/2010_protocol_convention_unlawful_seizure_aircraft.html> (acesso em: 1º jul. 2014).

UNITED NATIONS. *Protocol to Amend the Convention on Offences and Certain Other Acts Committed on Board Aircraft, Montreal, 4 April 2014.* Disponível em: <http://www.icao.int/Meetings/AirLaw/Documents/Protocole_mu.pdf> (acesso em: 1º set. 2014).

UNITED NATIONS. *Protocol to the Protocol for the Suppression of Unlawful Acts Against the Safety of Fixed Platforms Located on the Continental Shelf*, London, 14 October 2005. Disponível em: <https://www.unodc.org/tldb/en/2005_Protocol2Protocol_Fixed%20Platforms.html> (acesso em: 1º jul. 2014).

UNITED NATIONS. Security Council. *S/RES/1566 (2004), 8 out. 2004.* Disponível em <http://daccess-dds-ny.un.org/doc/UNDOC/GEN/N04/542/82/PDF/N0454282.pdf?OpenElement> (acesso em: 10 dez. 2013).

Rua Alexandre Moura, 51
24210-200 – Gragoatá – Niterói – RJ
Telefax: (21) 2621-7007
www.impetus.com.br

Esta obra foi impressa em papel offset 75 grs./m^2.